SO-AFY-851

ANDRÉE MORRISON
65-C Queen St.
Sturgeon Falls,
Ontario   P0H 2G0

West Nipissing Public Library

Don 0113

$15.99

SF
0113

BIBLIOTHÈQUE
médicale
DE LA FAMILLE

LES GRANDES MALADIES :
COMMENT LUTTER ?

FRANCE LOISIRS

123, Bd de Grenelle, Paris

Cet ouvrage a été réalisé sous la direction du docteur Yves Morin,
médecin des hôpitaux, chef du service de médecine interne
au centre hospitalier national d'ophtalmologie des Quinze-Vingts, Paris

avec la collaboration des
Professeur Jean-Luc Breau, chef du service d'oncologie médicale de l'hôpital Avicenne, Bobigny
Professeur François Vachon, chef du service de réanimation des maladies infectieuses,
hôpital Bichat-Claude-Bernard, Paris

Ont également collaboré aux textes
Pour la Suisse, Jean-Pierre Restellini, docteur en médecine et licencié en droit
Pour la Belgique, Michel Masson, docteur en médecine et membre de l'Association belge
des syndicats médicaux (ABSYM)
Pour le Canada, Bruno J. L'Heureux, MD, ancien président de l'Association médicale canadienne,
membre du conseil d'administration de l'Association médicale mondiale
Docteur Louisette Andjelkovic, psychosomaticienne, C.H.N.O. des Quinze-Vingts de Paris
Docteur Sophie Bianovici, médecin généraliste
Docteur Alain Bottéro, psychiatre, ancien chef de clinique-assistant des Hôpitaux de Paris
Docteur Annick Deveau, médecin de santé publique des Hôpitaux de Paris
Docteur Michel Fèbvre, praticien hospitalier, pneumologie, hôpital Saint-Antoine
Docteur Francine Hirszowski, médecin généraliste, C.E.T.D. Saint-Antoine
Docteur Jean Varin, cardiologue, C.H.N.O. des Quinze-Vingts de Paris

Direction éditoriale
Édith Ybert, Laurence Passerieux

Direction artistique
Laurence Lebot

Conception graphique
Dominique Dubois

Iconographie
Nathalie Bocher-Lenoir, Catherine Dumeu

Lecture-révision
Annick Valade, assistée d'Édith Zha

Fabrication
Isabelle Goulhot

L'Éditeur remercie pour leur collaboration
Youna Brézolin, Martine Pierre-Marie Granier, Fabienne Kauffman,
Carina Louart, Stéphanie Nicolas, Francois Raoux, Christine Thubert

Malgré tout le soin apporté à la rédaction de ce volume de la *Bibliothèque médicale de la famille*,
et en raison de l'étendue des domaines embrassés, une erreur aura pu s'y glisser.
Nous ne saurions être tenus pour responsables de ses conséquences ou d'une interprétation erronée,
car, rappelons-le, aucun livre ne peut remplacer l'avis du médecin.

© Larousse-Bordas 1998

Toute reproduction ou représentation intégrale ou partielle,
par quelque procédé que ce soit, du texte et/ou de la nomenclature contenus dans le présent ouvrage,
et qui sont la propriété de l'Éditeur, est strictement interdite

Édition du Club France Loisirs, Paris
avec l'autorisation des Éditions Larousse-Bordas

ISBN : 2-7441-1107-4
N° Éditeur : 28950
Dépôt légal : Janvier 1998
Imprimer en Francce
par Publiphotoffset - 93500 Pantin

SOMMAIRE

LES GRANDES MALADIES : COMMENT LUTTER ?

RESTER EN BONNE SANTÉ

Rester en bonne santé tout au long de la vie est notre souhait à tous. Mais cet objectif, bien que capital, n'est pas si facile à atteindre. En effet, mille dangers nous menacent dès le début de notre existence, parmi lesquels les maladies, qui tiennent une place prépondérante et auxquelles ce volume est entièrement consacré.

Mieux connaître les grandes maladies peut parfois permettre de les éviter, ou, du moins, de s'en préoccuper dès leur apparition, ce qui favorise bien souvent leur guérison. C'est là l'objectif de cet ouvrage, destiné à un large public. Il ne doit cependant pas remplacer le médecin, qui, lui seul, est capable de diagnostiquer une maladie et de prescrire un traitement adapté. Son but est d'apporter une meilleure connaissance des problèmes de santé, de fournir, par exemple, des explications sur ce que vient de dire le médecin au cours d'une consultation. Il se propose également de présenter, de manière simple et compréhensible, les derniers progrès de la médecine ainsi que les nouvelles maladies.

MALADIES INFECTIEUSES

Les maladies infectieuses font partie des grandes maladies qui peuvent nous atteindre au cours de notre vie. Elles sont provoquées par les microbes, les parasites et les champignons microscopiques, présents dans la nature. Elles représentent donc une composante à part entière de l'histoire de l'humanité. Elles varient avec les siècles, c'est-à-dire avec les sociétés, leur alimentation, leur environnement, les progrès techniques et les échanges individuels et collectifs. Le premier chapitre de ce volume leur est consacré. Il présente les maladies infectieuses dans leur ensemble, puis aborde de façon plus approfondie la plupart de ces grandes maladies, notamment l'infection par le virus du sida, qui tient, en cette fin de siècle, les devants de la scène.

PROBLÈMES D'AUJOURD'HUI

Parmi les grands problèmes de santé actuels, les cancers constituent une menace de plus en plus importante, sans doute parce qu'ils sont de mieux en mieux reconnus et dépistés, mais aussi parce que leur fréquence a beaucoup augmenté ces dernières décennies. Chaque guérison est ainsi saluée, à juste titre, comme une victoire. Mais la lutte contre le cancer doit se faire sur tant de fronts qu'elle est sûrement l'une des plus difficiles qui soient.

Par opposition aux maladies infectieuses, chaque cancer est lié à des causes multiples, à la combinaison de plusieurs facteurs qui sont ensemble à l'origine de l'apparition du cancer. Le dénombrement de ces facteurs, appelés aussi facteurs de risque, fait partie des grands objectifs de la médecine d'aujourd'hui. L'un de ces facteurs est incontestablement d'ordre génétique. La science consacrée à l'étude des gènes, la génomique, représente un immense espoir dans la lutte contre les cancers. Il ne s'agit plus seulement de détecter, comme on sait le faire depuis longtemps, les maladies à transmission héréditaire (maladie génétique comme l'hémophilie), mais de repérer la transmission de gènes susceptibles d'entraîner une maladie (vulnérabilité génétique) si d'autres facteurs s'y associent. L'ancienne notion de terrain prédisposant, familial notamment, est ainsi remise à l'ordre du jour.

Dans les pays développés, les maladies cardiovasculaires constituent la première cause de mortalité. Elles sont dominées par la maladie athéromateuse, caractérisée par un durcissement progressif de la paroi des artères (artériosclérose), qui deviennent rigides et peuvent se rompre ou s'obstruer, cessant alors d'irriguer les différents organes. Le cœur, le cerveau et les membres inférieurs sont les plus touchés. Ce phénomène est l'aboutissement de longues années de mauvaises habitudes alimentaires, de tabagisme, de vie trépidante ; mais avec probablement, là encore, une prédisposition génétique.

D'autres fléaux actuels sont le fruit de nos propres choix et entreprises, personnels ou collectifs, comme les maladies respiratoires chroniques (bronchite chronique, insuffisance respiratoire de la silicose, du tabagisme) ou les toxicomanies (alcool, héroïne, etc.).

Les maladies du psychisme comme le stress, l'épuisement psychique et la dépression, sont également très importantes dans nos sociétés.

Le dernier volet de ce volume évoque la plupart de ces grands problèmes de santé ainsi que les moyens dont nous disposons pour les éviter. Il donne, enfin, des conseils pour vieillir dans les meilleures conditions et, tout simplement, pour mieux vivre.

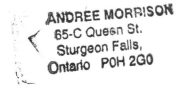
ANDRÉE MORRISON
65-C Queen St.
Sturgeon Falls,
Ontario   P0H 2G0

Maladies
infectieuses

Les maladies infectieuses sont provoquées par ce que l'on appelle des agents infectieux, nombreux et variés. Ceux-ci sont regroupés en bactéries et virus (les microbes), champignons et parasites, auxquels s'ajoutent maintenant les prions, des agents infectieux « non conventionnels ». Par nature, ils sont transmissibles, passant d'un individu à un autre (contagion entre les humains, zoonose de l'animal à l'homme). Tous appartiennent à notre environnement, au monde végétal comme au monde animal. Certains d'entre eux sont présents chez l'homme et composent la flore microbienne vivant à la surface de la peau, des muqueuses (intestin) ou des orifices naturels (bouche, vagin), en constituant autant de barrières vivantes contre l'intrusion d'autres agents infectants.

Avoir une maladie infectieuse

Avoir une maladie infectieuse suppose une rupture de cet équilibre, lorsque l'agent infectieux pénètre massivement dans notre corps et s'y multiplie, en franchissant les barrières que forment notre peau et nos muqueuses. Cependant, pour que la maladie infectieuse se déclare, il faut que nos défenses naturelles soient affaiblies ; elles ne sont alors plus assez efficaces pour remplir leur rôle, c'est-à-dire détruire les agents qui nous agressent. C'est à ce moment-là qu'intervient le médecin, en nous prescrivant des traitements destinés à remplacer nos mécanismes naturels débordés. Ces médicaments anti-infectieux (antibiotiques, antiviraux, antifongiques, antiparasitaires) empêchent l'infection de s'aggraver et permettent de la contrôler jusqu'à ce que l'organisme ait retrouvé ses capacités de défense afin d'assurer la guérison.

Les maladies infectieuses entraînent l'apparition de symptômes, qui vont aider le médecin à reconnaître l'affection en cours et à décider d'un traitement. Il ne faut donc pas les négliger. Des examens complémentaires réalisés en laboratoire peuvent également servir à confirmer le diagnostic.

La prévention

La prévention est la meilleure arme dont nous disposons dans la lutte contre les maladies infectieuses. Les vaccinations représentent l'une des mesures les plus efficaces. Dans les pays où elles sont correctement appliquées, elles ont à elles seules fait disparaître certaines infections, comme le tétanos ou la poliomyélite. La variole, qui, en d'autres temps, a fait des ravages, a ainsi été éradiquée dans le monde entier. Il est également possible, pour certaines maladies, d'éviter la transmission ; par exemple, en utilisant un préservatif dans le cas des maladies sexuellement transmissibles.

Prévenir les maladies infectieuses, c'est aussi se rappeler que, là où nous vivons, nous restons généralement en bonne santé parce que nous nous sommes adaptés à notre environnement. Tout changement de lieu, au cours d'un séjour dans un pays tropical par exemple, est facteur d'autres dangers, souvent négligeables pour les adultes autochtones, mais qui peuvent être graves pour les touristes «non immunisés» : le paludisme en est le meilleur exemple. Il est donc essentiel de savoir comment ne pas contracter ces maladies lors des voyages, d'autant plus que les mesures de prévention sont souvent très simples.

LE SIDA

L'infection due au virus du sida, qui tient actuellement une place prépondérante parmi les maladies sexuellement transmissibles, est connue depuis seulement une vingtaine d'années. Comme l'hépatite B, elle se distingue des traditionnelles maladies vénériennes par l'absence totale de signes locaux, témoins habituels de l'origine sexuelle de la contamination. Elle est également caractérisée par la possibilité de transmission par le sang, notamment lors de transfusions sanguines réalisées sans mesures de précaution (vérification de l'innocuité et chauffage des produits). Dans les pays développés, ces mesures sont systématiquement effectuées. La transmission par le sang concerne également le matériel médical (aiguilles, seringues), réutilisé sans stérilisation préalable, comme chez les héroïnomanes ou dans certains pays où règne une grande pénurie.

L'infection par le virus du sida, lorsqu'elle aboutit au sida déclaré, échéance qui n'est peut-être pas aussi inéluctable qu'on le croyait, reste cependant une maladie cruelle, à la fois dans ses aspects médicaux et dans ses implications sociales et professionnelles. Elle aura marqué un vrai tournant dans l'évolution de la médecine ainsi que des rapports humains et, plus particulièrement, des rapports entre les malades et les professionnels de la santé.

L'histoire des épidémies nous apprend que des maladies comme le sida ne sont redoutables qu'un temps : l'homme finit par en venir à bout soit par la découverte d'un vaccin ou d'un médicament curatif, ou encore par l'établissement de mesures préventives, soit par le fait que le virus devient moins agressif au fil des années.

Pour toutes ces raisons, il est permis d'espérer que cette maladie que nous voyons se dérouler sous nos yeux sera un jour vaincue.

LES MALADIES INFECTIEUSES

Les maladies infectieuses sont dues à l'agression de notre corps par des microbes ou des parasites, capables d'engendrer une maladie.

Ces maladies peuvent être provoquées par des bactéries, des virus, des champignons microscopiques, ainsi que par des parasites, microscopiques ou non.

LES CAUSES ET LES MANIFESTATIONS

Un de ces agents pathogènes peut pénétrer dans notre corps et s'y développer. Si les défenses naturelles de l'organisme sont trop faibles pour lutter contre cette agression, il survient une maladie infectieuse.

Les microbes et les parasites agissent essentiellement en se multipliant ; cette faculté à se multiplier est appelée « virulence ». Ils peuvent également sécréter des substances nuisibles, nommées toxines, qui endommagent les cellules ou les tissus. Dès qu'un germe envahit l'organisme, celui-ci le reconnaît comme un corps étranger. Il organise aussitôt la défense contre l'infection grâce aux globules blancs du système immunitaire, qui attaquent les microbes et se mettent à fabriquer des substances neutralisantes (anticorps). Lorsque la défense de l'organisme se trouve submergée par le pouvoir néfaste du germe, la maladie infectieuse se déclare.

Nous ne sommes pas tous égaux face à une maladie infectieuse. Il arrive que l'infection soit très grave chez certains, par exemple chez ceux dont le système immunitaire est affaibli, chez les personnes âgées ou chez les nourrissons ; elle peut par contre être anodine chez les personnes qui se sont immunisées naturellement ou par le biais d'une vaccination.

En outre, une infection peut passer inaperçue ou être momentanément inapparente avant de se manifester (phase d'incubation). Dans ce dernier cas, la personne atteinte contamine parfois les proches de son entourage sans le savoir.

Une infection peut se limiter à son point de départ : infection locale avec douleur, rougeur, gonflement et fièvre, traduisant les réactions de défense locales ; c'est le cas, par exemple, du panaris au niveau du pouce après une piqûre d'écharde. Mais le panaris initial peut s'étendre à

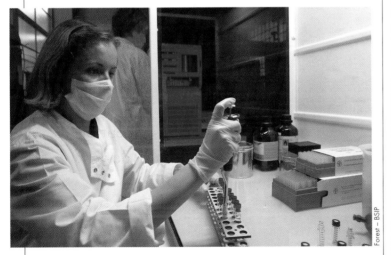

Forest – BSIP

Mise en culture de germes. *Cette technique, qui s'effectue en laboratoire, permet d'identifier les différents microbes.*

L'INFECTIOLOGIE

L'infectiologie est l'ensemble des disciplines scientifiques et médicales consacrées à l'étude et au traitement des maladies infectieuses. Pour étudier les germes responsables de ces maladies et les identifier, on recrée un milieu favorable à leur développement, afin qu'ils s'y multiplient. Cette technique de laboratoire est appelée « mise en culture ».

la main puis au bras, avec des ganglions dans l'aisselle du même côté. L'infection s'est alors compliquée d'une extension aux tissus voisins. Au pire, elle peut se généraliser à tout l'organisme en passant par le sang qui la dissémine. Dans ce cas, on parle de septicémie.

LA PROPAGATION

Les maladies infectieuses se distinguent selon leur mode de propagation.
– Les infections qui se manifestent de manière épisodique, par des cas isolés, sont dites « sporadiques » : septicémie, endocardite, méningite à pneumocoque.
– Les infections qui atteignent un grand nombre d'individus, dans un laps de temps relativement court et dans une même région, sont des épidémies : grippe, méningite cérébrospinale à méningocoque.

L'INFECTION OPPORTUNISTE

Une infection due à des germes normalement présents dans le corps et jusqu'alors inoffensifs est appelée « infection opportuniste ». Ces germes font partie de la flore microbienne de la peau, du tube digestif (bouche, intestin) et du vagin. Il peut aussi s'agir de germes contractés auparavant et jusque-là inoffensifs.
Quand les défenses naturelles d'une personne sont affaiblies (à cause d'un cancer ou du sida, par exemple), ces germes deviennent virulents et donnent lieu à une maladie.

– Les infections présentes de façon permanente dans une région donnée sont dites « endémiques » : paludisme, fièvre jaune. Elles peuvent donner naissance à des cas sporadiques ou à de petites épidémies.
– Une épidémie qui s'étend de proche en proche à l'échelle d'un pays, d'un continent ou du monde entier est appelée une « pandémie ». Les pandémies relèvent exclusivement d'un mécanisme de contagion quasi inévitable : peste au XVIIIᵉ siècle. Actuellement, elles ont presque disparu grâce aux médicaments (antibiotiques essentiellement) et aux moyens préventifs (vaccins) et, surtout, grâce aux mesures nationales et internationales de contrôle (barrières sanitaires).

LA TRANSMISSION

Toutes les maladies infectieuses sont transmissibles. Certaines se transmettent à l'homme par l'intermédiaire d'un animal (comme le moustique pour le paludisme), d'autres se transmettent directement d'une personne à l'autre (par exemple, la grippe) ; on dit alors qu'elles sont contagieuses.
La contagion peut être directe :
– par voie aérienne (postillons émis lors de la parole, de la toux, de l'éternuement comme pour la rougeole ou la grippe) ;
– par la salive (mononucléose infectieuse) et par les crachats (tuberculose) ;
– par contact avec la peau et les muqueuses (herpès, gale) ;
– par le sang, le sperme ou les sécrétions vaginales (hépatites virales B et C, VIH) ;

L'INFECTION NOSOCOMIALE

Une infection contractée à l'hôpital par un patient admis pour une autre maladie est appelée « infection nosocomiale ». Elle est principalement due au fait qu'il existe, en milieu hospitalier, une grande quantité de germes très virulents et que les malades hospitalisés sont plus fragiles, donc plus vulnérables. Ce type d'infection se rencontre dans tous les services hospitaliers. Elle est cependant plus fréquente dans les services de chirurgie, de grands brûlés, de réanimation, de cancérologie, d'hématologie et dans les crèches des hôpitaux.

– au cours de la grossesse, de la mère au fœtus à travers le placenta (toxoplasmose, rubéole). La contagion peut également se faire par l'intermédiaire des selles, des urines ou du sang, qui ont pu rentrer indirectement en contact avec l'eau de boisson ou les aliments (choléra, toxi-infections alimentaires, hépatite A). Les maladies non contagieuses se transmettent à partir de l'endroit où se développent les microbes ou les parasites. Cela peut être la terre (tétanos) ; un animal non malade, dit « réservoir de virus » (oiseau, rongeur, singe), ou un animal malade (rage, brucellose). Certaines infections nécessitent un animal dit contaminateur, qui transmet la maladie par piqûre (moustique : paludisme, dengue, fièvre jaune ; mouche : maladie du sommeil) ou par morsure (tique : maladie de Lyme).

LES MICROBES ET LES PARASITES

Les microbes sont des organismes vivants non visibles à l'œil nu (micro-organismes). Les parasites, qui vivent aux dépens de ceux qui les hébergent, peuvent être microscopiques ou non.

Les bactéries se développent souvent mieux dans un environnement chaud et humide. Certaines d'entre elles, ayant besoin d'oxygène pour croître et se multiplier (bactéries aérobies), se rencontrent près de la surface du corps, sur la peau et dans l'appareil respiratoire. D'autres se développent dans une atmosphère sans oxygène (bactéries anaérobies), dans le côlon ou les plaies profondes, par exemple. Dans des conditions favorables (milieu chaud et présence d'éléments nutritifs en quantité suffisante), les bactéries se reproduisent par division, en donnant naissance chacune à deux bactéries identiques toutes les 20 minutes. Ainsi, en 6 heures, une seule bactérie peut engendrer plus de 250 000 nouvelles bactéries.

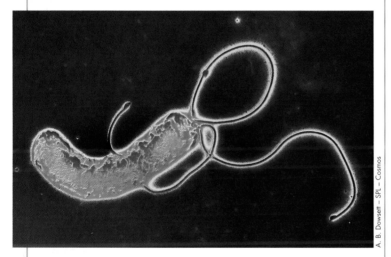

A. B. Dowsett – SPL – Cosmos

Bactérie Helicobacter pylori **vue au microscope électronique à transmission.** Cette bactérie favorise l'apparition de l'ulcère de l'estomac.

Les microbes qui provoquent des maladies sont qualifiés de pathogènes. Il s'agit de bactéries, de virus ou de champignons microscopiques. Les parasites, qu'ils soient microscopiques ou non, peuvent également entraîner des maladies.

LES BACTÉRIES

Les bactéries sont des micro-organismes de moins de 500 micromètres (un millionième de mètre), constitués d'une seule cellule et d'un noyau. Elles sont abondantes dans l'air, le sol et l'eau, et la plupart sont inoffensives pour l'homme.

La bactériologie, science consacrée à l'étude des bactéries, a permis de les classer selon leur forme en 3 groupes principaux : les coques (sphériques), les bacilles (allongés en bâtonnets) et les spirochètes (en forme de spirale). Les bactéries sont également identifiées selon la manière dont elles fixent différents colorants (coloration de Gram). Leur réaction à cette coloration (Gram positif ou négatif) aide à orienter le choix des traitements.

LA FLORE BACTÉRIENNE

On appelle ainsi l'ensemble des bactéries qui vivent à la surface de la peau, des muqueuses du corps, ainsi que dans les cavités naturelles (gorge, intestin, vagin), et qui ne nuisent pas à l'organisme.

Ces bactéries inoffensives jouent un rôle essentiel dans la résistance aux infections, en stimulant en permanence le système immunitaire et en empêchant, par leur simple présence (effet de barrière), l'implantation de bactéries susceptibles d'entraîner des maladies infectieuses.

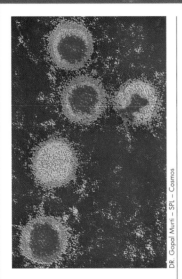

Virus d'Epstein Barr vu au microscope électronique à transmission. Ce virus est responsable de la mononucléose infectieuse, plus connue sous le nom de « maladie du baiser ».

La capacité des bactéries à provoquer des maladies repose sur deux mécanismes : leur « virulence », c'est-à-dire leur aptitude à se multiplier et à se propager plus ou moins rapidement dans notre corps ; et leur aptitude à fabriquer des substances toxiques pour nos cellules.

Les maladies infectieuses dues aux bactéries se soignent par les antibiotiques.

LES VIRUS

Les virus sont les plus petits micro-organismes infectieux connus. Ils ne peuvent se multiplier qu'après avoir envahi les cellules d'un autre être vivant. Les virus ont tous la même structure de base, mais leur forme et leur taille sont variables. Ils sont constitués d'un seul acide nucléique (contenant les informations codées nécessaires à leur multiplication), enfermé dans une sorte de coque appelée « capside ».

Il existe plus d'une vingtaine de familles de virus susceptibles d'entraîner des maladies chez l'homme, comme le virus de la grippe, le virus de l'herpès ou le VIH, responsable du sida.

Les virus agissent de différentes manières. Ils peuvent détruire les cellules qu'ils envahissent ou perturber sévèrement leur fonctionnement, risquant de provoquer une maladie grave lorsqu'ils sont localisés dans un organe vital. Certains virus sont également capables de modifier l'information génétique d'une cellule et de la transformer en cellule cancéreuse. D'autres virus peuvent commencer par se « cacher » à l'intérieur des cellules et exercer leurs effets des mois, voire des années, après ; c'est le cas du virus du sida.

Le traitement des infections virales se fonde sur la prise de médicaments antiviraux.

LES CHAMPIGNONS MICROSCOPIQUES

Les champignons microscopiques comprennent les levures, les champignons filamenteux et les moisissures. Les maladies infectieuses provoquées par les champignons microscopiques sont appelées des « mycoses ». Les principaux champignons microscopiques responsables de maladies sont *Candida albicans*, *Pytiriasis versicolor*, *Aspergillus*, *Cryptococcus neoformans* ainsi que les dermatophytes. Certains d'entre eux sont présents en permanence chez tous les individus. Mais, dans des conditions particulières (mauvaise hygiène, atmosphère chaude et humide, baisse des défenses immunitaires, traitement antibiotique prolongé), ils vont proliférer anormalement et provoquer une maladie. C'est le cas des *Candida*, qui peuvent entraîner une candidose locale. Les mycoses sont généralement des maladies bénignes, mais elles peuvent être plus graves et se généraliser, notamment chez les personnes dont les défenses naturelles sont affaiblies.

Les médicaments antimycosiques (fongicides) permettent de les traiter.

LES PARASITES

Un parasite est un organisme vivant qui vit aux dépens de celui qui l'héberge ; il se nourrit de ses tissus et de son sang. Les parasites qui provoquent des maladies chez l'homme sont de deux sortes. Il s'agit, d'une part, de micro-organismes constitués d'une seule cellule (protozoaires) et, d'autre part, d'organismes comprenant plusieurs cellules (métazoaires).

La transmission des parasites à l'homme se fait soit par l'alimentation, soit par passage à travers la peau (par piqûre d'insecte ou lors de baignades).

Les parasites sont plus courants dans les régions tropicales, à cause de la chaleur et de l'humidité, et dans les pays où l'hygiène est défectueuse.

Les maladies causées par des parasites se soignent avec des médicaments antiparasitaires.

DR. Gopal Murti – SPL – Cosmos

Les Maladies Transmises par les Animaux

Beaucoup de maladies infectieuses sont transmises à l'homme par les animaux : les insectes, les mammifères, les oiseaux et même les reptiles.

Les animaux transmettent des maladies infectieuses à l'homme de différentes manières. Lorsqu'ils sont malades ils peuvent nous contaminer directement, par morsure, léchage (rage) ou griffure (maladie des griffes du chat), ou indirectement, par les urines (leptospirose), les selles (toxoplasmose) ou le lait (brucellose).

Certains germes ont besoin d'être hébergés par des animaux pendant une partie de leur cycle de développement. Les animaux qui portent ces germes, mais ne sont pas malades, deviennent alors des vecteurs de maladies (moustiques, mouches, etc.).

Enfin, d'autres germes ne peuvent vivre qu'à l'intérieur d'un animal, appelé « réservoir de germes ». Cet animal contamine l'homme par ses urines et ses selles ou par son sang (rongeurs, oiseaux, primates, bovins, etc.).

MALADIES TRANSMISES PAR LES INSECTES

Les maladies véhiculées par les insectes sévissent essentiellement dans les pays tropicaux et en développement, sauf celles propagées par les poux ou les puces, qui se rencontrent partout. Les maladies sont transmises soit directement lors de la piqûre de l'insecte, qui régurgite de la salive infectante ; soit par l'intermédiaire de ses déjections, qui pénètrent dans notre corps à travers une lésion superficielle ; ou encore par simple contact.

LES PRINCIPALES MALADIES TRANSMISES PAR LES INSECTES

Insectes	Maladies transmises	Signes cliniques	Mode de contamination
Mouche tsé-tsé (glossine)	Trypanosomiase africaine (maladie du sommeil)	Affection des ganglions lymphatiques, atteintes du système nerveux	Piqûre de mouche (le jour)
Moustique	Filariose lymphatique (genre *Culex*) Dengue (genre *Ædes*) Fièvre jaune (genre *Ædes*) Paludisme (anophèle)	Éléphantiasis Fièvre pseudogrippale Ictère grave (hépatonéphrite) Fièvre, anémie	Piqûre de moustique
Phlébotome (moucheron)	Leishmaniose cutanée Leishmaniose cutanéomuqueuse Leishmaniose viscérale Fièvre des trois jours	Ulcérations de la peau Ulcérations de la peau, des muqueuses, du nez, de la bouche Anémie, grosse rate, fièvre Fièvre, éruption	Piqûre de moucheron (la nuit)
Pou	Typhus Fièvre récurrente cosmopolite	Fièvre, éruption, atteinte cardiaque Fièvre, grosse rate	Contact ou morsure de pou
Puce	Typhus murin Peste	Fièvre, éruption Fièvre, bubon, pneumonie	Contact ou morsure de puce
Simulie	Onchocercose	Nodules, prurit, cécité	Piqûre d'un petit insecte (le jour)
Triatome	Trypanosomiase américaine (maladie de Chagas)	Fièvre, atteinte cardiaque, atteintes de l'intestin et de l'œsophage	Piqûre de punaise (la nuit)

MALADIES TRANSMISES PAR D'AUTRES ANIMAUX

Les maladies transmises par les animaux autres que les insectes sont plus fréquentes dans les régions tropicales et dans les pays en développement, mais elles existent aussi dans les zones tempérées et dans les pays développés. La plupart de ces maladies se transmettent à l'homme par contact direct avec un animal infecté (familier, domestique ou sauvage). D'autres maladies se contractent par l'intermédiaire d'un animal dit vecteur, comme la peste (du rat à l'homme par la puce) ou la fièvre jaune (du singe à l'homme par le moustique).

LES MALADIES TRANSMISES PAR LES ANIMAUX AUTRES QUE LES INSECTES

Animaux	Maladies	Mode de contamination	Animaux	Maladies	Mode de contamination
Bovins	Brucellose	Contact cutané, ingestion (laitages)	Chien	Hydatidose	Ingestion (œufs du parasite)
	Charbon	Contact cutané, inhalation		Leishmaniose	Piqûre de phlébotome
	Fièvre Q	Inhalation, morsure de tique		Mycose	Contact cutané
	Listériose	Ingestion (viande mal cuite)		Pasteurellose	Morsure
	Rage	Morsure		Rage	Morsure
	Ténia du bœuf	Ingestion (viande mal cuite)		Toxocarose	Ingestion (œufs du parasite)
	Tuberculose bovine	Ingestion (lait)	Chat	Maladie des griffes du chat	Griffure, morsure
	Vaccine	Traite des vaches		Mycose	Contact cutané
Chèvre	Brucellose	Contact cutané, ingestion (laitages)		Pasteurellose	Morsure
				Rage	Morsure
				Toxoplasmose	Ingestion
Mouton	Brucellose	Contact cutané, ingestion (fromages)	Oiseaux	Mycobactériose	Inhalation
	Charbon	Contact cutané, inhalation		Ornithose	Inhalation
	Douve du foie	Ingestion (douves contenues dans du cresson mal lavé)		Pasteurellose	Élevage
	Orf	Tonte, traite		Psittacose	Inhalation
	Rage	Morsure		Salmonellose	Ingestion (eau, aliments contaminés)
	Toxoplasmose	Ingestion (viande mal cuite)	Rat	Leptospirose	Contact cutanéomuqueux avec les urines
Porc	Brucellose	Contact cutané		Peste	Piqûre de puce
	Rouget du porc	Blessure avec un os d'un animal contaminé		Rickettsiose	Piqûre ou morsure d'arthropode
	Ténia du porc	Ingestion (viande mal cuite)		Sodoku	Morsure
	Trichinose	Ingestion (viande mal cuite)	Renard	Échinococcose	Ingestion (baies souillées par des déjections du renard)
Cheval	Encéphalite	Piqûre de moustique (genre Ædes)		Rage	Morsure
	Morve	Contact cutané, inhalation	Singe	Encéphalite à virus de l'herpès B	Morsure
	Rage	Morsure			
	Trichinose	Ingestion (viande mal cuite)		Rage	Morsure
Lièvre	Tularémie	Contact cutanéomuqueux, ingestion (viande mal cuite), inhalation	Tortue	Mycobactériose	Ingestion (eau contaminée)
				Salmonellose	Ingestion (eau ou aliments contaminés)

LES SYMPTÔMES

Les symptômes des maladies infectieuses sont dus aux microbes qui endommagent les cellules et les tissus, mais aussi aux défenses naturelles de l'organisme qui tente de les détruire.

Lorsque des microbes pénètrent dans l'organisme, ils commencent par se multiplier. C'est la phase d'incubation, durant laquelle aucun symptôme n'est apparent. Puis les microbes envahissent l'organisme et attaquent les cellules soit directement, soit en libérant des toxines. Notre corps réagit et active ses défenses naturelles pour tenter de les détruire. L'ensemble des processus d'attaque et de défense de l'organisme provoque l'apparition des symptômes.
Les symptômes des maladies infectieuses peuvent affecter la

La fièvre. *Correspondant à une température du corps de plus de 37,7 °C, c'est le principal symptôme d'une maladie infectieuse.*

Edwige – BSIP

L'INTÉRÊT DES SYMPTÔMES

Les symptômes constituent le point de départ du diagnostic. Il ne faut pas chercher à les masquer avant d'avoir consulté son médecin (par exemple, en pratiquant l'automédication), car ils fournissent des renseignements indispensables sur la maladie en cours.
Par ailleurs, certains symptômes servent à lutter contre les microbes responsables de la maladie. Il n'est donc pas toujours bon de les combattre. Par exemple, lors d'une bronchite, d'une pneumonie ou d'une crise d'asthme, la toux a un rôle bénéfique dans la mesure où elle empêche les sécrétions de s'accumuler dans les bronches et les poumons.

totalité de l'organisme ; on dit qu'ils sont généraux. Ils peuvent également être localisés à une région du corps ; il s'agit alors de symptômes locaux.

LES SYMPTÔMES GÉNÉRAUX

Les maladies infectieuses se manifestent par plusieurs symptômes généraux, dont le principal est la fièvre.

La fièvre. Une personne a de la fièvre lorsque sa température corporelle est supérieure à 37,7 °C (mesurée par voie rectale) ou à 37 °C (prise dans la bouche).

La fièvre est provoquée par des substances libérées dans l'organisme quand les globules blancs luttent contre les microbes responsables de l'infection. Cette élévation de température agit contre la multiplication de certains microbes.

L'allure de la courbe de température au fil des heures ou des jours donne, dans certains cas, des renseignements sur l'infection en cours. Par exemple, une fièvre cyclique (par accès réguliers), tous les 2 ou 3 jours, est caractéristique du paludisme.

Les autres symptômes généraux. Une infection peut entraîner de la fatigue, un manque d'appétit, une perte de poids, des courbatures ou des douleurs articulaires diffuses. Plus l'infection est sévère, plus ces signes sont intenses et tendent

QUE RECHERCHE LE MÉDECIN ?

Le médecin commence par interroger le patient sur les symptômes ressentis. Son interrogatoire doit être le plus précis et le plus chronologique possible. Puis il s'enquiert de circonstances qui pourraient évoquer une infection particulière : contact avec un tuberculeux, absence de vaccination contre l'hépatite virale, voyage récent dans un pays où le paludisme est fréquent... Ensuite, le médecin procède à un examen physique du malade pour rechercher et identifier les signes d'une maladie : rougeur de la gorge pour l'angine ; éruption cutanée pour la varicelle ; bruits anormaux à l'auscultation des poumons pour la bronchite. C'est à ce moment aussi qu'il peut déceler des signes de gravité nécessitant éventuellement un traitement d'urgence. Lorsque les symptômes ne sont pas assez clairs, il demande parfois des examens complémentaires en laboratoire : ceux-ci lui permettront d'identifier la maladie en cause.

à s'associer entre eux. Les médecins parlent alors d'« altération de l'état général ».

LES SYMPTÔMES LOCAUX

Les symptômes locaux touchent une région de l'organisme. Le plus important est la douleur.

La douleur. Si ce symptôme est très fréquent au cours des maladies infectieuses, il n'est pas systématique. Quand la douleur est présente, son siège renseigne sur celui de l'infection : par exemple, sur le côté du thorax dans le cas d'une atteinte du poumon (pneumopathie infectieuse). Parfois, la douleur correspond à des sensations bien précises, comme une sensation

de brûlure en urinant, propre aux cystites. Dans d'autres cas, ce sont les circonstances de survenue ou d'aggravation de la douleur qui sont typiques d'une maladie. Ainsi, la douleur ressentie dans la poitrine par une personne atteinte de péricardite (infection du péricarde) est augmentée quand elle inspire ou qu'elle tousse, et diminuée lorsqu'elle se penche en avant.

Les autres symptômes locaux. Les maladies infectieuses peuvent également se manifester par une inflammation, un gonflement ou des rougeurs, notamment quand l'infection touche la peau ou les tissus superficiels. Certains symptômes locaux attirent directement l'attention sur un type d'infection. La toux et les crachats évoquent généralement une bronchite ; l'écoulement du nez fait souvent penser à un rhume, celui de l'oreille à certaines otites ; le larmoiement évoque, dans la plupart des cas, une conjonctivite, et la diarrhée, une gastro-entérite.

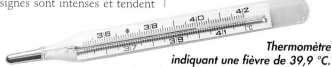

Thermomètre indiquant une fièvre de 39,9 °C.
Dans les infections aiguës, la température corporelle monte jusqu'à des valeurs très élevées (plus de 39 °C).

P. Garo – Phanie

LES TRAITEMENTS

Pour traiter les différentes maladies infectieuses, la médecine dispose aujourd'hui de 4 types de médicaments : les antibiotiques, les antiviraux, les antifongiques et les antiparasitaires.

Les maladies infectieuses doivent être traitées le plus tôt possible. En effet, même si elles semblent anodines (angine ou grippe, par exemple), elles peuvent contaminer d'autres personnes lorsqu'elles sont contagieuses. De plus, certaines infections, en l'absence de traitement efficace, s'aggravent parfois et s'étendent même à tout l'organisme. Le traitement d'une maladie infectieuse doit être soigneusement choisi, car chaque type de microbes nécessite un médicament spécifique. Par exemple, les antibiotiques n'ont aucun effet sur les virus.

Seul le médecin peut, après avoir établi un diagnostic, savoir exactement quelle catégorie de médicaments doit être prescrite. Il ne faut donc pas pratiquer l'automédication.

LES ANTIBIOTIQUES

Les antibiotiques sont des substances d'origine naturelle ou chimique, utilisées pour traiter

Boucharlat – BSIP

La médecine dispose de nombreux médicaments pour soigner les maladies infectieuses. Le traitement, pour être efficace, doit être choisi par un médecin et rigoureusement respecté par le malade.

LES EFFETS INDÉSIRABLES DES ANTIBIOTIQUES

Les antibiotiques agissent sur les bactéries présentes dans l'organisme. Ils attaquent les bactéries susceptibles de provoquer des maladies, mais également les bactéries qui font partie de la flore bactérienne.

Lorsqu'ils détruisent une partie de la flore du tube digestif, ils peuvent générer des troubles digestifs, notamment des diarrhées.

En tuant les bactéries présentes dans les muqueuses, les antibiotiques favorisent aussi la prolifération des champignons, ce qui peut entraîner des mycoses.

La fatigue que l'on ressent parfois n'est pas due au traitement mais à la fièvre et à l'infection elle-même.

les infections dues aux bactéries. Il en existe plusieurs dizaines, dont les principaux sont les bêtalactamines, les plus souvent prescrits (pénicillines et céphalosporines), les macrolides, les aminosides, les quinolones, les tétracyclines, les nitroimidazolés et les sulfamides.

Tous les antibiotiques n'ont pas la même efficacité. Leurs cibles bactériennes (spectre d'activité) peuvent être très diverses (large spectre) ou, au contraire, limitées (spectre étroit).

Il arrive parfois qu'une bactérie ne soit pas du tout détruite par des antibiotiques habituellement efficaces : dans ce cas, on dit qu'elle est devenue « résistante ». Ce phénomène de résistance est favorisé par l'usage abusif et inadapté des antibiotiques, notamment dans les cas d'automédication. Il est donc très important de respecter la prescription de son médecin.

Grâce à l'examen bactériologique d'un prélèvement (pus, urines, etc.) mis en culture au laboratoire, il est possible d'apprécier la sensibilité ou la résistance d'une bactérie à plusieurs antibiotiques. Cet examen, appelé « antibiogramme », permet au médecin de choisir l'antibiotique le mieux adapté à chaque maladie infectieuse.

Il n'est néanmoins pas systématiquement utilisé. Plusieurs antibiotiques sont parfois associés pour augmenter l'efficacité du traitement et diminuer les risques de résistance pour chacun d'entre eux. La durée du traitement antibiotique ne doit jamais être inférieure à cinq jours.

LES ANTIVIRAUX

Les antiviraux sont employés dans le traitement des maladies dues aux virus. Ils diminuent la gravité des maladies virales, mais ne permettent pas de les enrayer complètement. En effet, il n'existe actuellement aucun médicament capable de détruire efficacement les virus et, donc, de guérir les maladies qu'ils provoquent.

Les principaux antiviraux sont l'aciclovir, l'amantadine, la rimantadine, la vidarabine, la zidovudine (AZT), la didanosine, le foscarnet, le ganciclovir, la ribavirine et l'interféron.

Les antiviraux sont difficiles à utiliser, car ils peuvent endommager les cellules envahies par les virus. Ainsi, hormis l'aciclovir réservé au traitement de l'herpès et du zona, ce type de médicaments n'est prescrit que pour les maladies infectieuses virales graves (sida, infections opportunistes chez les personnes dont les défenses naturelles sont affaiblies). En revanche, les antiviraux n'ont aucun effet sur les infections virales courantes comme les rhumes.

LES ANTIFONGIQUES

Les antifongiques sont utilisés localement dans le traitement des maladies dues à des champignons, comme les mycoses de la peau et des muqueuses.

Les principaux antifongiques sont l'amphotéricine B, les imidazolés et la nystatine, qui peuvent aussi être administrés par voie veineuse dans les mycoses généralisées.

La durée du traitement est en général longue (environ trois semaines), sauf pour les mycoses vaginales où il existe des traitements pris en une seule fois.

LES ANTIPARASITAIRES

Les antiparasitaires servent à traiter les maladies provoquées par des parasites. En fonction du type de parasites à détruire, ils sont de deux sortes. Les médicaments antihelminthiques, couramment appelés « vermifuges », sont actifs contre les vers (ténias, oxyures, ascarides, par exemple).

Les antiprotozoaires sont utilisés dans le traitement de l'amibiase, du paludisme et des autres maladies parasitaires dues à des protozoaires.

L'ALLERGIE À UN ANTIBIOTIQUE

L'allergie à un antibiotique peut être grave. Elle survient surtout après la prise de bêtalactamines ou de sulfamides. Les signes d'alerte sont l'éruption de plaques rouges et des démangeaisons sur tout le corps. Dans les cas extrêmes peut apparaître un gonflement du visage et de la gorge (œdème de Quincke), avec risque d'asphyxie. Il faut alors arrêter immédiatement l'antibiotique et appeler ou faire appeler sans attendre un médecin, voire les services d'urgence en cas d'asphyxie. Il ne faut surtout pas reprendre ultérieurement l'antibiotique en question, car cet accident peut se reproduire. Toute allergie à un antibiotique doit donc être signalée à son médecin.

LA PRÉVENTION

La prévention des maladies infectieuses comprend un certain nombre de mesures qui peuvent être individuelles ou collectives.

Les mesures de prévention comprennent la vaccination lorsqu'elle est possible, les règles d'hygiène de vie et la responsabilisation personnelle.

LA VACCINATION

La vaccination est la solution la plus efficace pour lutter contre les maladies infectieuses, car elle offre une protection sûre contre une infection donnée pour un grand nombre d'individus. Dans les pays développés, la vaccination a permis la disparition presque totale de maladies comme la diphtérie, la poliomyélite, la variole ou le tétanos. Dans les pays en voie de développement, le nombre d'enfants qu'elle sauve chaque année est estimé à 1 500 000.

La vaccination repose sur l'administration d'un vaccin, c'est-à-dire d'une préparation d'origine microbienne, introduite dans l'organisme afin de provoquer la formation de protéines qui détruisent le microbe en cause : les anticorps. Un vaccin est préparé à partir d'un microbe auquel on a fait perdre son pouvoir nuisible par des procédés chimiques. Il offre une protection assez rapide (quelques jours après la vaccination), qui dure souvent longtemps (de 5 ans à plus de 20 ans). Plusieurs vaccins, pour continuer à être efficaces, nécessitent des rappels, même à l'âge adulte (voir le tableau page suivante). Pour certaines maladies infectieuses, il n'existe pas encore de vaccins. Dans ce cas, seules des règles d'hygiène de vie permettent de ne pas les contracter.

LES RÈGLES D'HYGIÈNE

De nombreuses maladies infectieuses graves peuvent être évitées si l'on respecte quelques règles d'hygiène alimentaire. Dans certains pays, il est préférable de manger de la viande et du poisson bien cuits et de ne boire que de l'eau potable. Il faut protéger les aliments des mouches et bien laver les crudités et les fruits avec de l'eau potable avant de les consommer. Les aliments périssables doivent être conservés au réfrigérateur. Il est indispensable de bien vérifier la fraîcheur des crustacés et de les garder au froid quelques heures seulement. De même, certaines mesures d'hygiène corporelle doivent être observées : se laver les mains au savon après chaque passage aux toilettes et éviter de toucher les matières fécales et les sécrétions des animaux.

Il faut s'abstenir de se baigner dans les eaux stagnantes et se protéger les pieds et les jambes avec des vêtements et des chaussures appropriés si l'on se promène en forêt ou en zone marécageuse.

Il est recommandé de laver toutes les plaies au savon et de les désinfecter avec un produit antiseptique (alcool). En cas de morsure par un animal inconnu, il est conseillé de consulter un médecin.

Les règles d'hygiène de vie concernent également les relations sexuelles. Lorsque l'on est atteint par une maladie sexuellement transmissible (MST), il faut se traiter, en parler à son partenaire afin qu'il puisse aussi suivre un traitement et utiliser un préservatif lors de chaque rapport.

LA RESPONSABILISATION INDIVIDUELLE

La prévention individuelle contre les maladies infectieuses repose sur une « responsabilisation » à deux niveaux.

Lorsque l'on est malade, il faut consulter un médecin qui, lui seul, saura prescrire un traitement approprié et mettre en place les mesures préventives nécessaires en cas de maladie contagieuse. Quand on est en bonne santé, des bilans ou des dépistages appropriés sont très utiles puisqu'ils permettent de déceler certaines maladies à un stade précoce et, ainsi, d'augmenter les chances de guérison.

CALENDRIER DES VACCINATIONS

Chaque pays a établi un programme de vaccinations obligatoires et facultatives en fonction des impératifs qui lui sont propres. Ces calendriers sont mis en place dès l'enfance. Chez l'adulte, il est nécessaire de remettre à jour les vaccinations obligatoires par des rappels systématiques tous les 10 ans. Si l'on voyage dans un pays à risque, il faut effectuer cette remise à jour ainsi que les vaccinations exigées pour le pays de destination.

CALENDRIER DES VACCINATIONS OBLIGATOIRES OU RECOMMANDÉES

Vaccins	Belgique	Canada	France	Suisse
Bacille de Calmette et Guérin (BCG)	En cas de contagiosité familiale et chez les professionnels de la santé.		Dès le 1er mois ou avant 6 ans : avant la mise en crèche ou la scolarisation 11-13 ans : si le test tuberculinique est négatif 16-18 ans : test tuberculinique suivi du BCG en cas de négativité	À la naissance : pour les enfants des familles provenant de zones où la tuberculose est active.
Diphtérie, tétanos, coqueluche, poliomyélite (DTCP) [*]	3 mois : 1re injection 4 mois : 2e injection 5 mois : 3e injection 13-14 mois : rappel Seul le vaccin contre la poliomyélite est obligatoire.	2 mois : 1re injection 4 mois : 2e injection 6 mois : 3e injection 18 mois : rappel 4-6 ans : rappel 10 ans : rappel	2 mois : 1re injection 3 mois : 2e injection 4 mois : 3e injection 15-18 mois : rappel	2 mois : 1re vaccination (injection du DT-Coq, prise orale pour le vaccin antipoliomyélitique) 4 mois : 2e vaccination 6 mois : 3e vaccination
Diphtérie, tétanos, poliomyélite (DTP) (rappels après DTCP)	6 ans : rappel 16 ans : rappel pour le tétanos	14-16 ans : rappel	5-6 ans : 2e rappel 11-13 ans : 3e rappel 16-21 ans : 4e rappel (puis tous les 10 ans)	15-24 mois, 4-7 ans et à la fin de la scolarité : rappels
Grippe		Personnes à risque	À partir de 60 ans : tous les ans	Personnes à risque
Hépatite B	À l'adolescence	10 ans : 1 injection	À partir de 2 mois 3e mois : 2e injection 4e mois : 3e injection	À la naissance : pour les enfants de zones où l'hépatite B est active Personnes à risque
Infections à *Hæmophilus influenzæ* de type B (HIB) [*]	1 an : 1 injection	2 mois : 1re injection 4 mois : 2e injection 6 mois : 3e injection 18 mois : rappel	2 mois : 1re injection 3 mois : 2e injection 4 mois : 3e injection 15-18 mois : 1er rappel	2 mois : 1re injection 4 mois : 2e injection 6 mois : 3e injection 15-24 mois : rappel
Rougeole, oreillons, rubéole (ROR)	18 mois : 1re injection (du vaccin MMR vax) 11-12 ans : 2e injection	12 mois : une injection 18 mois : rappel	12 mois : une injection 11-13 ans : 2e vaccination	15-24 mois : 1re injection 4-7 ans : 2e injection Vaccin conseillé aux adolescents non vaccinés

[*] Le DTCP et le vaccin contre les infections à *Hæmophilus influenzæ* de type B peuvent être associés.

CONSEILS AUX VOYAGEURS

Les voyageurs qui se rendent dans un pays tropical, ou dans un pays où l'hygiène est déficiente, doivent respecter des mesures de prévention afin de ne pas contracter un certain nombre de maladies infectieuses dont le risque est connu.

Les mesures de prévention consistent, avant tout, à vérifier que les vaccinations obligatoires de son pays sont bien à jour et à faire celles qui sont obligatoires ou fortement recommandées dans les pays de destination. On doit penser à tout cela bien avant le départ. Sur place, la prévention repose sur des règles d'hygiène simples.

AVANT LE DÉPART

Actuellement, en vertu de la réglementation de l'Organisation mondiale de la santé (OMS), seul le vaccin contre la fièvre jaune est obligatoire et exigé pour entrer en Afrique noire et en Amérique latine. Il ne peut être effectué que dans un centre agréé par l'OMS (Institut Pasteur, centres médicaux des compagnies aériennes, certains services hospitaliers de médecine tropicale) et doit figurer sur un carnet international de vaccination. Il faudra le prévoir au moins 10 jours avant le départ car, avant ce délai, il n'est pas encore efficace.

Pour le vaccin contre le choléra, il est conseillé de bien se renseigner avant le départ, le certificat étant parfois exigé dans certains pays de manière imprévisible. Cependant, le vaccin ne protège pas parfaitement et peut provoquer des effets secondaires gênants.

Avant le départ, on doit surtout s'assurer que ses vaccinations sont à jour : rappel ou vaccination contre la poliomyélite, la fièvre typhoïde, le tétanos, la diphtérie et les hépatites A et B. Pour certaines destinations, des vaccinations particulières sont nécessaires (rage, encéphalite virale, etc.).

Le traitement préventif contre le paludisme à *Plasmodium falciparum* (seul paludisme mortel) est indispensable dans toutes les régions intertropicales d'Afrique, d'Amérique du Sud et d'Asie. Il n'existe pas de vaccin, et le traitement se fonde sur la prise de médicaments antipaludéens. Ce traitement doit être commencé avant le départ et poursuivi six semaines après le retour.

LA TROUSSE DE VOYAGE

Les médicaments usuels et le matériel nécessaire à l'hygiène personnelle ne sont pas toujours disponibles sur place. Il est donc utile de se munir d'une trousse de pharmacie qui comportera le minimum indispensable :
– thermomètre, pince à épiler ;
– pansements, lotion antiseptique pour la peau (alcool à 70°) ;
– produits pour stériliser l'eau ;
– produits antimoustiques ;
– médicaments contre le paludisme, contre la diarrhée, contre les nausées, contre la douleur et la fièvre, et médicaments correspondant à un éventuel traitement en cours ;
– préservatifs avec une norme de qualité.

A. Picou – Fotogram

Marché tropical. Pour éviter de contracter une maladie infectieuse, il ne faut surtout pas consommer les fruits et les légumes déjà coupés proposés sur les marchés.

SUR PLACE

Les maladies infectieuses se transmettent par l'absorption d'eau ou d'aliments contaminés, par les piqûres ou morsures d'arthropodes, lors des baignades ou au contact d'eau souillée et, enfin, par contact direct avec une personne contaminée. Ces 4 types de transmission impliquent différentes mesures d'hygiène.

L'hygiène alimentaire consiste à boire exclusivement de l'eau en bouteilles ou des boissons capsulées. L'eau douteuse ou l'eau du robinet doit être désinfectée à l'aide d'antiseptiques ou bouillie pendant au moins vingt minutes.

Il faut également s'abstenir de consommer des glaces artisanales et des glaçons, du beurre cru ou non pasteurisé, des légumes crus, des fruits qui ne s'épluchent pas, des crustacés, de la viande ou des poissons crus ou peu cuits.

SI L'ON EST MALADE SUR PLACE

Il arrive que, malgré les précautions prises, le voyageur contracte une maladie infectieuse sur place. C'est pourquoi, avant le départ, il est recommandé de consulter un médecin qui, en fonction du pays de destination, établira une liste des maladies bénignes susceptibles de survenir et le traitement à suivre. Les médicaments conseillés sont à emporter dans la trousse de voyage. Une visite chez le dentiste peut également être utile.

Si l'on se rend dans un pays où les services de santé sont défectueux, on conseille au voyageur de souscrire une assurance rapatriement auprès d'une société d'assistance (certaines agences de voyages incluent ce type de contrat dans leurs forfaits). Si la personne n'est pas assurée, elle peut essayer de se rendre dans un hôpital militaire, souvent mieux équipé que les hôpitaux locaux.

Toutes ces précautions, en plus de lavages fréquents des mains, permettent de prévenir l'ingestion de bactéries (salmonelles, *Shigella*, vibrions du choléra, etc.) et de parasites (amibes, *Lamblia*, œufs d'ascaride, etc.).

L'hygiène de la peau est capitale en milieu tropical. Il ne faut pas se baigner dans une eau douce, stagnante, de faible courant (marigots, fleuves, lacs, étangs). Il est recommandé de ne pas marcher pieds nus dans la boue ou sur un sol humide ou marécageux et d'utiliser plutôt des bottes en caoutchouc. Il faut éviter de s'allonger à même le sable sur les plages. Ces mesures permettent d'éviter les maladies qui se transmettent par pénétration à travers la peau (de vers parasites, par exemple).

Il est également utile de se protéger des piqûres d'insectes et des morsures de tiques, en portant des vêtements couvrants et en utilisant des diffuseurs électriques d'insecticide, une crème ou une lotion insecticide et une moustiquaire la nuit.

Enfin, l'hygiène personnelle concerne aussi les relations sexuelles. Pour éviter de contracter des maladies sexuellement transmissibles (MST), il est conseillé de limiter le nombre de ses partenaires et d'utiliser systématiquement un préservatif lors de chaque rapport sexuel.

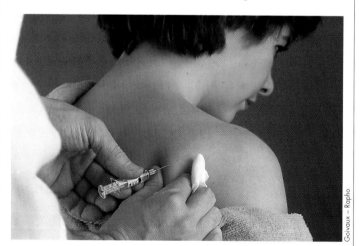

Goivaux – Rapho

Personne se faisant vacciner. *Avant de partir en voyage, il faut mettre à jour les vaccinations obligatoires de son pays et pratiquer celles conseillées ou exigées dans le pays de destination.*

EXAMENS DE DÉTECTION

Lorsqu'un médecin soupçonne une maladie infectieuse après l'interrogatoire et l'examen clinique d'un patient, il peut demander des examens complémentaires, pour orienter ou préciser son diagnostic.

Certains examens sont simplement capables de révéler l'existence d'une maladie infectieuse, sans que le germe en cause soit identifié. Ces examens sont dits « généraux ». Par exemple, l'examen cytologique des urines, grâce aux

LES EXAMENS GÉNÉRAUX

Examen	Indication	Technique	Résultat
Examen cytologique des urines	Infections urinaires	Prélever les urines, en désinfectant l'orifice du conduit urinaire (d'avant en arrière chez la femme). Compter le nombre de globules blancs. Mesurer l'acidité des urines (le potentiel hydrogène, ou pH).	Lorsque le nombre de globules blancs est supérieur à 10 000/ml, l'infection urinaire est probable. Le pH urinaire, qui est normalement compris entre 4,5 et 7,8, est augmenté en cas d'infection.
Numération globulaire formule sanguine	Toutes les maladies infectieuses	Prélever un échantillon de sang. Compter les cellules sanguines. Parmi celles-ci, ce sont les globules blancs (polynucléaires neutrophiles ou éosinophiles, lymphocytes et monocytes) qui réagissent à l'infection.	Le nombre normal des globules blancs est de 4 000 à 9 000 par mm³. Les polynucléaires neutrophiles augmentent dans les infections bactériennes ; les monocytes, en cas d'infection virale ; les éosinophiles, en cas de parasitose.
Radiographies	Localisations : poumons, sinus, os	Effectuer une radiographie de l'organe atteint pour voir si son aspect n'est pas modifié par l'infection.	Détection des images caractéristiques d'un abcès pulmonaire, d'une pneumonie ou encore d'une atteinte tuberculeuse. En cas de sinusite, les sinus apparaissent opaques. En cas d'infection, les os révèlent des zones de densité variable.
Transaminases	Atteintes hépatiques	Prélever un échantillon de sang et mesurer le taux des transaminases (enzymes hépatiques particulières)	Le taux normal de transaminases est de 5 à 40 UI par litre de plasma. Il est très augmenté en cas d'hépatite.
Vitesse de sédimentation	Toutes les maladies infectieuses	Prélever un échantillon de sang. Mesurer la hauteur des globules rouges qui sont tombés (qui ont sédimenté) en 1 heure dans le fond du tube à essai contenant le sang prélevé.	Le résultat normal est de 10 mm, ou moins. Il est augmenté (supérieur à 25 ou 30 mm) en cas d'inflammation, par conséquent dans quasiment toutes les maladies infectieuses.

anomalies mesurées, permet de savoir qu'une maladie infectieuse urinaire est présente, sans que l'on connaisse l'origine de cette maladie. L'examen bactériologique des urines, qui est un examen spécifique, permet en revanche d'identifier le germe responsable de l'infection.

Les différents examens spécifiques consistent à effectuer divers prélèvements contenant le germe (sang, urines, selles, etc.), afin de l'identifier. S'il s'agit d'une bactérie, il est ensuite possible de tester sa sensibilité ou sa résistance à différents antibiotiques (antibiogramme).

LES EXAMENS SPÉCIFIQUES

Examen	Indication	Technique	Résultat
Coproculture	Diarrhées infectieuses ou parasitaires	Recueillir des selles dans un sac en plastique stérile. Mise en culture et antibiogramme.	On identifie le germe et on teste sa sensibilité ou sa résistance aux différents antibiotiques.
Examen bactériologique des urines	Infection urinaire	Recueillir des urines dans un flacon stérile après avoir désinfecté soigneusement la zone urinaire. Mise en culture et antibiogramme.	On identifie le germe et on teste sa sensibilité ou sa résistance aux différents antibiotiques.
Hémocultures	Septicémie	Prélever un échantillon de sang. Mise en culture et antibiogramme.	On identifie le germe et on teste sa sensibilité ou sa résistance aux différents antibiotiques.
Liquide céphalo-rachidien	Méningite	Ponction lombaire : introduire une aiguille entre deux vertèbres lombaires pour prélever quelques gouttes du liquide céphalorachidien.	Le liquide normal est clair. Dans les méningites purulentes, il est trouble. Mise en culture, isolement du germe et antibiogramme.
Prélèvements de gorge	Angines (par ex. si diphtérie ou coqueluche)	Frotter une tige munie d'un coton (écouvillon) au fond de la gorge, à l'endroit des lésions. Mise en culture et antibiogramme.	On identifie le germe et on teste sa sensibilité ou sa résistance aux différents antibiotiques.
Sécrétions broncho-pulmonaires	Pneumonie, tuberculose	Examiner les crachats ou les sécrétions des bronches prélevées par fibroscopie. Mise en culture et antibiogramme.	On identifie le germe et on teste sa sensibilité ou sa résistance aux différents antibiotiques.
Sérologie	La plupart des maladies infectieuses ou parasitaires	Prélever un échantillon de sang et rechercher des anticorps spécifiquement dirigés contre le germe en cause. Il faut faire deux prélèvements successifs pour comparer les résultats et être sûr d'une infection récente.	Le test est positif s'il révèle la présence d'anticorps dans le sérum (séropositif), sinon le malade est séronégatif. Pour parler d'infection récente, il faut constater le passage du négatif au positif (séroconversion) ou l'augmentation des anticorps d'un examen à l'autre.
Tests cutanés	Différentes infections, telles que la tuberculose ou la brucellose	Mettre la peau en contact avec le germe inactivé, soit par piqûre intradermique (intradermo-réaction), soit par simple contact cutané comme avec le timbre tuberculinique. On observe la réaction cutanée après un temps de latence de un ou deux jours.	Quand l'organisme n'a jamais été en contact avec le germe, la réaction cutanée est négative. Elle est positive quand l'organisme a fabriqué des anticorps, à la suite d'une vaccination ou à cause d'une infection, présente ou passée. Elle est intense lorsque l'infection est actuelle.

LE BOTULISME

Cette intoxication alimentaire très rare, mais grave, est souvent provoquée par la consommation de conserves alimentaires contaminées, de fabrication artisanale ou familiale. Elle peut entraîner des paralysies parfois mortelles.

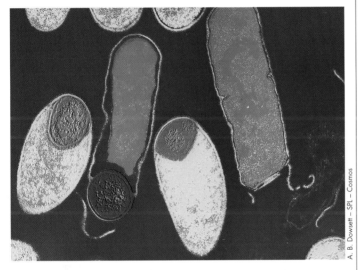

A. B. Dowsett – SPL – Cosmos

La bactérie Clostridium botulinum **vue au microscope électronique à transmission.** Cette bactérie en forme de bâtonnet est responsable du botulisme.

Le botulisme est dû à la bactérie *Clostridium botulinum*, qui sécrète une toxine provoquant une atteinte du système nerveux.

LE MÉCANISME DE L'INTOXICATION

Clostridium est une bactérie qui se trouve dans le sol et dans l'intestin de nombreux animaux, y compris des poissons. Elle s'y trouve sous forme de spores extrêmement résistantes, puisque ni l'ébullition ni la conservation dans le sel ou le vinaigre ne les détruisent. Ces spores sont inoffensives. En revanche, lorsqu'elles sont placées dans des conditions particulières, c'est-à-dire dans un milieu sans oxygène (anaérobie) et à 20 °C, elles se transforment en bactéries. Ces conditions sont réunies lors de la fabrication de conserves artisanales, alors que les conserves industrielles, chauffées à 120 °C ne permettent pas la survie de *Clostridium*.

La toxine produite par la bactérie est un poison extrêmement violent, qui empêche la sécrétion d'acétylcholine, l'une des principales substances intervenant dans la transmission de l'influx nerveux. Ainsi, des paralysies et des troubles du système nerveux peuvent apparaître.

LES SYMPTÔMES

Les premiers signes surviennent brutalement. Le lien avec le repas n'est pas évident d'emblée, car la période d'incubation est quelquefois longue, de 5 heures à 5 jours. Les premiers signes sont souvent des douleurs intenses au niveau de l'abdomen, parfois accompagnées de vomissements ou d'une brève diarrhée, suivie d'une constipation prolongée.

PLUS OU MOINS GRAVE SELON LES PAYS

La gravité de l'intoxication botulique dépend du type de la bactérie en cause dans la maladie. On distingue ainsi les types A, B, C, D et E. Le type B est le plus répandu en Europe. Il ne donne que des intoxications relativement bénignes.

En revanche, les types C, D et E, fréquents aux États-Unis, provoquent des intoxications graves, parfois mortelles.

Ces signes digestifs disparaissent lorsque surviennent les atteintes nerveuses, spécifiques du botulisme. Cela commence souvent par un trouble de la vision. Le malade ne peut plus accommoder pour voir de près (pseudo-presbytie), ce qui rend la lecture impossible, et, parfois, il louche et voit double (diplopie). On observe une dilatation des deux pupilles (mydriase bilatérale). Puis la personne a du mal à parler et à déglutir. Cette gêne douloureuse est due à un assèchement de la bouche donnant lieu à une soif intense. Elle peut conduire à des fausses-routes graves, avec passage d'aliments ou de liquide dans les poumons, pouvant entraîner l'asphyxie. Une paralysie des membres inférieurs, voire supérieurs, accompagnée d'une atteinte respiratoire, peut survenir.

LE DIAGNOSTIC

Devant ces signes très particuliers, le médecin cherche à savoir si le malade a consommé récemment une conserve mal préparée et, surtout, si d'autres personnes ayant mangé la même chose ont été atteintes (ce qui est la règle en cas de botulisme, mais souvent à des degrés divers). Il s'agit en général de conserves familiales ou artisanales : légumes, jambons salés ou fumés, saucisses, viandes ou poissons séchés, fumés ou salés, pâtés, terrines, confits de volailles. Dans tous les cas, la contamination a lieu lorsque les aliments ont été consommés directement ou après un simple réchauffage, car la cuisson (chauffage à 80 °C pendant 15 minutes) élimine la toxine. Le diagnostic est éventuellement confirmé par la recherche de la toxine dans l'aliment incriminé.

LE TRAITEMENT

Il impose l'hospitalisation du patient. L'injection de sérum antibotulique n'est pas systématique. La surveillance médicale dans un service de réanimation est indispensable pour lutter contre les troubles respiratoires dus à la mauvaise déglutition. La guérison nécessite parfois plusieurs semaines.

J.-L. Cherville – Fotogram – Stone

Conserves artisanales de légumes. Ce type de conserves est souvent impliqué dans le botulisme, notamment les conserves d'asperges, celles-ci étant consommées non ou peu réchauffées.

LA PRÉVENTION

Elle repose sur le respect scrupuleux des règles de préparation alimentaire et d'abattage des animaux. Les conserves douteuses (couvercle bombé, odeur suspecte) doivent être écartées de la consommation. La stérilisation des conserves pendant 1 heure et demie à 120 °C est une mesure d'hygiène efficace, qui détruit systématiquement les spores responsables du botulisme.

LE CHOLÉRA

Cette maladie infectieuse est due à une bactérie, le vibrion cholérique. Elle se traduit par une diarrhée massive et sévit par épidémies, se transmettant par l'eau de boisson lorsque l'hygiène est défectueuse.

Le choléra est l'exemple le plus spectaculaire des diarrhées infectieuses que redoutent les voyageurs dans les pays tropicaux et qui font tant de ravages parmi les populations locales.

LA CAUSE

Le choléra est dû à une bactérie en forme de virgule, appelée vibrion cholérique. La contamination se fait par l'absorption du vibrion présent dans l'eau, les aliments ou les coquillages.

Introduit dans l'intestin humain, le vibrion cholérique sécrète une toxine qui altère la paroi de l'intestin grêle, provoquant une diarrhée.

LES SYMPTÔMES

Le choléra débute brutalement, de 1 à 5 jours après la contamination, par une diarrhée accompagnée de vomissements. Le malade n'a pas de fièvre.
La diarrhée est abondante et devient vite liquide. Associée aux vomissements, elle peut provoquer une déshydratation grave, notamment chez l'enfant et la personne âgée. On peut mesurer le degré de gravité de cette déshydratation par l'importance de la perte de poids et par l'enfoncement des yeux dans les orbites. La peau devient sèche et garde la forme du pli lorsqu'on la pince : c'est le signe du pli cutané. La déshydratation peut s'accompagner d'une chute de la tension artérielle (hypotension) et d'une baisse du volume des urines (oligurie).

HISTORIQUE

Pendant des siècles, le choléra est demeuré circonscrit au nord de l'Inde, dans le delta du Gange. Avec l'ouverture des voies de commerce et les déplacements de populations, il s'est propagé et a été responsable de millions de morts au XIXe siècle.
Pendant la première moitié du XXe siècle, le choléra a régressé et est de nouveau resté confiné à l'Asie. Mais, à partir de 1961, une nouvelle épidémie mondiale (pandémie) s'est étendue à l'Indonésie et au Moyen-Orient ; depuis quelques décennies, à l'Afrique ; plus récemment, à l'Amérique du Sud. Ces dernières années, quelques cas, souvent dus à la consommation de coquillages infectés, ont été relevés en Europe du Sud, notamment dans le sud de l'Espagne.

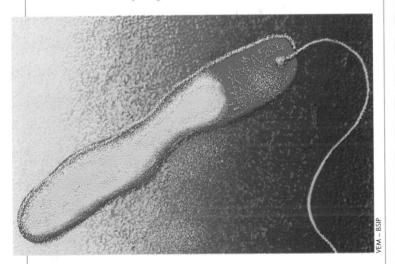

Vibrio choleræ *vu au microscope électronique à transmission.*
Cette bactérie responsable du choléra est en forme de virgule.

LE DIAGNOSTIC ET LE TRAITEMENT

Lors de cas isolés, il faut rechercher le vibrion cholérique dans les selles du malade pour s'assurer du diagnostic. En cas d'épidémie, le diagnostic est évident et cette recherche n'est donc pas nécessaire.

Le traitement consiste essentiellement à réhydrater l'organisme soit par des apports en boisson si le patient ne vomit pas trop, soit par des perfusions intraveineuses. Un traitement antibiotique peut être prescrit pour éviter la propagation du vibrion cholérique.

LA PRÉVENTION

La lutte contre le choléra passe par l'amélioration des conditions sanitaires. L'essentiel est de s'assurer, dans les pays sous-équipés, que les eaux usées ne contaminent pas les réserves d'eau potable. Mais cette prévention exige des équipements que les pays les plus pauvres n'ont pas toujours les moyens d'installer.

Pour le voyageur qui se rend dans les pays en voie de développement, en Afrique, au Moyen-Orient, en Extrême-Orient ou en Amérique du Sud, la meilleure façon de se protéger est de ne boire que de l'eau bouillie, désinfectée ou minérale, des boissons en bouteilles ou en boîtes, et d'éviter de consommer des légumes et des fruits lavés avec des eaux qui peuvent être polluées, ainsi que des glaçons. Il faut se laver les mains après chaque passage aux toilettes.

Il existe un vaccin que l'on peut

LES TECHNIQUES DE RÉHYDRATATION

Pour lutter contre les conséquences du choléra, ou des autres diarrhées infectieuses graves, l'arme principale est la réhydratation. Il n'est pas efficace de donner simplement de l'eau à boire, car elle n'est pas retenue par l'organisme. Des préparations pour réhydratation sont distribuées par l'Organisation mondiale de la santé (OMS) dans les pays touchés par les diarrhées infectieuses. Ces préparations se présentent sous forme de poudre ou de comprimés à dissoudre dans de l'eau. Lorsqu'on ne dispose pas de ces produits, on peut préparer soi-même une solution de réhydratation en ajoutant à un demi-litre d'eau bouillie une demi-cuillerée à café de sel, 2 cuillerées à café de sucre et un quart de cuillerée à café de bicarbonate de sodium. Quand la déshydratation est importante et que les vomissements empêchent la réhydratation par voie orale, la seule solution est d'hospitaliser le malade et de lui administrer des perfusions pour le réhydrater.

faire avant de partir en voyage. Son effet est de courte durée (6 mois) et son efficacité est loin d'être parfaite. Il convient par conséquent de rester prudent avec la boisson ou la nourriture. La plupart des pays ne réclament pas de certificat de vaccination contre le choléra ; certains, en revanche, l'exigent pour les voyageurs en provenance d'autres pays qui se trouvent dans la zone d'endémie. Il est préférable de se renseigner si l'on effectue un long voyage en passant d'un pays à l'autre.

F. Yovera – Sipa

Rassemblement autour d'un point d'eau à Lima, au Pérou. L'eau contaminée est le principal vecteur du vibrion cholérique.

LA DIPHTÉRIE

Cette maladie infectieuse est due à la bactérie *Corynebacterium diphteriæ*. Elle se manifeste sous la forme d'une angine grave et peut entraîner une asphyxie mortelle.

La diphtérie est surtout présente aujourd'hui dans les pays en voie de développement, où elle représente un risque pour les voyageurs non vaccinés ou dont le vaccin n'est pas à jour.

LES CAUSES

La bactérie responsable de la diphtérie se transmet par voie aérienne, lorsqu'on s'approche d'un malade. Les personnes qui ont eu une diphtérie peuvent encore être contagieuses même si elles sont guéries (elles sont alors appelées « porteurs sains »). Elles abritent les micro-organismes dans leurs fosses nasales et les propagent en respirant et en parlant ou par contact direct.

Le bacille a une double action : d'un part, il agit localement en se multipliant dans la gorge et le larynx, et, d'autre part, il sécrète une toxine qui atteint le cœur et le système nerveux.

LES SYMPTÔMES

La diphtérie touche surtout les enfants. L'incubation dure de 1 à 7 jours. La maladie commence comme une angine banale, avec un mal de gorge et une légère fièvre (environ 38 °C). Deux signes attirent l'attention : les ganglions lymphatiques du cou sont plus gros que dans une angine ordinaire et le patient semble très fatigué. L'examen de la gorge donne l'alerte en révélant des membranes grisâtres et luisantes (fausses membranes) qui recouvrent les amygdales et le fond de la gorge.

LE DIAGNOSTIC ET LE TRAITEMENT

La diphtérie peut être confondue avec une autre maladie, la mononucléose infectieuse, qui se manifeste également par une angine à fausses membranes. Dans le doute, le médecin doit faire un prélèvement pour orienter le diagnostic et prescrire en urgence un traitement contre la diphtérie, sans attendre le résultat de l'analyse.

Le traitement repose sur la prise d'antibiotiques. Par ailleurs, un

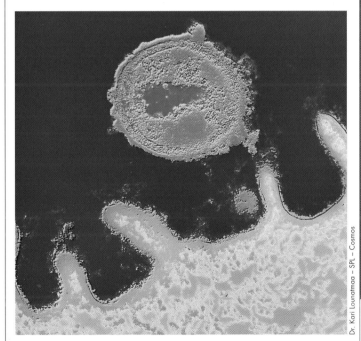

Dr. Kari Lounatmaa – SPL – Cosmos

La bactérie **Corynebacterium diphteriæ** *vue au microscope électronique à transmission. Ce bacille est responsable de la diphtérie.*

West Nipissing Public Library

LES PARALYSIES

Plusieurs semaines après le début de la maladie, un autre cap est dangereux : celui des paralysies. Celles-ci peuvent concerner les muscles moteurs des yeux et provoquer des troubles de l'accommodation visuelle (le malade ne parvient plus à voir de près). Les paralysies peuvent également toucher les bras et les jambes et, surtout, les muscles respiratoires. Dans ce cas, il est nécessaire d'admettre le patient dans un service de réanimation respiratoire. Lorsque le malade est guéri, la diphtérie, contrairement à la poliomyélite, ne laisse aucune séquelle.

sérum antidiphtérique, encore appelé antitoxine, doit être injecté pour annuler les effets de la toxine. Bien soignée, la maladie évolue favorablement et le malade cesse d'être contagieux après quelques jours de traitement antibiotique.

Lorsque la maladie atteint un enfant ou une personne travaillant en milieu scolaire, l'isolement du malade hors de l'école (éviction scolaire) doit être maintenu jusqu'à confirmation de la disparition du bacille par l'examen de plusieurs prélèvements (de 2 à 8 jours d'intervalle) au niveau de la gorge et des fosses nasales.

LES COMPLICATIONS

Non traitée, la diphtérie évolue vers des complications graves.

L'angine maligne. Les fausses membranes s'étendent dans toute la gorge et deviennent hémorragiques. Le malade est d'une pâleur intense, avec un cou si enflé par les ganglions que l'on parle de « cou proconsulaire ».

Le croup. L'affection peut gagner le larynx et provoquer une laryngite grave : le croup. Le premier signe est une modification de la voix, qui est enrouée. Puis le malade a de plus en plus de mal à respirer et doit être hospitalisé d'urgence.

L'atteinte cardiaque. Il s'agit d'une atteinte du muscle cardiaque, qui se traduit par des troubles du rythme (le cœur bat trop vite ou trop lentement) et qui peut conduire à une défaillance subite du cœur (insuffisance cardiaque aiguë), parfois mortelle.

UNE MALADIE EN VOIE DE DISPARITION ?

Grâce aux vaccinations systématiques, la diphtérie est devenue extrêmement rare dans les pays développés. Mais elle est encore fréquente dans les pays en voie de développement et elle a récemment fait une réapparition dans les pays de l'Est, notamment en Russie. Il est donc nécessaire de poursuivre la vaccination, en raison de contacts possibles avec des porteurs de la bactérie. Si une proportion importante d'enfants des pays occidentaux n'étaient pas vaccinés, des épidémies désastreuses pourraient survenir de nouveau.

Les personnes se rendant dans des pays pauvres et n'étant pas sûres d'avoir été vaccinées dans leur enfance doivent se faire vacciner. L'extension de programmes de vaccination efficaces à tous les pays pourrait, comme pour la variole, éradiquer la diphtérie, mais cette éventualité n'est malheureusement pas envisagée pour le moment.

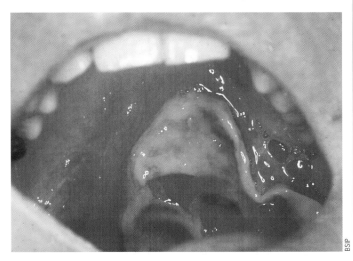

Angine diphtérique. *Cette photo montre bien au fond de la gorge les membranes caractéristiques de la diphtérie.*

BSIP

LA FIÈVRE D'EBOLA

La maladie provoquée par le virus Ebola fait partie des fièvres virales hémorragiques africaines. Elle est connue depuis 1976, année où elle provoqua plusieurs épidémies meurtrières.

La fièvre d'Ebola est une maladie très contagieuse, pouvant être mortelle en quelques jours.

LES CAUSES

La maladie est due au virus Ebola, qui appartient à la famille des *Filoviridæ*.

On ne connaît ni son réservoir, ni son mode de contamination. Lorsque le virus responsable de la maladie contamine une personne, il se localise dans la paroi des petits vaisseaux du corps, appelés les capillaires sanguins, et les fragilise, entraînant l'apparition d'hémorragies.

LES SYMPTÔMES

Après une incubation qui dure en moyenne une semaine, le début de la fièvre d'Ebola est brutal, avec une fièvre élevée et une fatigue intense. Le malade est atteint de torpeur, d'apathie et d'un affaiblissement extrême (état qualifié de léthargique); son visage est inexpressif. Vers le cinquième jour commencent des hémorragies spectaculaires de la peau ou des muqueuses. La diarrhée et les vomissements sont sanglants. De

Nanzer – Sipa

Personnel soignant autour d'un malade atteint de la fièvre d'Ebola.
Pour éviter que la maladie ne se propage, il est indispensable de porter un équipement de protection lors des soins aux malades.

HISTORIQUE

Le virus Ebola a été découvert en 1976, quand il provoqua 2 épidémies meurtrières au Soudan et au Zaïre. Ces dernières ont été si terrifiantes qu'elles ont donné lieu à l'écriture d'un roman et au tournage d'un film catastrophe, laissant entendre que de telles épidémies pourraient se propager à la terre entière, la fièvre d'Ebola ne bénéficiant ni de traitement ni de vaccin. Une nouvelle épidémie s'est déclarée au printemps 1995 au sud du Zaïre, à Kikwit. Cette épidémie, qui s'est développée essentiellement au sein de l'hôpital de la ville (comme en 1976), a démontré clairement que la mise en place rapide de mesures sanitaires et d'hygiène des soins permettait d'enrayer efficacement une telle épidémie.

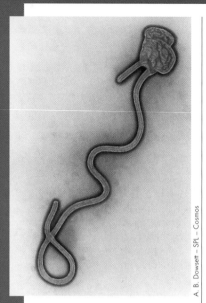

A. B. Dowsett – SPL – Cosmos

Le virus Ebola vu au microscope électronique à transmission. Ce filovirus (en forme de fil) est le plus long virus connu.

nombreux malades meurent en quelques jours. Les autres guérissent sans séquelles.

LA CONTAGION

L'épidémie s'étend rapidement dans l'entourage des malades. Le virus est extrêmement contagieux. La transmission se fait probablement par contact direct avec le sang des malades. Ainsi sont contaminées les personnes qui ont donné des soins à des malades ou qui ont pratiqué certaines coutumes funéraires les mettant en contact étroit avec le mort. Les grandes épidémies, notamment celle de 1976, ont débuté au sein des hôpitaux qui, dans ces pays, manquent de matériel médical, lequel est réutilisé sans stérilisation.

LE TRAITEMENT ET LA PRÉVENTION

Actuellement, il n'existe ni vaccin ni traitement efficace contre la fièvre d'Ebola. En l'absence de traitement, on ne peut qu'essayer de contenir l'épidémie. Les mesures de protection consistent par conséquent à isoler les malades. Les soignants doivent être équipés d'une tunique, de gants, de lunettes et d'un masque de protection.

LES AUTRES FIÈVRES HÉMORRAGIQUES

Une quinzaine de virus, appartenant à des familles différentes, sont capables de provoquer des fièvres hémorragiques, plus ou moins contagieuses. Chacun de ces virus sévit dans une région particulière du monde, plus ou moins vaste. Parmi ces fièvres hémorragiques, les plus connues sont la fièvre de Lassa et la fièvre de Corée.

La fièvre de Lassa, due au virus du même nom, est apparue au Nigeria en 1969. Elle est endémique en Afrique de l'Ouest (Sierra Leone, Liberia, Mali, Côte d'Ivoire). Les symptômes ressemblent à ceux que provoque la fièvre d'Ebola, mais sans avoir la même gravité. Toutefois, en l'absence de traitement, la mortalité est importante (par exemple, lors de l'épidémie de 1969-1972, 30 à 40 % des malades avaient trouvé la mort). Après quelques jours de fièvre, des signes plus graves apparaissent : hémorragies superficielles et digestives, état de choc, atteinte cardiaque, diarrhée sévère et vomissements de

sang. Depuis 1986, il existe un traitement antiviral contre la fièvre de Lassa.

La fièvre de Corée est une autre fièvre hémorragique, rare, due au virus de Hantaan hébergé par des petits rongeurs, qui sévit en Asie, mais parfois aussi en Europe. Elle se déclare souvent en milieu rural, touchant de préférence les agriculteurs et les bûcherons. Elle se manifeste par une fièvre et une insuffisance rénale aiguë, accompagnées de quelques hémorragies, dans les formes présentes en Europe. La maladie guérit généralement en 1 ou 2 semaines, sans séquelles.

UNE TELLE ÉPIDÉMIE PEUT-ELLE GAGNER L'EUROPE ?

La contamination de 25 chercheurs dans un laboratoire allemand, à Marburg en 1967, illustre bien la possibilité et les limites probables d'une telle épidémie. Faute de précautions suffisantes, ces chercheurs avaient contracté la maladie en étudiant des singes porteurs d'un virus (très proche de celui d'Ebola), que l'on a baptisé depuis « de Marburg ». Six personnes de l'entourage des chercheurs ont également été atteintes. Il y a eu en tout sept morts.

Les virus Ebola ou Marburg peuvent atteindre l'Europe ou les États-Unis avec le retour de voyageurs contaminés. Mais les techniques rigoureuses de soin, de protection et d'isolement des malades devraient enrayer une éventuelle contagion et éviter le développement d'une épidémie.

LA FIÈVRE JAUNE

Cette maladie infectieuse est due au virus amaril. Elle se manifeste par une atteinte du foie (hépatite) grave, souvent mortelle.

La fièvre jaune sévit en Afrique centrale ainsi qu'en Amérique tropicale (Amazonie) et en Amérique du Sud.

LA CONTAMINATION

Le virus de la fièvre jaune est normalement hébergé par des singes, qu'il ne rend pas malades. Dans les régions de forêt, diverses espèces de moustiques (*Hæmagogus, Ædes africanus* et *Ædes simpsoni*) peuvent transmettre l'affection des singes à l'homme (fièvre de brousse). Dans les zones urbaines, la transmission de la maladie (fièvre citadine) se fait d'individu à individu, par l'intermédiaire d'une autre espèce de moustique (*Ædes ægypti*). Curieusement, alors que cette espèce de moustique est largement présente en Asie tropicale et en Océanie, il n'y a jamais eu de cas de fièvre jaune dans ces régions.

LES SYMPTÔMES

Après une incubation de 3 à 6 jours, l'infection se manifeste par une fièvre élevée, qui apparaît soudainement, par une congestion du visage, qui devient bouffi, et par des douleurs abdominales et musculaires. La maladie peut régresser spontanément en l'espace de 3 à 4 jours. Elle ne laisse alors aucune séquelle et confère une protection de longue durée, comme une vaccination.

Mais la maladie peut également s'aggraver. Dans ce cas, elle entraîne un état de choc avec une baisse de la température au-dessous de 36,8 °C (hypothermie), une jaunisse (ictère) ainsi que des vomissements avec présence de sang. On peut constater aussi une diminution de la production d'urines (oligurie) ou même un arrêt complet (anurie) et un taux anormalement élevé de protéines dans les urines (protéinurie), facile à constater en trempant des bandelettes réactives dans un

Comparaison entre les moustiques Ædes (à gauche) et anophèle (ci-dessus). Le premier (fièvre jaune) pique en formant un angle avec la surface, le second (vecteur du paludisme) pique en position parallèle.

P. Goetgheluck – PHO NE

P. Goetgheluck – PHO NE

échantillon d'urine. Ces signes traduisent une atteinte grave des reins et du foie, qui, après une phase d'agitation intense avec délire, peut entraîner le coma et la mort.

LE DIAGNOSTIC ET LE TRAITEMENT

Le diagnostic est confirmé par la recherche dans le sang d'anticorps dirigés contre le virus amaril, anticorps dont la production est provoquée par la présence du microbe (test sérologique).
Il n'existe aucun médicament efficace contre le virus. Le seul traitement consiste à corriger les différents troubles générés par

l'infection : réhydratation et transfusion pour compenser les pertes d'eau et de sang, dialyse pour pallier la défaillance des reins. Malgré ce traitement, l'évolution de la maladie peut être fatale : environ 1 malade sur 10 meurt.

LE VACCIN

Le vaccin est la seule protection efficace contre la fièvre jaune. Il est exigé pour entrer dans certains pays où sévit la maladie, en vertu de la réglementation de l'Organisation mondiale de la santé (OMS). Il est en fait indispensable avant tout voyage en Afrique et en Amérique

intertropicales, même dans les pays où le certificat de vaccination n'est pas exigé.
Ce vaccin ne peut être administré que dans un centre agréé par l'OMS et doit être noté sur un certificat international de vaccination. En cas de contre-indications (personne allergique au blanc d'œuf ou dont le système immunitaire est affaibli, femme enceinte, très jeune enfant...), le médecin établit un certificat précisant pourquoi la personne n'a pas été vaccinée.
Le vaccin protège pour une durée d'au moins 10 ans. Dans le cas d'une première vaccination, celle-ci doit être effectuée au moins 10 jours avant le départ.

HISTORIQUE

La fièvre jaune est la première maladie humaine dont l'origine virale a été reconnue, en 1901. Durant des siècles, elle a fait des ravages dans les régions tropicales d'Afrique puis d'Amérique, en particulier lors des colonisations. Depuis le début du XXᵉ siècle, la lutte contre les moustiques *Ædes* et la vaccination ont été utilisées à grande échelle, au point de laisser croire qu'il s'agit aujourd'hui d'une maladie historique et révolue. En fait, cette dernière est assez bien contrôlée en Amérique du Sud, mais la situation est beaucoup moins satisfaisante en Afrique tropicale, où plusieurs épidémies se sont déclarées au cours des 25 dernières années (plus de 20 000 cas au total), les populations locales n'étant pas vaccinées.

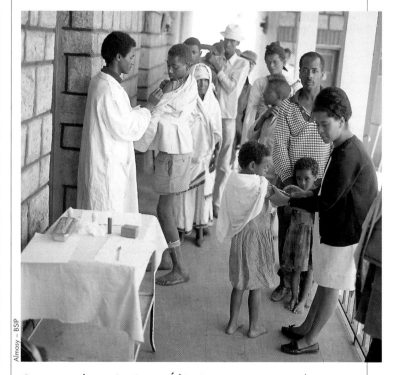

Almasy – BSIP

Campagne de vaccination en Éthiopie. *La vaccination est la mesure de prévention la plus efficace contre la fièvre jaune.*

LA FIÈVRE TYPHOÏDE

Cette maladie infectieuse s'attrape en consommant de l'eau ou des aliments contaminés par une bactérie appelée *Salmonella typhi*.

La fièvre typhoïde se manifeste surtout sous la forme d'une fièvre élevée qui se prolonge.

LA FRÉQUENCE

La fièvre typhoïde reste un problème de santé publique important dans les pays en voie de développement, avec plus de 12 millions de cas chaque année. Elle est très fréquente en Asie du Sud-Est, en Afrique du Nord, en Afrique équatoriale et en Amérique du Sud, où elle entraîne la mort dans 10 à 25 % des cas. Cette mortalité relativement élevée (alors que la fièvre typhoïde, bien soignée, évolue favorablement) s'explique essentiellement par le fait que, dans ces pays, le manque de médicaments ne permet pas toujours de traiter les malades de manière efficace.

Dans les pays développés, en revanche, la maladie est devenue très rare, en grande partie grâce à l'amélioration des conditions de vie. La plupart des cas rencontrés en France sont dus à une contamination lors d'un voyage effectué à l'étranger.

LA CONTAMINATION

La contamination par la bactérie responsable de la typhoïde, *Salmonella typhi*, est strictement humaine, c'est-à-dire que les germes ne peuvent provenir que de sujets malades ou de personnes contaminées, mais qui ne présentent aucun symptôme (porteurs sains).

Elle se fait par l'absorption des germes contenus dans les excréments de ces personnes (malades et porteurs sains). La transmission peut être directe, par l'intermédiaire des mains, ou bien indirecte, à partir d'aliments souillés, d'eau de boisson et de coquillages pollués par des excréments humains.

La propagation de la maladie dépend donc de l'hygiène individuelle, mais surtout de l'hygiène publique. Elle est liée aux systèmes de distribution d'eau ainsi qu'au traitement des eaux usées. Dans les pays en voie de développement, les services des eaux sont souvent défectueux,

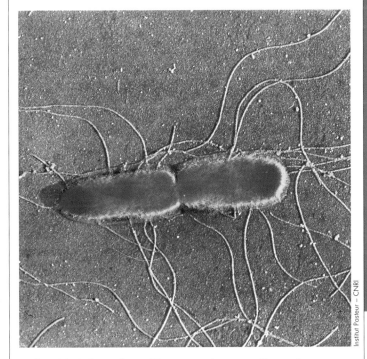

Institut Pasteur – CNRI

La bactérie Salmonella typhi *vue au microscope électronique* **à transmission.** *Cette bactérie, responsable de la fièvre typhoïde, est allongée en forme de bâtonnet.*

c'est pourquoi la fièvre typhoïde y est très fréquente ; par contre, dans les pays développés, elle est devenue très rare.

LES SYMPTÔMES

Après absorption, les bacilles passent au travers de la paroi intestinale et se multiplient dans les ganglions lymphatiques. La phase d'incubation silencieuse correspond à cette multiplication des germes. Elle dure généralement entre 7 et 15 jours.

Les germes gagnent ensuite le sang. C'est alors qu'apparaissent les premiers symptômes.

Il s'agit de troubles digestifs (douleurs abdominales, parfois vomissements) et nerveux (maux de tête, insomnies, vertiges) ainsi que d'une augmentation progressive de la température. Ces signes se manifestent au cours de la première semaine d'évolution de la maladie.

La deuxième semaine est marquée par une fièvre élevée : elle se maintient entre 39 et 40 °C, et s'accompagne d'un état de prostration et de délire très particulier, que l'on appelle le tuphos. Le malade somnole le jour, tandis que, la nuit, il ne dort pas et délire.

La gravité de la maladie dépend de la libération, dans le sang, de substances toxiques (toxines bactériennes), responsables de graves troubles cardiaques (myocardite, collapsus cardiovasculaire), digestifs (perforation et hémorragie intestinales) et neurologiques (encéphalite). D'autres complications, plus rares, sont dues à la prolifération bactérienne dans le foie (abcès) et dans la vésicule biliaire (cholécystite).

LE DIAGNOSTIC ET LE TRAITEMENT

Le diagnostic est confirmé par la recherche de salmonelles dans le sang et dans les selles.

On recherche aussi dans le sang les anticorps dirigés contre les bactéries. Ce test est appelé sérodiagnostic de Widal et Félix. Il peut être positif à partir de la deuxième semaine d'infection.

Le traitement consiste à donner des antibiotiques pendant une durée de 10 à 15 jours. Il est associé à une réhydratation et au repos. La fréquence des rechutes est d'environ 5 %.

Le dépistage et le traitement des individus porteurs du bacille, mais ne développant pas la maladie (porteurs sains), doivent également être pratiqués dans l'entourage du malade pour éviter la propagation de la maladie. Lorsque le traitement est commencé rapidement, la guérison intervient en quelques jours. Quand il est trop tardif, des complications peuvent survenir, notamment une perforation au niveau de l'intestin avec un risque de péritonite. Une intervention chirurgicale peut alors être nécessaire.

En l'absence de traitement, la fièvre typhoïde peut être mortelle en raison des éventuelles complications, mais elle peut aussi guérir.

LA FIÈVRE PARATYPHOÏDE

La fièvre paratyphoïde est une maladie très proche de la fièvre typhoïde, due à un germe un peu différent, Salmonella paratyphi, dont il existe trois types, A, B et C. Le mode de propagation (germe transmis par l'intermédiaire de l'eau de boisson ou d'aliments souillés par des excréments humains infectés) ainsi que la répartition géographique (principalement l'Afrique, l'Asie et l'Amérique du Sud) sont similaires à ceux de la typhoïde. Les symptômes cliniques sont presque les mêmes, avec fièvre élevée, troubles digestifs et nerveux (tuphos). Mais les complications graves sont moins fréquentes.

Le diagnostic repose sur l'identification du germe, et le traitement, comme pour la typhoïde, sur la prise rapide d'antibiotiques. Le vaccin traditionnel (TAB) contre la typhoïde protège des paratyphoïdes A et B, contrairement au vaccin Vi.

LA PRÉVENTION ET LE VACCIN

La vaccination est recommandée pour les voyageurs qui se rendent dans les zones d'endémie, c'est-à-dire presque partout sauf en Europe, en Amérique du Nord, en Australie et en Nouvelle-Zélande. L'ancien vaccin TAB a été largement remplacé par le vaccin Vi, efficace en une injection, suivie d'un rappel à trois ans. Toutefois, le vaccin ne confère pas une protection absolue et, dans les pays à risque, il est indispensable de ne manger que des aliments bien cuits et de ne boire que de l'eau bouillie ou des boissons en bouteilles ou en boîtes.

LA GRIPPE

Cette infection des voies respiratoires est due à un virus provoquant de la fièvre, des maux de tête, des courbatures et une fatigue générale. Maladie contagieuse, la grippe est responsable, chaque année, d'épidémies plus ou moins graves.

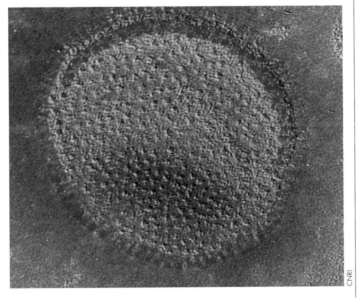

CNRI

Virus de la grippe vu au microscope électronique à transmission. Il existe 3 types de virus grippal, chacun ayant leurs propres caractéristiques biologiques.

LES DIFFÉRENTS VIRUS

Il existe 3 grands types de virus de la grippe : A, B et C. Les virus A et B sont très instables. Chaque année surgissent de nouvelles souches qui peuvent créer une nouvelle épidémie. Les souches sont baptisées du nom du pays où elles font leur apparition : virus de Hongkong, virus de Singapour ou encore virus de la grippe espagnole.
Le virus C provoque des cas moins graves, sans entraîner d'épidémie.

La grippe est souvent bénigne, mais, tous les 10 ou 15 ans, survient une épidémie beaucoup plus grave. L'une des plus importantes, depuis le début du siècle, a été celle de la grippe espagnole en 1918, qui a fait plus de 20 millions de morts en Europe. La vaccination, notamment chez les personnes âgées, et la surveillance de cette infection à l'échelle internationale sont donc nécessaires.

LES SYMPTÔMES

La grippe se traduit par de la fièvre et des courbatures, qui durent de 7 à 10 jours et régressent spontanément. La fièvre est élevée, jusqu'à 40 °C. Ces symptômes, relativement communs, sont les mêmes pour de nombreuses maladies infectieuses virales ou bactériennes. Ils correspondent à ce que l'on appelle des états grippaux.
Le nez peut couler comme pour un rhume ; la gorge peut être douloureuse comme au cours d'une angine ; le malade peut tousser et même cracher, car le virus entraîne une inflammation de la trachée (trachéite) et des bronches (bronchite). Mais ces signes respiratoires sont souvent discrets, voire absents. Des formes graves (ou grippes malignes) se rencontrent lors de certaines épidémies. Elles provoquent une atteinte du poumon (œdème pulmonaire) qui conduit parfois à une insuffisance respiratoire parfois mortelle, même chez des personnes jeunes et bien portantes. La maladie peut prendre un caractère

de gravité, particulièrement chez les personnes âgées (troubles cardiaques, complications infectieuses) et chez les personnes souffrant de bronchite chronique ou d'insuffisance cardiaque.

LE VACCIN

Le vaccin antigrippe est préparé à partir de virus inactivés A et B. Il est adapté chaque année aux nouvelles souches qui font leur apparition. Le vaccin ne donne pas une protection totale, mais il est tout de même efficace dans 60 à 70 % des cas. En revanche, il ne protège pas d'une année sur l'autre, il faut donc le refaire chaque année. On conseille de se faire vacciner à l'automne, avant l'hiver où la grippe est plus fréquente.

LE TRAITEMENT

Il n'existe pas de traitement spécifique de la grippe. Les antibiotiques ne sont intéressants que pour combattre les surinfections bactériennes, par exemple pour lutter contre une bronchite qui se déclarerait à la suite d'une grippe. Mais ils sont sans effet sur le virus, c'est-à-dire contre la maladie elle-même. Ils ne sont donc pas systématiquement prescrits.

La grippe nécessite le repos au lit dans une pièce chaude et bien aérée. L'aspirine, ou autre médicament de ce type, est utile pour lutter contre les douleurs et la fièvre. Boire des liquides chauds est bénéfique en cas d'irritation de la gorge, et les inhalations ont un effet favorable sur l'irritation du nez et des voies respiratoires.

Les personnes âgées ou atteintes d'une maladie cardiaque ou pulmonaire, en raison de leur plus grande fragilité, doivent vite consulter un médecin. Lorsqu'elles ont été en contact avec des malades, elles peuvent, dans certains cas, bénéficier d'un médicament antiviral, l'amantadine, administré préventivement pendant quelques jours.

QUI DOIT ÊTRE VACCINÉ ?

Le vaccin est recommandé aux personnes âgées, car la grippe peut entraîner des complications pulmonaires graves. Il est tout particulièrement indiqué chez les personnes âgées qui vivent en collectivité (maisons de retraite, hôpitaux), en raison des risques d'épidémie.

Le vaccin est également recommandé aux personnes souffrant de troubles respiratoires ou cardiovasculaires.

Il peut aussi être conseillé à tous ceux qui veulent éviter d'être immobilisés pendant plusieurs jours pour une grippe. C'est notamment le cas des travailleurs indépendants, des artisans ou des commerçants.

La vaccination systématique des enfants n'est pas préconisée, car la grippe est généralement bénigne chez une personne saine.

F. Durand – Sipa

Culture du virus de la grippe sur des œufs, en vue de fabriquer un vaccin. *Le vaccin contre la grippe est par conséquent contre-indiqué chez les personnes allergiques au blanc d'œuf.*

LES HÉPATITES VIRALES

Dues à des virus, les hépatites virales se traduisent par une inflammation du foie, dont les cellules, détruites, ne peuvent plus assurer pleinement leurs fonctions.

L'hépatite virale est une maladie longue (1 ou 2 mois). Il en existe essentiellement 5 types : A, B, C, D et E, dus à des virus différents.

LES CAUSES

Le virus A est responsable de l'hépatite A, la plus anodine et la plus fréquente, dont la contamination se fait par la consommation d'aliments, en particulier de fruits de mer, et d'eau souillée par les selles et les urines de personnes contaminées. La période d'incubation est de 2 à 6 semaines. L'hépatite A se rencontre essentiellement dans les pays en voie de développement. Les voyageurs qui se rendent dans ces régions peuvent donc la contracter. Plus le niveau d'hygiène d'un pays est élevé, plus faibles sont les risques d'infection par le virus de l'hépatite A. Mais des épidémies peuvent toujours survenir, par exemple lors de conflits ou à la suite de catastrophes naturelles.

Le virus B est responsable de l'hépatite B, moins anodine que l'hépatite A car elle peut persister plus de 6 mois et devenir chronique (de 3 à 5 % des cas en moyenne). Il se transmet par voie sexuelle et par voie sanguine. La femme enceinte peut aussi transmettre le virus à son enfant pendant la grossesse par le placenta. La période d'incubation est de 45 à 90 jours.

Le virus C, responsable de l'hépatite C, ressemble au virus de l'hépatite B tant dans son mode de transmission (voies sexuelle, sanguine et transplacentaire) que dans le risque de passage à une

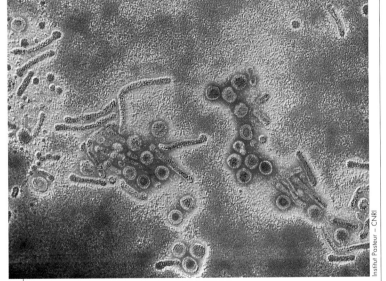

Institut Pasteur – CNRI

Le virus de l'hépatite B vu au microscope électronique à transmission. L'hépatite B est une maladie très fréquente. Elle atteint environ 300 millions de personnes dans le monde.

LA PRÉVENTION

– Pour éviter de contracter les hépatites A et E, il faut se laver soigneusement les mains, vérifier la fraîcheur des fruits de mer que vous consommez et ne boire que de l'eau potable.

– Pour éviter de contracter les hépatites B, C et D, il faut observer les mêmes règles que celles qui sont préconisées dans la lutte contre le sida et les MST (usage du préservatif masculin, emploi systématique de seringues à usage unique).

43

LE DIAGNOSTIC

Le diagnostic est confirmé par identification dans le sang du virus ou des anticorps produits par l'organisme contre le virus (test sérologique). Dans le cas des hépatites D et E, le diagnostic est établi par exclusion des autres types.

Par ailleurs, des dosages sanguins montrent une augmentation importante de certaines enzymes hépatiques appelées « transaminases ». Cette augmentation est la preuve que les cellules du foie sont endommagées.

hépatite chronique. Découvert à la fin des années 1980, le virus de l'hépatite C a été isolé pour la première fois en 1995.

Les virus D et E, responsables des hépatites D et E, ont été découverts après les virus A, B et C. Le virus D ressemble au virus C, et le virus E au virus A. Le virus D ne peut se développer que chez une personne qui a ou a déjà eu une hépatite B. Le virus E a été identifié en 1988. Il est à l'origine d'épidémies dans plusieurs régions du monde.

D'autres virus peuvent toucher le foie : le virus de la mononucléose infectieuse, le cytomégalovirus, les virus de la rubéole et de la fièvre jaune.

LES SYMPTÔMES

Quel que soit le virus en cause, l'hépatite peut passer totalement inaperçue. Le risque est donc que les personnes infectées contaminent leur entourage sans le savoir. Mais, le plus souvent, l'hépatite débute par des signes qui font penser à une grippe, avec de la fièvre, une fatigue intense, des migraines et des courbatures. Une semaine après apparaît une jaunisse (ou ictère), marquée par une coloration jaune de la peau et du blanc de l'œil. La personne constate que ses urines sont très foncées et que ses selles sont anormalement claires. Elle est fatiguée, manque d'appétit et a de fortes nausées.

D'une manière générale, l'hépatite virale guérit spontanément. Hormis la fatigue, qui peut persister plusieurs mois, aucune fragilité ne s'installe à long terme. Après la guérison, le foie est de nouveau entièrement fonctionnel, ayant régénéré les cellules détruites, et aucun régime particulier n'est nécessaire.

LES COMPLICATIONS

Les complications sont exceptionnelles pour l'hépatite A. En revanche, pour les hépatites B, C, D et E, le risque le plus fréquent est le passage à un stade chronique, avec une persistance des symptômes et des anomalies sanguines pendant plus de six mois.

Le danger de ces hépatites chroniques est qu'elles peuvent conduire, à plus ou moins longue échéance, à l'apparition d'une cirrhose et d'un cancer du foie. Mais, heureusement, une hépatite chronique peut aussi guérir spontanément.

Dans de très rares cas, l'hépatite peut d'emblée prendre une forme extrêmement grave ; on parle alors d'hépatite fulminante.

Elle provoque en quelques jours une destruction massive du foie, pouvant entraîner la mort.

LE TRAITEMENT

Dans les formes anodines, seuls le repos et une alimentation équilibrée sont recommandés. Il faut impérativement éviter l'alcool et les médicaments toxiques pour le foie. La guérison s'annonce quand, d'un seul coup, le malade émet une grande quantité d'urines. Les symptômes disparaissent alors spontanément sans laisser de séquelles ; seule la fatigue peut persister quelques mois. Dans les formes chroniques, des médicaments antiviraux sont prescrits. En cas de complications, une greffe du foie est parfois envisagée.

LES VACCINS

Il existe 2 vaccins qui assurent une protection parfaite contre les hépatites virales A et B.

Pour l'hépatite A : 2 injections à 1 mois d'intervalle avec rappel 6 mois après et 1 an après, puis tous les 10 ans.

Pour l'hépatite B : 3 injections à 1 mois d'intervalle avec rappel 1 an après, puis tous les 5 ans.

Ces 2 vaccins sont particulièrement recommandés aux personnes exposées à l'infection (personnel de santé, hétérosexuels et homosexuels ayant de nombreux partenaires) ainsi qu'aux voyageurs qui se rendent dans des zones à risque (Afrique, Asie, Amérique du Sud). Mais, par mesure de précaution, tout le monde peut se faire vacciner.

L'HERPÈS

Cette maladie contagieuse est due à un virus appelé *Herpes simplex*. Il en existe 2 grands types. L'herpès buccal est inesthétique, mais bénin ; l'herpès génital est souvent douloureux et il peut être très grave chez le nouveau-né.

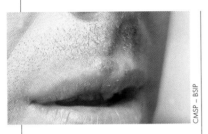

CMSP – BSIP

Herpès buccal. *L'éruption herpétique apparaît le plus souvent autour de la bouche et dure environ 10 jours.*

Les 2 types d'herpès sont dus à des virus légèrement différents, HSV1 pour l'herpès buccal et HSV2 pour l'herpès génital. Dans un cas comme dans l'autre, le premier contact avec le virus (appelé primo-infection) ne produit aucun symptôme. Puis, quelque temps après, une lésion apparaît sous forme de vésicules en bouquet, par poussées, toujours au même endroit (au niveau de la bouche pour l'herpès buccal et des organes génitaux pour l'herpès génital). Entre les crises, le virus trouve refuge dans les ganglions de certains nerfs. Les récidives ont lieu à diverses occasions : les règles chez la femme, les expositions au soleil, une maladie infectieuse ou un choc émotionnel.

L'HERPÈS BUCCAL

La première contamination a lieu dans l'enfance. Le virus est transmis par contact direct, par les parents ou par un autre enfant ou adulte. Presque tout le monde (90 % de la population) entre en contact avec le virus, mais seule 1 personne sur 10 développe la maladie, pour des raisons qui demeurent aujourd'hui inconnues.

Les symptômes. La poussée d'herpès débute par une sensation locale de brûlure près du nez, autour de la bouche ou sur les lèvres, qui annonce l'apparition d'une petite rougeur. Celle-ci s'accompagne rapidement d'un bouquet de vésicules douloureuses, remplies d'un liquide transparent. Puis les vésicules s'ouvrent, suintent, entraînant la formation d'une croûte jaunâtre ; celle-ci tombe ensuite en moins d'une semaine sans laisser de cicatrice. La lésion peut, dans de rares cas, se situer dans la bouche, sur les gencives ou à l'intérieur des joues (on parle de gingivostomatite herpétique). Cette lésion est alors plus douloureuse. Dans des cas exceptionnels, la lésion herpétique peut se situer ailleurs,

HERPÈS ET SIDA

L'herpès génital et, dans une moindre mesure, l'herpès buccal sont surtout graves chez les personnes dont le système immunitaire est affaibli. C'est le cas des malades atteints du sida ou des patients qui viennent de recevoir une greffe d'organe. L'herpès se manifeste alors par des lésions diffuses et chroniques, avec d'importantes ulcérations au niveau de la bouche, des lèvres et des organes génitaux. Celles-ci peuvent même s'étendre à tout l'appareil digestif ou respiratoire et provoquer des hémorragies. Les lésions cutanées peuvent se disséminer sur tout le corps. Le traitement antiviral par l'aciclovir donne de bons résultats.

notamment sur le doigt (panaris herpétique). Elle peut également atteindre l'œil et provoquer une conjonctivite, voire des ulcérations de la cornée. Le plus souvent, on ne se souvient plus de la première apparition de l'herpès. Celui-ci récidive ensuite de temps en temps, reproduisant toujours les mêmes signes, parfois un peu atténués. Comme l'herpès survient fréquemment à l'occasion d'un épisode infectieux, on l'appelle parfois « bouton de fièvre ». Dans ce cas, le virus profite de la baisse des défenses immunitaires pour se multiplier dans l'organisme.

Il existe une forme extrêmement grave d'herpès due au HSV1, qui porte le nom d'encéphalite herpétique. Cette maladie très rare se traduit par une inflammation du cerveau (encéphale) entraînant un coma et des paralysies. Elle nécessite une hospitalisation en urgence.

Le traitement. Il n'existe pas de traitement définitif de l'herpès. On peut seulement appliquer, 2 fois par jour, des antiseptiques locaux, qui assèchent l'éruption. Mais, comme l'herpès a tendance à récidiver, il faut s'armer de patience et recommencer le traitement à chaque poussée d'herpès, jusqu'à ce que la maladie disparaisse.

Dans le cas d'herpès très récidivants ou dangereux (atteinte

HERPÈS ET ACCOUCHEMENT

En cas de grossesse, l'herpès génital de la mère est dangereux pour l'enfant, qui peut en effet être contaminé lors de l'accouchement. Or l'herpès du nouveau-né peut être extrêmement grave. Il provoque une éruption généralisée, une atteinte du système nerveux et une jaunisse (ictère). Il se traite avec l'aciclovir en injection intraveineuse. Durant l'accouchement, plus l'infection est importante, plus le risque de contamination est grand. Ainsi, au cours d'une primo-infection herpétique ou en cas d'herpès intense, une césarienne est pratiquée. Elle évite que le nouveau-né ne soit en contact avec le virus au moment de sa naissance.

de l'œil), on a recours à un médicament antiviral, l'aciclovir, en pommade ou en comprimés. Ce médicament est également efficace pour soigner l'encéphalite herpétique.

L'HERPÈS GÉNITAL

L'herpès génital se transmet par contact direct lors des rapports sexuels : c'est donc une maladie sexuellement transmissible. Le risque de contamination est maximal si les rapports ont lieu au moment de l'éruption. L'herpès génital est de plus en plus fréquent dans le monde entier.

Les symptômes. La primo-infection est l'épisode le plus intense : elle se manifeste par la survenue, sur les organes génitaux ou, parfois, dans la région anorectale, d'une sensation de brûlure, suivie par l'éclosion de vésicules qui éclatent en laissant des ulcérations. La douleur est vive et exacerbée par le contact avec l'urine. Le liquide suintant des ulcérations est très contagieux. Ces ulcérations favorisent en outre la dissémination

Herpès génital chez une femme. Les lésions sont localisées au niveau des organes génitaux et dans la région de l'anus.

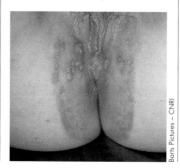

Barts Pictures – CNRI

LA PRÉVENTION

Malgré les recherches en cours, il n'y a toujours pas de vaccin contre l'herpès. Aucune prévention n'est possible contre l'herpès buccal. Il serait illusoire d'espérer éviter tout contact avec le virus HSV1. En revanche, la prévention contre l'herpès génital est essentielle. Elle consiste à utiliser des préservatifs et, pendant les poussées d'herpès, à s'abstenir de tout rapport sexuel. En effet, celui qui a une poussée d'herpès peut contaminer son partenaire et risque, dans le même temps, d'être contaminé plus facilement par une autre maladie sexuellement transmissible.

de toutes les autres maladies sexuellement transmissibles. C'est pourquoi il est impératif de s'abstenir de toute relation sexuelle pendant une poussée d'herpès génital. Cette première poussée dure 2 ou 3 semaines. Les épisodes suivants sont plus courts et moins intenses.

Le diagnostic de l'herpès génital repose sur l'examen clinique du malade. Chez la femme enceinte, la confirmation du diagnostic est obtenue en effectuant des prélèvements sur la lésion vésiculeuse et en isolant le virus par des cultures spécifiques en laboratoire.

Le traitement. Les soins antiseptiques locaux suffisent pour assécher les lésions minimes et éviter les surinfections.

En cas de récidives fréquentes, on utilise un traitement antiviral avec un médicament particulier, l'aciclovir.

LA LÈPRE

Cette maladie infectieuse chronique est due à une bactérie en forme de bâtonnet, appelée bacille de Hansen, ou *Mycobacterium lepræ*. Elle atteint la peau et les nerfs et peut aboutir, à la suite d'une longue évolution, à des mutilations.

Très redoutée au Moyen Âge, la lèpre a quasiment disparu d'Europe occidentale depuis la fin du XVᵉ siècle. Mais elle sévit encore dans les régions tropicales d'Afrique, d'Asie, d'Océanie et d'Amérique latine, où elle touche de 10 à 12 millions de personnes. C'est une maladie endémique, c'est-à-dire qu'elle atteint en permanence un nombre élevé d'individus dans une région particulière. La lèpre est également appelée « maladie de Hansen », du nom du médecin qui a découvert la bactérie responsable de la maladie.

LA CONTAMINATION

La contagion se fait par voie aérienne ou par la peau. Les sécrétions nasales et les plaies cutanées d'un malade contaminent la peau ou les muqueuses respiratoires d'une personne saine. Les malades ne sont contagieux que pendant les premiers stades de la maladie. Seules les personnes vivant étroitement à leur contact courent un risque. La contamination est favorisée par la chaleur et les mauvaises conditions d'hygiène de nombreux pays en voie de développement.

LES SYMPTÔMES

L'évolution de la lèpre est très lente. L'incubation, sans aucun signe apparent, dure de 1 à 5 ans après la contamination. Les premières lésions sont de petites taches dépigmentées, en général blanches, de quelques millimètres, où la peau est insensible et ne transpire pas. La maladie peut ensuite prendre 2 formes. **La lèpre tuberculoïde**. La plus fréquente, elle se rencontre chez les personnes ayant des défenses immunitaires relativement

LES RISQUES DANS LES PAYS OCCIDENTAUX

Si des cas isolés sont possibles dans les pays occidentaux, le retour d'une épidémie ne l'est plus. En effet, un voyageur peut être contaminé au contact d'un malade dans une zone où sévit la lèpre et la ramener dans son pays d'origine. Mais, dans les pays développés, les risques d'épidémie ont disparu, car le traitement par les antibiotiques prévient immédiatement tout danger de contagion.

efficaces. Dans cette forme, les nerfs augmentent de volume, notamment au niveau du coude, de la jambe et du cou. Ils deviennent palpables sous forme

G. Bizzarri – Sipa

Colonie lépreuse en Inde. On voit bien les mutilations provoquées par la lèpre, ainsi que la déformation du nez de l'un des hommes.

UN PEU D'HISTOIRE

Au Moyen Âge, la lèpre était considérée comme l'une des maladies les plus terrifiantes. Les lépreux étaient mis au ban de la société et n'avaient le droit de se déplacer qu'en agitant une crécelle, qui signalait leur approche. La lèpre a perdu son statut de maladie incurable grâce au docteur Albert Schweitzer. Ce médecin français, né en Allemagne à Kaysersberg en 1875, fonda, avant la guerre de 1914, le premier établissement destiné à traiter les lépreux à Lambaréné, au Gabon, alors Afrique-Équatoriale française. Musicien, il finançait la construction de son hôpital en donnant des récitals d'orgue. Il reçut le prix Nobel de la paix en 1952 et mourut dans son hôpital de Lambaréné en 1965.

de gros cordons réguliers que l'on peut sentir sous la peau.
La lèpre lépromateuse. Elle est plus grave, très contagieuse et se rencontre chez les personnes aux défenses immunitaires très affaiblies, du fait de la malnutrition ou de maladies multiples. Elle se traduit par l'apparition de grosseurs, appelées lépromes, douloureuses au toucher, de couleur rouge-brun, qui saillent sous la peau. Lorsque le visage est atteint de telles lésions, il est dit « léonin » (évoquant un lion). Une inflammation du nez et des sinus (rhinite inflammatoire) s'associe aux lépromes. Cette forme de lèpre peut également être responsable d'un effondrement des cartilages, en particulier du nez.

L'ÉVOLUTION

Le bacille de Hansen peut atteindre le foie et la rate, provoquant alors de la fièvre et une grande fatigue. Lorsque la maladie parvient à un stade avancé, les lésions cutanées s'aggravent, la peau se dessèche, les muscles s'atrophient. Des ulcères apparaissent sur la plante des pieds ou sur la paume des mains. Les tendons des doigts et des pieds se rétractent, paralysent les mains ou rendent la marche difficile. L'atteinte des nerfs entraîne une perte de la sensibilité. En se surinfectant, les lésions peuvent entraîner la perte des doigts ou des orteils. La paralysie des nerfs du visage empêche la fermeture des paupières, ce qui entraîne de graves atteintes oculaires pouvant conduire à la cécité.

LE TRAITEMENT

La lèpre est soignée par des antibiotiques appelés sulfones. Depuis quelques années, le bacille est devenu de plus en plus

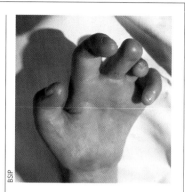

Mutilation des doigts consécutive à la lèpre. Ce type de mutilation s'observe surtout dans les formes évoluées de la maladie.

résistant à ce médicament et on y associe donc d'autres antibiotiques. Le traitement doit être poursuivi pendant au moins 6 mois, voire davantage dans les formes évoluées. Il guérit les formes débutantes sans laisser de séquelles, empêche l'évolution des formes graves et interrompt la contagion.
Ce traitement peut également être utilisé à titre préventif chez une personne qui a été en contact avec un lépreux.

LE DIAGNOSTIC

Le diagnostic de la forme tuberculoïde de la lèpre est confirmé grâce à un test cutané (cuti-réaction spécifique, appelée réaction de Mitsuda). On utilise pour cela la lépromine, une préparation contenant des bacilles de la lèpre inactivés par la chaleur. Un mois après l'application de cette préparation, si la peau devient dure à l'endroit où l'on a pratiqué la cuti-réaction, le test est positif, et le diagnostic confirmé. Chez les personnes pour lesquelles on suspecte une forme lépromateuse, on réalise un prélèvement d'un fragment de peau (biopsie) au niveau des lésions cutanées. L'examen au microscope révèle alors la présence de bacilles de Hansen. Le diagnostic précoce de la maladie est essentiel afin de commencer rapidement le traitement et, ainsi, prévenir les mutilations définitives et invalidantes.

La Listériose et la Brucellose

LA LISTÉRIOSE

Cette maladie, due à la bactérie *Listeria monocytogenes*, concerne les animaux et, plus rarement, l'homme. Souvent bénigne chez l'adulte, elle peut provoquer une affection grave chez le nouveau-né.

La contamination a lieu le plus souvent lors de la consommation d'aliments contenant la bactérie responsable de la maladie (il peut s'agir de lait cru, de fromage au lait cru, de viande crue ou mal cuite, de légumes crus, de charcuterie). La mère peut transmettre le bacille à son enfant pendant la grossesse (par l'intermédiaire du placenta) ou au moment de l'accouchement, si le sang du nouveau-né entre en contact avec celui de la mère.

LES SYMPTÔMES

Chez l'adulte, la listériose se manifeste généralement comme une grippe, avec de la fièvre et des douleurs diffuses. Elle passe alors souvent inaperçue. Elle peut prendre toutefois une forme plus grave et se transformer en méningite (listériose neuroméningée) ou en infection généralisée (septicémie).
Le fœtus peut être contaminé par la mère au cours du deuxième ou du troisième trimestre de grossesse. La femme risque alors d'accoucher d'un enfant mort-né ou d'un prématuré atteint de la maladie et souffrant d'une septicémie grave, associée à une méningite, à une atteinte du foie ou à une pneumonie.

LE TRAITEMENT ET LA PRÉVENTION

La listériose est traitée par l'association de 2 antibiotiques sur une période de 3 semaines.
Pour éviter de contracter l'infection pendant la grossesse, certaines précautions alimentaires doivent être respectées ; ainsi il faut éviter de consommer des légumes crus ou peu cuits, préférer la charcuterie préemballée à celle vendue à la coupe, recuire les aliments conservés au réfrigérateur, ne pas consommer la croûte des fromages à pâte molle comme le camembert et le brie, faire bouillir le lait cru ou pasteurisé avant consommation, se méfier des produits artisanaux.
Il est en outre conseillé de se laver les mains après avoir manipulé des aliments non cuits, de nettoyer et de désinfecter régulièrement le réfrigérateur.

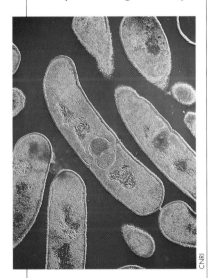

La bactérie Listeria monocytogenes *vue au microscope électronique à transmission. Cette bactérie responsable de la listériose a la forme en bâtonnet des bacilles.*

LE DIAGNOSTIC

Chez l'adulte et le nouveau-né, le diagnostic repose sur l'identification du bacille dans le sang ou dans le liquide céphalo-rachidien (après ponction lombaire). Chez la femme enceinte, l'examen du placenta, après l'accouchement, révèle de petits abcès jaunâtres dans lesquels on recherche le bacille. Cela constitue un élément important pour diagnostiquer la maladie chez le nouveau-né.
On peut également rechercher le germe pendant la grossesse en faisant des prélèvements vaginaux. En cas de fièvre survenant sans autres symptômes chez une femme enceinte, de tels prélèvements sont systématiquement conseillés.

LA BRUCELLOSE

Cette maladie est due à la bactérie *Brucella*, transmise à l'homme par les animaux de ferme. Elle se rencontre dans les pays méditerranéens, où elle est connue sous le nom de « fièvre de Malte ».

La brucellose se rencontre fréquemment chez les animaux d'élevage. Elle se transmet à l'homme soit par contact direct avec les animaux (c'est le cas pour les éleveurs, les bergers, les vétérinaires ou les personnes travaillant dans les abattoirs), soit par la consommation de lait, de fromages frais ou de laitages non pasteurisés, contaminés.

LES SYMPTÔMES

L'incubation peut durer plusieurs semaines. Les premiers symptômes de la maladie sont une fièvre élevée, accompagnée de douleurs diffuses et de sueurs, pendant quelques jours. Puis la fièvre se prolonge et devient d'intensité variable. Elle peut être isolée ou associée à des maux de tête, des douleurs articulaires, un manque d'appétit, une faiblesse musculaire et même un état dépressif. On parle de « pa-traquerie brucellienne ». La maladie peut devenir chronique. Dans ce cas, elle se manifeste sous forme d'accès, entrecoupés de longues périodes de rémission.

LE DIAGNOSTIC

Le diagnostic repose, en début de maladie, sur la recherche de la bactérie *Brucella* dans le sang

Troupeau de moutons dans un pâturage. Les animaux d'élevage peuvent transmettre la brucellose, soit par contact direct, soit par l'intermédiaire de leur lait.

D. Lerault – DIAF

LA PRÉVENTION

Les cas de brucellose humaine ou animale doivent être déclarés aux autorités sanitaires locales. Les animaux contaminés sont abattus, et les locaux d'élevage, désinfectés. Les professionnels en contact avec les animaux doivent respecter des règles d'hygiène élémentaires et notamment porter des gants lorsqu'ils sont en contact avec le sang des animaux, au moment des mises bas ou de l'abattage. La vaccination des professionnels exposés et du bétail permet de réduire la fréquence de cette maladie.

du malade (hémoculture). Tardivement, il est confirmé par la réaction cutanée à une piqûre intradermique (intradermo-réaction de Brunet, comme pour la tuberculose). La recherche des anticorps spécifiques produits par le malade en réaction à l'invasion par le germe (séro-diagnostic de Wright) est un meilleur témoin de la maladie.

LE TRAITEMENT

Le traitement, pour être efficace, nécessite l'association de 2 ou 3 antibiotiques (cyclines, aminosides, quinolones). Il doit être poursuivi pendant 2 mois à partir de la phase aiguë. Lorsque le traitement est commencé tardivement, la maladie est alors plus difficile à soigner. On peut alors ajouter aux antibiotiques un traitement par les corticoïdes. L'état dépressif provoqué par la maladie peut être traité par psychothérapie.

LA MALADIE DE CREUTZFELDT-JAKOB

Cette maladie touchant le cerveau est très rare. Elle est provoquée par la présence d'un prion, également en cause dans la maladie de la « vache folle », qui atteint notamment les animaux d'élevage.

La maladie de Creutzfeldt-Jakob appartient au groupe des encéphalopathies spongiformes, que l'on désigne ainsi en raison de l'aspect du tissu cérébral vu au microscope, qui ressemble alors à une éponge.

LES CAUSES

La maladie de Creutzfeldt-Jakob est provoquée, dans l'état actuel des connaissances, par la présence d'un prion. Elle semble avoir 3 origines. Un prion peut apparaître spontanément par le simple changement de conformation d'une protéine normalement présente dans le cerveau, appelée PrP. C'est le cas le plus fréquent de la maladie de Creutzfeldt-Jakob, qui débute alors au-delà de 50 ans et ressemble aux autres maladies dégénératives du cerveau, comme la maladie d'Alzheimer. Un prion peut également être transmis de façon héréditaire. Il existe quelques rares cas de familles où la

LES PRIONS

Ni bactéries, ni virus, ni parasites, les prions sont des agents infectieux à part, responsables de démences chez l'homme. Ils entraînent une destruction des cellules du cerveau. Leur nature exacte est inconnue et on ne sait pas encore les détecter chez l'être vivant.

maladie de Creutzfeldt-Jakob atteint plusieurs personnes. Enfin, un prion peut se transmettre comme un véritable agent infectieux, d'un individu à l'autre et, peut-être, de l'animal à l'homme. La maladie apparaît alors chez des personnes jeunes, bien avant 50 ans. Il existe des cas de transmission par greffe d'un organe provenant d'une personne infectée, notamment greffe de cornée ou greffe de la membrane qui tapisse la moelle épinière et l'encéphale (dure-mère). Des mesures de prévention très strictes ont été édictées depuis quelques années. En France, un certain nombre de cas ont été relevés parmi les enfants traités par l'hormone de croissance prélevée sur l'hypophyse (une glande qui se trouve à la base du crâne) de cadavres. Ce mode de contamination a disparu depuis que l'on utilise une hormone synthétique. Par ailleurs, on a observé plusieurs cas de Creutzfeldt-Jakob chez des patients jeunes depuis que l'épidémie de la « vache folle » s'est

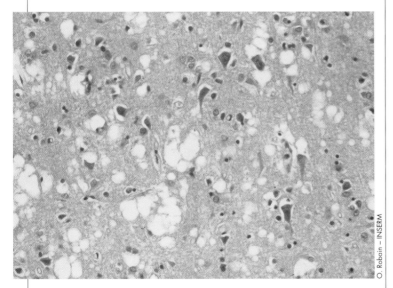

O. Robain – INSERM

Spongiose disséminée à l'intérieur du cortex cérébral. Sur la photo, les zones claires indiquent des trous dans le tissu cérébral, qui a l'apparence d'une éponge (spongia en latin).

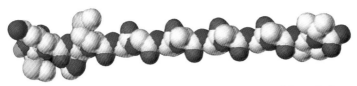

H. Raguet – Eurelios

répandue en Grande-Bretagne. On pense, sans en avoir de preuve formelle, qu'ils ont pu être contaminés par la consommation d'abats contenant du tissu nerveux, notamment des cervelles.

LES SIGNES

La maladie de Creutzfeldt-Jakob se manifeste par une détérioration progressive des fonctions intellectuelles (démence). On observe des troubles de la mémoire, de l'attention, du jugement et du raisonnement. Puis des troubles de l'affectivité

Représentation d'un prion en 3 D. *Un prion est une protéine normale qui devient infectieuse lorsqu'elle se transforme.*

apparaissent (le patient est indifférent aux personnes qui l'entourent), ainsi que des troubles du langage. La maladie de Creutzfeldt-Jakob est associée à divers troubles neurologiques, qui la différencient de la maladie d'Alzheimer : mouvements anormaux, un peu analogues à des tics, mais de plus grande amplitude ; cécité ; paralysies et raideur musculaire excessive (hypertonie).

LA MALADIE DU KURU

La maladie du kuru était une maladie connue et fréquente chez les Papous qui vivent dans les montagnes de Nouvelle-Guinée. Lors de cérémonies traditionnelles, ils mangeaient la cervelle des défunts. Aujourd'hui, la transmission de cette maladie a été enrayée avec la fin de cette pratique. Les premiers signes du kuru apparaissaient des mois ou des années après la contamination, la période d'incubation de cette maladie pouvant aller jusqu'à 30 ans. Le kuru se traduisait par des difficultés à maîtriser les mouvements qui s'aggravaient progressivement et par une altération des fonctions intellectuelles. C'est une des premières preuves connues de la possibilité de transmission des prions.

LA MALADIE DE LA « VACHE FOLLE »

Cette maladie est d'abord apparue chez le mouton sous le nom de « tremblante ». Elle se manifeste par des tremblements, des difficultés à se tenir sur les pattes, et entraîne la mort en quelques semaines. Comme pour la maladie de Creutzfeldt-Jakob, l'examen du cerveau après le décès de l'animal révèle un aspect en éponge du tissu nerveux et la présence de prions. Les premiers cas chez des vaches sont apparus en 1986 en Grande-Bretagne, où, en 10 ans, plus de 50 000 bovins ont péri. En France, la maladie, apparue en 1991, a été plus limitée (une vingtaine de cas). La transmission s'est probablement faite en nourrissant les vaches avec des farines fabriquées à partir de carcasses de moutons malades. Cette pratique a été interdite en 1989. La découverte d'un seul cas entraîne désormais l'abattage de l'ensemble du troupeau. Les prions, responsables de la maladie, n'ont jamais été isolés dans les muscles des bêtes malades. La viande n'est donc pas considérée comme un facteur de risque de contamination. Le danger viendrait des abats (cervelle, os à moelle, ris de veau, intestins), où le prion pourrait être présent.

L'ÉVOLUTION ET LE TRAITEMENT

Les premiers signes apparaissent le plus souvent après 50 ans, puis la maladie évolue rapidement, provoquant la mort en l'espace de quelques mois.

Aucun test ne permet de confirmer le diagnostic. Ce n'est qu'après le décès que l'on peut pratiquer un examen microscopique du cerveau et confirmer définitivement le diagnostic en constatant son aspect spongieux. Il n'existe actuellement aucun traitement et aucun moyen de prévention efficaces contre la maladie de Creutzfeldt-Jacob, mais de nombreuses recherches scientifiques sont en cours.

LA MALADIE DE LYME

Cette maladie est due à la bactérie *Borrelia burgdoferi*. Elle se manifeste par de la fièvre, accompagnée d'inflammations au niveau de la peau, mais aussi d'atteintes articulaires ou cardiaques.

La maladie de Lyme est rare, mais elle se rencontre un peu partout dans le monde. Elle porte le nom de la ville du Connecticut (États-Unis) où elle a été découverte. En fait, les signes de cette maladie étaient déjà connus en Europe depuis longtemps, sans que l'on ait pu identifier le germe responsable.

LES CAUSES

La bactérie responsable de la maladie de Lyme peut être transmise à l'homme par l'intermédiaire de tiques s'étant contaminées en piquant un animal sauvage (rongeur, par exemple). La maladie de Lyme survient par petites épidémies locales ou de façon plus isolée. Toutes les activités qui exposent à un contact avec des tiques sont un facteur de risque de contamination : travaux agricoles, camping, etc.

LES PHASES DE LA MALADIE

La maladie de Lyme évolue en 3 phases, chacune étant caractérisée par des symptômes qui lui sont propres.

La première phase se manifeste par l'apparition d'une rougeur particulière au niveau de la peau, appelée « érythème migrateur ». Cette rougeur cutanée survient entre 3 jours et 1 mois après la piqûre de tique. Elle est centrée sur le point de la piqûre. À l'endroit de la rougeur, la peau est légèrement surélevée, avec des sensations de douleur et de chaleur. Cette rougeur s'étend de façon concentrique, formant un anneau autour du point de départ, et disparaît progressivement en 3 semaines environ. L'éruption cutanée peut s'accompagner de fièvre et de quelques douleurs articulaires ou musculaires, un peu comme dans une grippe. Elle disparaît sans laisser de traces, même sans traitement. **La deuxième phase** survient quelques semaines ou quelques

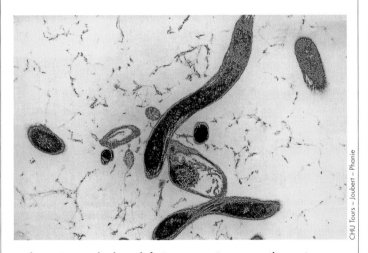

CHU Tours – Joubert – Phanie

La bactérie Borrelia burgdoferi *vue au microscope électronique à balayage.* Cette bactérie est responsable de la maladie de Lyme.

LA PRÉVENTION

La prévention consiste à suivre, de façon presque systématique, un traitement antibiotique après une piqûre de tique, si elle survient dans une région concernée par la maladie. En outre, une meilleure information peut inciter les chasseurs et les promeneurs à ne pas négliger les premières manifestations de la maladie. Dans plusieurs pays (notamment aux États-Unis où de nombreux cas étaient présents), ce type de prévention a montré son efficacité.

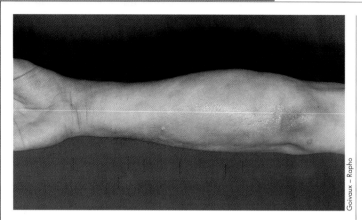

Goivaux – Rapho

Lésion provoquée par une morsure de tique infectante.
La peau présente une rougeur étendue, formant un cercle, qui disparaît environ 3 semaines après la morsure.

mois plus tard et se traduit par des poussées d'érythème, associées à des manifestations plus inquiétantes. Il peut s'agir d'atteintes cardiaques (syncopes, douleurs thoraciques), de douleurs articulaires d'origine inflammatoire ou de signes neurologiques. Une douleur très intense apparaît dans la région de la morsure. Cette phase dure de quelques semaines à plusieurs mois. On ne l'observe que lorsque la première phase, c'est-à-dire l'éruption cutanée, est passée inaperçue ou a été négligée et donc non traitée.

La troisième phase est la plus grave. Elle survient plusieurs années après la morsure, si aucun traitement n'a été entrepris auparavant. Elle se déclare par un érythème chronique qui s'étend aux bras et, surtout, aux jambes, aboutissant, plusieurs mois après, à une atrophie progressive de la peau. Cette

forme est bien connue dans l'est de la France sous le nom de « maladie de Pick-Herxheimer ». L'éruption peut être associée à différentes manifestations telles qu'une tumeur bénigne au niveau de la peau (le pseudolymphome) et, surtout, à des atteintes au niveau des articulations (rhumatisme chronique), du cœur et du système nerveux qui font toute la gravité de la maladie.

LE DIAGNOSTIC ET LE TRAITEMENT

L'isolement de la bactérie à partir d'un prélèvement sur les lésions cutanées est très difficile à réaliser. Il est donc préférable de prendre certaines précautions. Ainsi, au moment de la première phase, lorsque l'on constate dans la région d'une lésion une éruption évoquant une piqûre de tique, il faut suivre immédiatement un traitement antibiotique, seul capable d'empêcher toute évolution ultérieure de la maladie.
À la deuxième phase, la recherche de la bactérie est encore difficile. Le diagnostic peut être

établi par un test sérologique (prise de sang) qui dépiste les anticorps dirigés contre la bactérie *Borrelia*. Le diagnostic est établi de la même façon à la troisième phase de la maladie.
Le traitement repose sur l'administration de médicaments antibiotiques, qui fait disparaître les symptômes et prévient les complications tardives.
Si elle n'est pas traitée et évolue jusqu'à la troisième phase, la maladie de Lyme peut laisser des séquelles variées, notamment neurologiques (paralysies faciales ou paralysies des membres) ou cutanées (atrophies avec ulcères).

LES FIÈVRES RÉCURRENTES

Proches de la maladie de Lyme, les fièvres récurrentes sont dues à d'autres bactéries du genre *Borrelia*. La plus connue est la fièvre récurrente cosmopolite, provoquée par *Borrelia recurrentis*. On l'appelle encore la « fièvre récurrente à poux ». C'est une maladie qui survient lorsque les conditions sont favorables à la prolifération des poux : guerres, camps de réfugiés, etc.
Le début de la maladie est brutal, avec une fièvre élevée (entre 40 et 41 °C), des frissons, des maux de tête et des troubles digestifs (vomissements, douleurs abdominales). La fièvre dure environ 1 semaine, disparaît, puis réapparaît après quelques jours. Ce cycle peut se répéter plusieurs fois. Non traitée, la maladie conduit à des atteintes du foie et des reins qui peuvent être fatales.

LA MALADIE DES LÉGIONNAIRES

Cette maladie, également appelée légionellose, est due à la bactérie *Legionella pneumophila*. C'est une infection pulmonaire grave, qui peut, dans certains cas, être mortelle.

LA FRÉQUENCE

La maladie des légionnaires se manifeste sous forme de petites épidémies ou de cas isolés. La bactérie en cause a été isolée pour la première fois en 1976, mais elle existait auparavant, sans que l'on ait pu l'identifier. Avec la multiplication des installations d'air conditionné, les épidémies de légionellose risquent d'être de plus en plus fréquentes si une surveillance adéquate ne s'exerce pas.

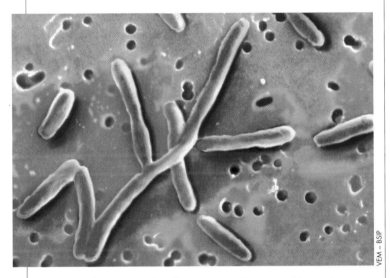

Bactéries du genre **Legionella** *vues au microscope électronique à balayage. Elles sont responsables d'affections pulmonaires souvent accompagnées d'une forte fièvre, dont la maladie des légionnaires.*

La maladie des légionnaires a été observée pour la première fois en 1976 aux États-Unis, dans un hôtel de Philadelphie, parmi les participants d'un congrès d'anciens combattants de l'*American Legion*.

LA CONTAMINATION

La bactérie responsable de la maladie des légionnaires, appelée *Legionella pneumophila*, survit dans un environnement aquatique ou humide, notamment dans l'eau de condensation des systèmes de climatisation ou dans les conduites d'eau de distribution urbaine. L'infection apparaît après l'inhalation de gouttelettes d'eau contaminées, par exemple lors des douches. Le risque de contamination est plus grand en présence d'un certain nombre de facteurs : tabagisme ou alcoolisme, diabète, affaiblissement du système immunitaire (immuno-dépression) ou encore insuffisance respiratoire chronique.

Les épidémies de légionellose surviennent uniquement lorsque le mode de contamination tient à une source de diffusion collective aérienne (climatisation) ou aqueuse (douche). C'est le cas dans les hôtels modernes équipés d'une climatisation et d'un système de distribution d'eau centralisés, en particulier pour les douches. Dans les hôpitaux qui sont aussi dotés d'une climatisation centrale, la maladie des légionnaires peut également survenir. Cette forme de contamination est toutefois très rare et ne touche sérieusement que les personnes dont le système immunitaire se trouve affaibli (immunodéprimées).

Avant l'épidémie de 1976 dans cet hôtel de Philadelphie, la maladie des légionnaires avait déjà été responsable d'autres épidémies de pneumonies, mais la bactérie en cause n'avait, jusque-là, jamais été identifiée.

VEM – BSIP

LES SYMPTÔMES

Après une incubation de 2 à 10 jours, les premiers symptômes de la maladie apparaissent. Il s'agit de maux de tête, de courbatures, de douleurs abdominales, de diarrhée, d'une toux sèche, d'une légère fièvre et d'une sensation de malaise général. Puis, en quelques jours, la fièvre s'élève, les douleurs musculaires s'accentuent et la fatigue devient intense. La pneumonie se manifeste alors par une douleur dans le thorax, une difficulté respiratoire et une toux avec des crachats (expectoration).

Cette phase dure environ 1 semaine, lorsque la maladie est traitée à temps et survient chez des personnes jeunes ou en bonne santé ; puis l'évolution se fait vers la guérison. En revanche, en l'absence de traitement ou chez les personnes particulièrement fragiles, les troubles respiratoires peuvent s'aggraver. La toux devient alors grasse, le malade délire et son état général se détériore.

LE DIAGNOSTIC ET LE TRAITEMENT

En raison de la gravité de la maladie, le patient doit être hospitalisé. Le diagnostic est établi en recherchant la bactérie *Legionella pneumophila* dans les crachats ou dans les sécrétions bronchiques, que l'on recueille en introduisant un tube dans les bronches (endoscopie).

Un traitement antibiotique est généralement administré par voie intraveineuse. Il permet une évolution rapidement favorable chez les malades jeunes et jusque-là en bonne santé, mais il doit durer au moins 15 jours, voire 3 semaines. Dans les formes graves, une assistance respiratoire en service de réanimation peut être nécessaire. Malgré le traitement, la maladie des légionnaires est parfois mortelle chez des personnes âgées ou dont l'état général est mauvais. Cela a été le cas lors de l'épidémie de Philadelphie, où les 29 légionnaires qui ont succombé à la maladie étaient soit en mauvaise santé, soit d'un âge avancé.

LA PRÉVENTION

La surveillance régulière et la désinfection des installations de climatisation et de distribution d'eau sont les mesures de prévention les plus efficaces.

La climatisation a pour but de réguler la température, l'humidité ou la sécheresse excessive de l'air des bâtiments modernes, y compris des hôpitaux, et de le purifier par filtration. Cette technique moderne a, comme on le voit, des effets pervers. En effet, elle peut favoriser le développement de certains microbes, comme la bactérie *Legionella,* qui s'est particulièrement bien adaptée à l'humidité des bacs destinés à réhumidifier l'air conditionné, pouvant alors contaminer les occupants des bâtiments équipés de systèmes de climatisation.

LES PNEUMOPATHIES BACTÉRIENNES AIGUËS

Les pneumopathies bactériennes aiguës, plus connues sous le nom de pneumonies, sont le plus souvent dues à une bactérie, le pneumocoque. Ces maladies infectieuses peuvent toucher tout le monde. Hormis la tuberculose et la peste pulmonaire, elles sont peu contagieuses et, contrairement aux pneumopathies virales (grippe), elles provoquent généralement peu d'épidémies.

L'ASSISTANCE RESPIRATOIRE

L'assistance respiratoire permet, grâce à un respirateur artificiel, de maintenir en vie une personne qui a perdu la capacité de respirer naturellement. Une sonde, introduite par le nez ou la bouche, relie le patient au respirateur ; si une respiration artificielle prolongée est envisagée, on insère directement un tube dans la trachée en pratiquant une ouverture chirurgicale (trachéotomie). Des examens sanguins sont effectués afin d'analyser la quantité d'oxygène et des autres gaz contenus dans le sang du malade. Des radiographies pulmonaires sont réalisées pour vérifier l'état des poumons ; le pouls, la tension artérielle, le rythme cardiaque et la température sont enregistrés en permanence. Dès que le malade commence à aller mieux, on le laisse respirer naturellement pendant des laps de temps de plus en plus longs et fréquents. Lorsque la respiration spontanée redevient normale, l'assistance respiratoire est définitivement arrêtée.

La Maladie du Sommeil

Cette maladie, aussi appelée trypanosomiase africaine, est provoquée par un parasite, le trypanosome, transmis à l'homme par la piqûre d'une mouche, la glossine, plus connue sous le nom de mouche tsé-tsé.

La maladie du sommeil se traduit par des troubles neurologiques et psychiques de gravité croissante, qui peuvent être fatals. Elle est présente de façon permanente (endémique) en Afrique intertropicale. On distingue 2 formes de maladies selon le type de parasite (trypanosome) en cause. La trypanosomiase due à *Trypanosoma gambiense* est transmise par les glossines des forêts d'Afrique de l'Ouest et d'Afrique centrale, où l'homme constitue le principal réservoir des parasites. La trypanosomiase due à *Trypanosoma rhodesiense* est transmise par les glossines des savanes sèches ou arbustives d'Afrique de l'Est. Les réservoirs naturels de cette forme de trypanosomiase sont les animaux sauvages, notamment les antilopes.

LA CONTAMINATION

Les parasites sont transmis à l'homme par la piqûre de la mouche tsé-tsé. Dès qu'ils ont pénétré dans la peau, ils se multiplient localement puis, 2 à 3 semaines après la piqûre, ils se disséminent dans le sang et la lymphe et finissent par envahir le liquide céphalorachidien et le système nerveux central. En région d'endémie (Afrique intertropicale), moins de 1 % des mouches tsé-tsé sont infectantes, mais une seule piqûre peut être contaminante.

LES SYMPTÔMES ET L'ÉVOLUTION

La piqûre de la mouche tsé-tsé passe souvent inaperçue, notamment sur la peau de couleur. Mais elle peut aussi provoquer une réaction locale immédiate, avec des douleurs et des démangeaisons persistant parfois quelques jours.
L'incubation dure en général 2 à 3 semaines, bien qu'elle puisse être plus longue (plusieurs mois, voire plusieurs années), et, dans la plupart des cas, elle ne s'accompagne d'aucun symptôme (phase d'incubation silencieuse).

■ CYCLE DU PARASITE

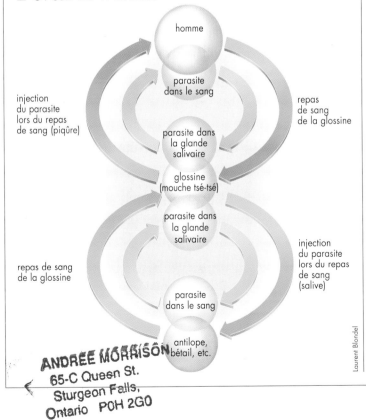

homme

parasite dans le sang

injection du parasite lors du repas de sang (piqûre)

repas de sang de la glossine

parasite dans la glande salivaire

glossine (mouche tsé-tsé)

parasite dans la glande salivaire

injection du parasite lors du repas de sang (salive)

repas de sang de la glossine

parasite dans le sang

antilope, bétail, etc.

Laurent Blondel

ANDRÉE MORRISON
65-C Queen St.
Sturgeon Falls,
Ontario P0H 2G0

LA PRÉVENTION

Dans les foyers endémiques, qui sont généralement bien connus de la population locale, les touristes peuvent se protéger par le port de vêtements couvrants et l'usage de lotions ou de pommades répulsives.

Les services de santé africains luttent activement contre la maladie du sommeil en recherchant systématiquement les personnes ayant pu être touchées dans les zones où elle sévit, pour traiter tous les malades.

L'éradication de la maladie repose sur la lutte contre les mouches tsé-tsé, par l'utilisation de pièges et d'insecticides.

La maladie du sommeil se déclare ensuite en 2 phases. La première phase correspond à l'infestation du sang et de la lymphe par les parasites. Elle débute par une fièvre irrégulière, peu élevée (environ 38 °C), qui résiste à tout traitement et par une augmentation de la taille des ganglions lymphatiques (adénopathie), indolores et ne suppurant pas, ainsi qu'une augmentation du volume du foie et de la rate ; des signes au niveau de la peau (œdèmes locaux, démangeaisons) apparaissent aussi.

À ce stade de l'infection, le malade peut présenter une accélération du rythme cardiaque (tachycardie) et quelques symptômes neurologiques et psychiques, tels que des maux de tête (céphalées) et des modifications du caractère et du comportement.

La deuxième phase correspond à la présence des parasites dans le système nerveux. Alors que la fièvre persiste, le malade devient irritable ou triste, s'agite, parle beaucoup ou, au contraire, sombre dans la morosité. Il est parfois victime de graves troubles du comportement pouvant aller jusqu'à la violence et nécessitant alors un internement psychiatrique. Puis des troubles de la sensibilité et des troubles moteurs, comme des tremblements, une incoordination des mouvements ou une paralysie, surviennent. De plus en plus apathique, le malade s'endort dans la journée, mange de moins en moins et passe des nuits agitées.

En l'absence de traitement et, parfois, malgré celui-ci, la maladie évolue, dans un délai variable selon les cas, vers le coma et la mort. Le décès est parfois hâté par une défaillance du cœur ou une infection qui vient s'ajouter à la maladie du sommeil.

LE DIAGNOSTIC ET LE TRAITEMENT

Le diagnostic de la trypanosomiase africaine repose sur la mise en évidence des parasites dans le sang, la moelle osseuse ou le liquide ganglionnaire.

Il doit être envisagé dans tous les cas où une personne a séjourné, même pour une courte durée, en région d'endémie et présente une fièvre prolongée, une hypertrophie des ganglions lymphatiques et des signes neurologiques dont les causes ne sont pas déterminées.

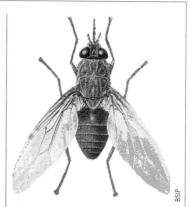

BSIP

Mouche tsé-tsé. *La glossine, plus couramment appelée mouche tsé-tsé, est bien connue des populations africaines, car elle transmet la maladie du sommeil.*

Les médicaments antiparasitaires utilisés pour traiter cette maladie sont efficaces, mais difficiles à manier étant donné leur toxicité importante. Le traitement doit par conséquent se faire à l'hôpital, car il nécessite une étroite surveillance des effets secondaires provoqués par les médicaments.

LA TRYPANOSOMIASE AMÉRICAINE

La trypanosomiase américaine est provoquée par un autre parasite, *Trypanosoma cruzi*. Cette infection, également appelée maladie de Chagas, sévit à l'état endémique en Amérique centrale et au nord-est du Brésil, où elle touche environ 15 millions de personnes.

Elle est transmise à l'homme par la piqûre d'une punaise, le réduve, dont les déjections contiennent les parasites.

LES MST

Les maladies sexuellement transmissibles, appelées aussi MST ou maladies vénériennes, sont des maladies infectieuses contagieuses, transmises lors des rapports sexuels. Elles touchent chaque année environ 250 millions de personnes à travers le monde.

Keene – BSIP

Les jeunes font partie des groupes à risque pour les MST. *Ils sont en effet susceptibles de changer souvent de partenaire. Dans ce cas, pour se protéger de façon efficace, ils doivent utiliser des préservatifs.*

LA BLENNORRAGIE

La blennorragie, courammment appelée chaude-pisse, est la plus ancienne des maladies sexuellement transmissibles connues. Elle figure parmi les maladies infectieuses les plus répandues au monde. Elle se rencontre surtout chez les adultes jeunes qui ont des partenaires sexuels multiples. Cette maladie, également connue sous le nom de gonococcie, est due à une bactérie, le gonocoque *Neisseria gonorrheæ*. Chez l'homme, elle entraîne un écoulement au niveau du canal urinaire et une sensation de brûlure en urinant. Chez la femme, des pertes blanches et des inflammations locales apparaissent.

Le traitement de la blennoragie repose sur la prise d'antibiotiques. Il doit être entrepris tôt, pour éviter les complications, et le malade doit s'abstenir de tout rapport sexuel pendant les soins.

De nombreux germes peuvent se transmettre pendant les rapports sexuels : des bactéries, des champignons, des virus et même des parasites. Traditionnellement, les maladies dites vénériennes étaient caractérisées par l'apparition d'une lésion locale génitale à la suite d'un rapport sexuel. Mais certaines MST ne provoquent pas de symptômes au niveau des organes génitaux : les germes ou les virus contenus dans le sperme ou les sécrétions vaginales peuvent se transmettre sans aucune trace à l'occasion des rapports sexuels ; c'est le cas de l'hépatite B et du sida.

LES CAUSES

Les bactéries responsables des MST sont principalement les chlamydias et les mycoplasmes. Les bactéries causant la gono-coccie (également nommée blennorragie), le chancre mou, la syphilis, la lympho-granulomatose vénérienne (maladie de Nicolas-Favre) sont aujourd'hui plus rares qu'il y a 50 ans. Néanmoins, la syphilis et la gonococcie restent bien d'actualité. Les champignons entraînent des mycoses locales, comme les candidoses. Les virus sont responsables d'affections telles que l'herpès génital, les condylomes papillomateux, la mononucléose infectieuse, l'hépatite B ou le sida. Les parasites responsables de MST sont essentiellement les trichomonas, ainsi que le pou du pubis (morpion).

LES SYMPTÔMES

Les MST classiques apparaissent dans un délai variable après le rapport sexuel contaminant.

Chez l'homme, l'attention est attirée soit par une lésion sur la verge, sous forme d'une rougeur, d'une érosion localisée arrondie (chancre syphilitique, chancre mou), de vésicules (herpès), d'excroissances (condylomes). Il peut également y avoir un écoulement par le canal urinaire avec douleurs à l'émission des urines (urétrite) ; l'écoulement peut être purulent (gonococcie) ou clair et peu abondant (chlamydias, mycoplasmes).

Chez la femme, les lésions passent souvent inaperçues, mais la survenue de douleurs locales, de brûlures urinaires, de démangeaisons, de pertes vaginales inhabituelles, de douleurs lors des rapports doit conduire à consulter un médecin qui pratiquera un examen local attentif. Chez les deux sexes, les MST peuvent entraîner des lésions au niveau de l'anus et du rectum et l'apparition de ganglions au pli de l'aine.

Les MST non traitées peuvent se compliquer, notamment chez la femme, en s'étendant aux trompes utérines et en provoquant une infection appelée salpingite ; cette dernière peut conduire à la stérilité.

La transmission sexuelle de virus tels que le VIH (sida) ou celui

LE PRÉSERVATIF

Le préservatif masculin, tube souple en latex, est un moyen de contraception mais aussi la meilleure protection contre la transmission de germes par voie sexuelle. Il empêche le passage du sperme dans le vagin et supprime le contact direct entre les muqueuses et la peau des deux partenaires. Pour que le préservatif soit efficace, il faut suivre scrupuleusement son mode d'emploi : il doit être enfilé sur la verge en érection complète, avant la pénétration sexuelle. Pour éviter qu'il n'éclate ou ne fuie, il faut chasser l'air du petit réservoir qui se trouve à son extrémité en le pinçant. Après éjaculation, l'homme doit se retirer en maintenant le préservatif à la base du pénis pour qu'il ne glisse pas, puis l'enlever et le jeter. En outre, il faut vérifier qu'il possède bien une norme de qualité.

de l'hépatite B ne provoque aucun signe local. La séroconversion plusieurs semaines ou plusieurs mois plus tard peut également passer inaperçue, et le moment de la contamination est souvent difficile à préciser.

LE DIAGNOSTIC

Le diagnostic des MST est établi dans des centres et des services spécialisés ou par des médecins spécialistes. Le germe responsable de la maladie est retrouvé soit par un examen microscopique (urines, écoulement de l'urètre, sécrétions vaginales), soit par un test sérologique (prélèvement de sang).

LE TRAITEMENT

Le traitement doit être suivi par les deux partenaires sexuels, sinon la rechute est assurée. Il peut comprendre des antibiotiques, des antiviraux, des antimycosiques ou des antiparasitaires, selon la maladie en cause. Ils sont administrés en comprimés et par voie locale

(pommade à appliquer sur la verge ou la vulve et ovules à base d'antibiotique et d'antimycosique à introduire dans le vagin). Ils permettent de traiter de manière efficace la plupart des MST. Les symptômes disparus, des tests sont de nouveau effectués pour vérifier que les patients sont bien guéris.

LA PRÉVENTION

La seule prévention efficace des MST repose sur l'utilisation systématique du préservatif masculin lors des rapports sexuels. Cette précaution vaut notamment pour les personnes appartenant à un groupe à risque : homosexuels et hétérosexuels ayant des partenaires sexuels multiples, toxicomanes utilisant des seringues usagées, prostitué(e)s. Pour éviter la propagation de ces maladies, tous les partenaires sexuels récents d'une personne atteinte de MST devraient être suivis médicalement (dépistage et traitement).

LA MONONUCLÉOSE

Cette maladie infectieuse bénigne est due à un virus de la même famille que celui de l'herpès, le virus d'Epstein-Barr. Elle touche surtout les adolescents et les jeunes adultes.

Le virus d'Epstein-Barr se transmet généralement par la salive, d'où les autres noms de la mononucléose infectieuse : la maladie du baiser, des amoureux ou des fiancés.

LA CONTAMINATION

Le virus en cause (virus d'Epstein-Barr, de la famille des herpès virus) est très répandu. Dans les pays occidentaux, 80 % des adultes ont été en contact avec lui et 20 % d'entre eux le portent dans leur salive. Le virus est faiblement contagieux et la contamination nécessite un contact intime, le plus souvent un baiser.

Le premier contact avec le virus (primo-infection) de la mononucléose concerne en majorité les adolescents et les adultes jeunes. Seule la primo-infection est capable de déclencher une maladie. Elle ne provoque des symptômes que chez des personnes jeunes, dont le système immunitaire est encore très sensible. Chez l'adulte, la primo-infection par le virus d'Epstein-Barr ne provoque plus aucune réaction. Lorsqu'il pénètre dans l'organisme, le virus se multiplie dans les lymphocytes, qui sont des globules blancs du sang qualifiés de mononucléaires (car ils ne possèdent qu'un noyau). D'où le nom scientifique de la maladie : mononucléose infectieuse.

LES SYMPTÔMES

L'incubation dure de 2 à 6 semaines. La maladie débute par une fièvre (entre 38 et 39 °C) accompagnée de maux de tête, d'une fatigue intense (asthénie) et d'une angine rouge. La gorge, rouge, est parfois recouverte de membranes grises qui ressemblent à celles que l'on observe en cas de diphtérie. Le plus souvent, le malade est un ado-

E. Dal'Secco – Fotogram Stone

La mononucléose infectieuse est également appelée « maladie du baiser ». En effet, le virus se transmet essentiellement par la salive, donc par un baiser.

LE DIAGNOSTIC

Le diagnostic est fondé sur un examen de sang, qui montre l'augmentation du nombre des lymphocytes et la présence d'un type particulier de globules blancs (grands mononucléaires bleutés).

Ce résultat différencie la mono-nucléose infectieuse des angines bactériennes, qui pro-voquent une multiplication des globules blancs à plusieurs noyaux, les polynucléaires.

On peut confirmer le diagnostic en recherchant dans le sang les anticorps dirigés spécifiquement contre le virus : c'est le test de Paul-Bunnell-Davidsohn (ou MNI-test). Un test sérologique encore plus fin est utilisable (sérologie Epstein-Barr).

Parfois, à l'examen clinique, lorsque l'angine est membra-neuse, il est difficile de faire la différence avec une diphtérie. Dans le doute, le médecin doit immédiatement faire un prélève-ment de gorge et prescrire en urgence un traitement contre la diphtérie, sans attendre le résul-tat de l'analyse.

lescent âgé de 15 à 17 ans. Les ganglions du cou sont enflés. Ils peuvent gêner la déglutition et même la respiration.

On observe souvent un gonfle-ment des ganglions des ais-selles et de l'aine. Le volume de la rate augmente. Parfois, une jaunisse (ictère) apparaît. Beaucoup plus rarement, des formes graves peuvent surve-nir (atteintes méningées et nerveuses).

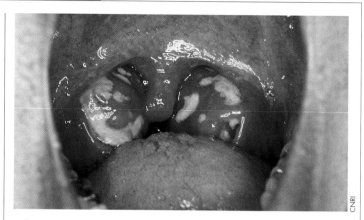

CNRI

L'ÉVOLUTION ET LE TRAITEMENT

Dans la plupart des cas, la mo-nonucléose guérit spontané-ment en trois à quatre semaines, mais avec une phase de conva-lescence qui peut durer quelques semaines. Sauf s'il existe un doute sur le diagnostic – il y a en particulier un risque de confusion avec la diphtérie –, on ne donne pas d'antibio-tiques ; ces derniers sont en effet non seulement inefficaces contre les virus mais pourraient même, dans le cas d'une mono-nucléose infectieuse, aggraver la situation en entraînant l'appa-rition de certains symptômes tels qu'une éruption au niveau de la peau.

La mononucléose est souvent très bénigne et passe fréquem-ment inaperçue. Mais, parfois, elle génère une longue période de fatigue intense. Le médecin recommande alors au patient de respecter un repos prolongé, d'éviter, pendant un mois, les activités fatigantes afin de per-mettre à son système immuni-taire de détruire le virus et de vaincre la maladie.

Angine à fausses membranes.
La présence de membranes au fond de la gorge peut faire confondre la mononucléose infectieuse avec la diphtérie, qui présente le même aspect.

Les manifestations sont diffé-rentes d'un patient à l'autre : certaines personnes restent fa-tiguées pendant 2 à 3 mois, d'autres sont déprimées, man-quent d'énergie et se plaignent de somnolence au cours de la journée. Lorsque l'épisode ini-tial de l'angine est passé inaper-çu, ce qui n'est pas rare, il est quelquefois difficile de diagnos-tiquer la cause de cette fatigue chronique. Cela est d'autant plus vrai que le test de détection, appelé test de Paul-Bunnell-Davidsohn, n'est pas toujours positif à ce moment-là et que l'augmentation du nombre de lymphocytes a disparu.

Dans certains cas, rares, l'in-flammation des ganglions est très importante et gêne la respi-ration du malade ; un traite-ment à base de médicaments corticoïdes est alors prescrit au début de la maladie pendant une dizaine de jours.

LE PALUDISME

Cette infection due à un parasite est la maladie la plus répandue dans le monde. Chaque année, elle touche environ 800 000 millions de personnes et provoque 2 millions de décès. Elle menace particulièrement les voyageurs.

Le paludisme, aussi appelé malaria, est présent dans de nombreux pays tropicaux.

LES CAUSES

Le parasite responsable du paludisme porte le nom de *Plasmodium*. Quatre espèces de ce parasite sont transmissibles à l'homme (dont une peut être mortelle, *Plasmodium falciparum*). Le parasite se transmet à l'homme par piqûre d'un moustique, l'anophèle, dont seules les femelles piquent les humains. Le parasite est présent dans la salive du moustique et pénètre dans le corps humain lorsque l'anophèle infesté pique un individu.

Le parasite peut également être transmis lors d'une transfusion de sang d'une personne infestée.

LE DIAGNOSTIC ET LE TRAITEMENT

La présence des parasites est révélée en quelques minutes par l'examen au microscope d'un prélèvement de sang (frottis ou goutte épaisse). Il faut bien distinguer le paludisme bénin (dû à *P. vivax*, *ovale* ou *malariæ*) du paludisme à risque mortel à *P. falciparum* ; le premier peut se contracter dans de nombreuses régions chaudes et n'est jamais

■ CARTE ET CYCLE DU PALUDISME

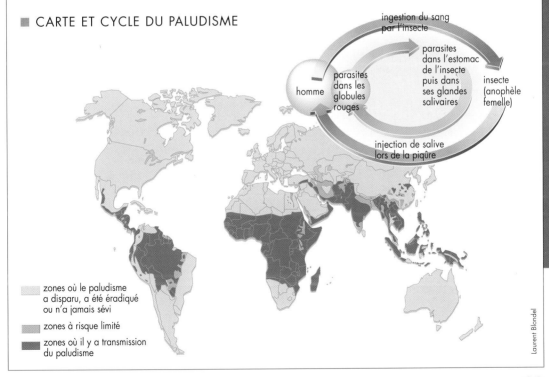

ingestion du sang par l'insecte

parasites dans l'estomac de l'insecte puis dans ses glandes salivaires

insecte (anophèle femelle)

homme

parasites dans les globules rouges

injection de salive lors de la piqûre

zones où le paludisme a disparu, a été éradiqué ou n'a jamais sévi

zones à risque limité

zones où il y a transmission du paludisme

Laurent Blondel

grave (même s'il peut se réveiller pendant plusieurs années lorsqu'il n'a pas été traité), le second est présent en zone intertropicale. Tout accès de ce type de paludisme, même si le début ne semble pas grave, est une urgence médicale. Il faut donc y penser immédiatement, au retour d'un voyage dans un pays à risque, en cas de fièvre ou de troubles digestifs, souvent pris pour les signes d'une hépatite ou d'une salmonellose.

CONSEILS AUX VOYAGEURS

Avant de partir :
– consultez un centre spécialisé, le traitement préventif dépendant du pays où vous vous rendez. Dans certaines régions, le parasite devient résistant aux médicaments employés, il est donc recommandé de disposer d'informations spécifiques et actualisées. Les résistances font l'objet d'une surveillance permanente à l'échelle internationale et d'une mise à jour annuelle ;
– en cas de grossesse, il existe certaines contre-indications qui varient selon les produits.
Sur place :
– portez des vêtements couvrant les bras et les jambes dès que le soleil se couche et, la nuit, protégez-vous par une moustiquaire imprégnée d'insecticide ;
– n'hésitez pas à utiliser tout l'arsenal des produits antimoustiques.
Au retour :
en cas de fièvre au retour d'un pays tropical, il est important de consulter un médecin dans les 24 ou 48 heures.

Un traitement bien conduit du paludisme assure normalement la guérison. Quand la maladie est mal soignée et que les contaminations se répètent durant plusieurs années, un paludisme dit « viscéral évolutif » s'installe. Il s'accompagne alors d'une anémie chronique, d'une jaunisse, d'une dilatation de la rate (avec risque de rupture) et d'une grande fatigue générale.

LES MÉDICAMENTS ANTIPALUDIQUES

L'utilisation de médicaments antipaludiques à titre préventif est absolument nécessaire lorsque l'on se rend dans un pays où sévit le paludisme à *P. falciparum*. Le traitement doit impérativement être commencé avant le départ, être scrupuleusement suivi sur place et être poursuivi au retour pendant au moins 6 semaines.
Dans la plupart des pays tropicaux, la forme de paludisme la plus dangereuse a acquis une résistance à la chloroquine, l'un des principaux traitements antipaludiques. Il faut par conséquent utiliser un autre médicament et, pour ce faire, s'adresser à un spécialiste. Il en va de même lorsque le séjour est supérieur à 3 mois. Pour tout voyage dans un pays à risque et dans une région isolée, il est prudent de se munir d'une quantité suffisante de médicament, pour traiter un accès qui se déclarerait malgré les mesures de prévention. Cette prescription doit être effectuée avant le départ par un médecin. Quand le paludisme est déclaré et vite confirmé par le diagnostic (recherche du parasite *Plasmodium falciparum* dans le sang), il faut le traiter sans attendre avec les médicaments appropriés. La quinine, le plus ancien des antipaludiques, reste toujours efficace, sauf dans des régions limitées d'Asie. Elle est administrée par voie veineuse dans les cas graves nécessitant une hospitalisation, ou en présence de vomissements.

LES CRISES DE PALUDISME

Les parasites responsables du paludisme vont d'abord dans le foie de l'homme. Par vagues, ils envahissent et détruisent les globules rouges, ce qui provoque les accès de fièvre caractéristiques de la maladie (appelés accès palustres) et une diminution des globules rouges (anémie). La prolifération du parasite dans le sang est rapide : les globules rouges infestés éclatent, libérant dans le sang les parasites qu'ils contiennent, lesquels infestent aussitôt d'autres globules rouges. Ces moments correspondent aux crises de paludisme, qui se répètent tous les jours ou tous les 2 à 3 jours. À chaque accès, la fièvre grimpe à 40 ou 41 °C, entraînant des frissons, puis elle chute et s'accompagne de sueurs importantes et d'une sensation de froid.
À la fin de la crise de paludisme, le malade est épuisé. Il présente un teint jaunâtre, ainsi qu'un état d'anémie (diminution du taux de globules rouges).

LA PESTE

Cette maladie infectieuse, grave et contagieuse, est due à une bactérie appelée bacille de Yersin, ou *Yersinia pestis*. Elle est transmise à l'homme par l'intermédiaire de 2 animaux : la puce et le rat.

La peste, autrefois véritable fléau, ne sévit plus actuellement que sous forme de cas isolés ou restreints au Nouveau-Mexique (sud des États-Unis), au Mexique, en Afrique centrale et du Sud, en Asie centrale, en Inde et au Turkestan.

LA CONTAMINATION

La peste est une maladie qui touche à la fois l'homme et l'animal (zoonose). Le bacille responsable de l'infection, *Yersinia pestis*, est transmis à l'homme et aux autres animaux par la piqûre d'une puce, contaminée en piquant un rongeur infesté. L'homme peut aussi contracter la maladie par manipulation de rongeurs infectés. Dans une forme particulière de la peste (peste pulmonaire), l'homme peut être contaminé par l'inhalation de gouttelettes de salive d'une personne infectée.

LES SYMPTÔMES

La peste se manifeste sous deux formes, la forme bubonique et la forme pulmonaire. La peste bubonique fait suite à une piqûre de puce. Après une incubation brève de 2 à 7 jours, la maladie débute brutalement par un gonflement caractéristique d'un ganglion lymphatique, notamment au niveau de l'aine. C'est le classique bubon pesteux, rempli de pus et qui a tendance à se percer au niveau de la peau.

Le bubon s'accompagne d'une fièvre élevée (40 °C), de frissons, de douleurs diffuses, d'un gonflement du visage et d'une rougeur des yeux. Le cœur se met à battre très vite et le malade est pris d'une soif intense et de désordres nerveux : il ne dort plus, délire, est très agité ou, au contraire, prostré. Bientôt, il n'arrive plus à coordonner ses mouvements. Non traitée, la peste bubonique évolue vers la mort en 5 jours dans 60 à 90 % des cas, se compliquant d'hémorragies sous-cutanées (ecchymoses sombres de la peste noire) et d'une infection généralisée (appelée septicémie).

La peste pulmonaire se transmet de l'homme à l'homme par voie aérienne. Elle est donc très contagieuse. Elle se manifeste

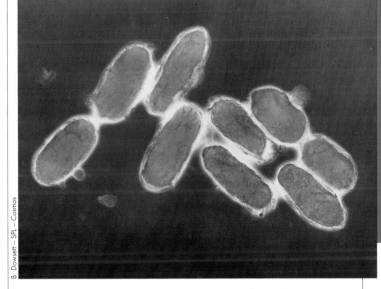

B. Dowsett – SPL – Cosmos

La bactérie *Yersinia pestis* vue au microscope électronique à transmission. Ce bacille vit dans le tube digestif des rats et autres rongeurs, qu'il contamine par l'intermédiaire de la piqûre d'une puce.

LA PESTE EN MANDCHOURIE

Première page du supplément illustré du Petit Journal. *Cette illustration datant du début du siècle montre une allégorie de la peste, en Chine (coll. particulière).*

par une fièvre élevée, par des signes impressionnants d'asphyxie (difficulté à respirer, coloration bleutée de la peau, douleurs thoraciques) et par des crachats abondants et sanguinolents, fourmillant de bacilles pesteux.

LE DIAGNOSTIC

Le diagnostic doit être précoce afin de mettre en œuvre le plus rapidement possible le traitement approprié et les mesures de prévention indispensables pour éviter la contagion.
Le diagnostic consiste à rechercher le germe responsable de la maladie dans le sang, dans les crachats ou dans le bubon (par ponction).

JADIS, UN FLÉAU

La peste a été, par le passé, responsable d'épidémies meurtrières : à Athènes en 430-427 av. J.-C., en Europe au XIVe siècle (plusieurs millions de morts), à Marseille au XVIIIe siècle.
La maladie se diffusait depuis l'Asie où des foyers existent depuis très longtemps. Le bacille de la peste peut, à l'abri de la chaleur et de la lumière, survivre des années dans la terre. Il se propageait ainsi, avec les rats, dans les soutes des bateaux, jusque dans les autres régions du monde.
Seules les mesures sanitaires – principalement la lutte contre les rats et les puces, leur destruction dans les bateaux et les ports, ainsi que les mesures d'éviction des malades (quarantaine) – ont mis fin à ce fléau en supprimant les éléments de transmission à l'homme.

LE TRAITEMENT ET LA PRÉVENTION

Les antibiotiques (streptomycine, tétracyclines, chloramphénicol) permettent une guérison rapide et évitent que le bubon ne se perce au niveau de la peau. Dans la forme pulmonaire, le traitement par les antibiotiques (antibiothérapie) n'est efficace que s'il est commencé au tout début de la maladie. Les risques d'épidémie sont quasiment nuls si la surveillance sanitaire et les mesures officielles de prévention collective sont respectées (dératisation, désinsectisation), ce qui, aujourd'hui, est presque partout le cas. Dans les régions où la peste est présente (Nouveau-Mexique, Mexique, Afrique centrale et du Sud, Asie centrale), il ne faut en aucun cas toucher les rongeurs et les cadavres d'animaux.
La peste est une maladie à déclaration obligatoire, c'est-à-dire que chaque cas rencontré doit être déclaré par le médecin aux autorités sanitaires responsables. L'isolement du malade est requis par les autorités (règlement sanitaire international).
Il existe un vaccin qui est recommandé aux professionnels exposés (par exemple, techniciens de laboratoire manipulant des bacilles, ouvriers agricoles dans les zones touchées par la maladie).

LES YERSINIOSES

Le bacille pesteux fait partie d'un groupe de bactéries appelées *Yersinia* qui comprend 2 autres espèces : *Yersinia enterocolitica* et *Yersinia pseudotuberculosis*. Ces bactéries sont responsables de gastro-entérites, notamment chez l'enfant, l'adolescent et l'adulte jeune. Elles peuvent également provoquer des symptômes identiques à ceux de l'appendicite, surtout chez l'enfant de moins de 5 ans.
L'examen bactériologique des selles (coproculture) ou d'un prélèvement des ganglions permet de diagnostiquer ces yersinioses qui sont toutes bien traitées par les antibiotiques.

LA POLIOMYÉLITE

Cette maladie est due à un virus, le poliovirus, qui ne provoque généralement qu'une infection bénigne, mais peut, dans les cas les plus graves, atteindre le système nerveux et entraîner des paralysies irréversibles.

La poliomyélite touche principalement les enfants, d'où son autre nom de paralysie infantile.

CAUSES ET FRÉQUENCE

Le virus de la poliomyélite, appelé poliovirus, se trouve dans les selles des personnes infectées. La maladie se transmet donc par l'ingestion d'aliments et d'eau souillés ou par l'intermédiaire de mains sales. La poliomyélite, autrefois très fréquente, est devenue tout à fait exceptionnelle dans les pays occidentaux, grâce à la vaccination. Toutefois, les personnes non ou mal vaccinées (oubli des rappels) peuvent contracter le virus au cours d'un voyage dans un pays où le niveau d'hygiène et de salubrité est faible (pays en voie de développement).

LES SYMPTÔMES

En l'absence de vaccination, la poliomyélite peut provoquer des troubles plus ou moins graves. Les formes peu graves de la maladie sont les plus fréquentes. Environ 85 % des enfants infectés par le virus ne présentent aucun symptôme.

Dans d'autres cas, après une période d'incubation de 3 à 5 jours, les malades souffrent de fièvre, d'une inflammation de la gorge, de maux de tête ainsi que de vomissements. Puis, au bout de quelques jours, la plupart d'entre eux guérissent.

Néanmoins, il faut redouter l'apparition des symptômes de la méningite : fièvre élevée, maux de tête insupportables, nuque raide, douleurs musculaires parfois accompagnées de courbatures, rétention d'urines.

LES SÉQUELLES : LES PARALYSIES

Dans un second temps, la maladie est caractérisée par la survenue de paralysies. Leur répartition corporelle est irrégulière et asymétrique. Elles touchent généralement les membres – les bras et/ou les jambes –, parfois les muscles abdominaux. Dans les cas les plus graves, mais aussi les plus rares, elles peuvent s'étendre aux muscles de la respiration et de la déglutition. Les paralysies régressent plus ou moins complètement, mais, le plus souvent, la récupération

C. Sappa – Rapho

Eaux contaminées. *Le virus responsable de la poliomyélite peut contaminer les marigots par l'intermédiaire des excréments humains émis à proximité de ces points d'eau. La maladie se transmet alors au cours des activités pratiquées dans ces lieux, comme la lessive.*

67

est partielle et très variable d'un individu à l'autre. Cette période de régression débute 15 jours après l'apparition des troubles et peut durer jusqu'à 2 ans.

Les paralysies sont les séquelles musculaires de la maladie que l'on redoute le plus. Elles font toute la gravité de la poliomyélite, notamment chez l'enfant en période de croissance. L'atrophie et le raccourcissement (rétractation) des muscles, le défaut de croissance d'un ou de plusieurs membres nécessitent souvent, au cours des années suivantes, des

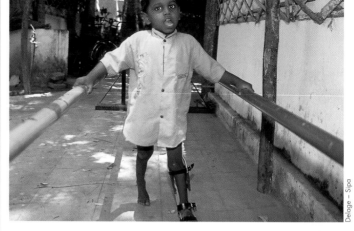

Deloge – Sipa

LA PRÉVENTION

La prévention repose sur la vaccination, obligatoire dans de nombreux pays.

Elle consiste en :
– 3 injections au cours de la première année de vie (à 2, 3 et 4 mois) ;
– un rappel l'année suivante (à 15 ou 18 mois) ;
– un rappel tous les 5 ans jusqu'à la majorité de l'enfant (vers 5 ou 6 ans puis 11 à 13 ans et 16 à 21 ans) ;
– au-delà, les rappels sont nécessaires tous les 10 ans.

Pour bien protéger, la vaccination doit être complète.

Dans les pays où la maladie a quasiment disparu grâce à la vaccination, l'immunité des enfants et des adultes doit être entretenue par des rappels réguliers du vaccin.

Il existe deux types de vaccin, l'un oral, l'autre injectable. Le vaccin oral peut être complété par le vaccin injectable, mais non l'inverse.

interventions chirurgicales orthopédiques des membres atteints ou de la colonne vertébrale en cas de déformation (cyphoscoliose).

LE DIAGNOSTIC ET LE TRAITEMENT

Le diagnostic est confirmé en isolant le virus à partir d'un échantillon de liquide céphalo-rachidien (prélevé par ponction lombaire) ou par l'examen des selles (coproculture).

La maladie ne bénéficie pas de traitement efficace. Lorsque le patient ne souffre pas de paralysie, le médecin lui prescrit du

Enfant atteint de poliomyélite et appareillé, à Pondichéry, en Inde. Dans les pays en voie de développement, les prothèses orthopédiques sont généralement rudimentaires.

repos et des médicaments contre la douleur (antalgiques). Lorsqu'il y a paralysie, des soins de kinésithérapie doivent aussitôt être entrepris pour limiter les lésions et les rétractations des muscles. Ce traitement doit impérativement être maintenu pendant toute la convalescence pour conserver aux muscles leur meilleur fonctionnement.

LE PRONOSTIC

Le pronostic dépend de l'apparition ou non de paralysies. Ainsi, dans les cas de poliomyélite sans paralysie, la guérison est définitive. En revanche, lorsque des paralysies sont présentes, celles-ci régressent plus ou moins complètement. La récupération de toutes les capacités de mouvement du malade peut prendre jusqu'à 2 ans. Après ce délai, il n'y a généralement plus d'évolution. Ces séquelles sont de degré très variable. Dans les formes étendues avec atteinte respiratoire, laquelle nécessite une assistance respiratoire en service de réanimation, les séquelles paralytiques sont souvent lourdes.

LA RAGE

Cette maladie virale, souvent mortelle, affecte surtout les animaux, mais elle peut être transmise à l'homme par l'intermédiaire d'un animal enragé après morsure ou léchage d'une plaie, le virus étant présent dans la salive de l'animal.

J. Vanos – Image Bank

Une renarde et ses petits à l'entrée de son terrier. Le renard est l'une des espèces sauvages responsables de la propagation de la rage. La vaccination de ces animaux a permis de faire régresser la maladie.

LES BARRIÈRES SANITAIRES

Dans les pays où le virus de la rage est présent de façon permanente, certaines précautions sanitaires sont obligatoires. Les chats et les chiens domestiques doivent être vaccinés chaque année ; les chiens errants sont abattus ; les professionnels exposés sont vaccinés régulièrement.

Les pays qui sont restés exempts de ce virus (Angleterre, pays nordiques, Australie) imposent la quarantaine à tous les chiens, chats et autres mammifères importés, pour maintenir cette situation.

Le virus de la rage migre à partir de la blessure jusqu'au cerveau de la personne ou de l'animal contaminé, où il entraîne des lésions irréversibles, conduisant au coma puis à la mort en 5 à 20 jours.

LES SYMPTÔMES

La période d'incubation entre la morsure ou le léchage d'une plaie par un animal contaminé et l'apparition des premiers signes de la maladie varie de 9 jours à plusieurs mois et dépend en grande partie du siège de la morsure ou de la plaie infectée. Les premiers symptômes sont une fièvre peu élevée, des maux de tête et une perte d'appétit. Puis les signes deviennent plus importants et sont souvent très impressionnants : troubles de l'humeur, sentiment d'angoisse, état délirant, soif intense, spasmes musculaires douloureux dans la gorge, phobie de l'eau et des souffles d'air, tremblements, modification de la voix et intense salivation.

La maladie nerveuse proprement dite débute peu après ces manifestations. Elle se traduit par des troubles de la conscience et par des paralysies. Elle peut également se présenter comme un état d'excitation furieuse (rage furieuse), où les contractures sont intensifiées et touchent l'ensemble du corps. Ces signes s'accompagnent d'une fièvre très élevée (41 °C) et d'une hypersalivation caractéristique.

L'ÉVOLUTION ET LE TRAITEMENT

Une fois les symptômes présents, cette maladie est toujours mortelle : on ne guérit pas de la

SURVEILLANCE DES ANIMAUX SUSPECTS

Tout doit être fait pour capturer et surveiller un animal suspect qui a mordu. Lorsque l'on y parvient, celui-ci est placé en observation vétérinaire pendant 15 jours. Si la rage semble se déclarer, l'animal est abattu et l'on recherche des preuves de la présence du virus. Si cet examen se révèle négatif ou si l'animal en observation est sain et ne manifeste aucun symptôme, le traitement de la personne mordue peut être arrêté. Lorsque l'animal s'est enfui, il doit être considéré a priori comme enragé.

rage. Le coma et la mort surviennent dans un délai de 3 à 20 jours. Néanmoins, le malade peut bénéficier de certains traitements, essentiellement des calmants et des médicaments contre la douleur, qui permettent d'atténuer ses souffrances. Des soins intensifs peuvent en outre permettre de maintenir temporairement les fonctions respiratoire et cardiaque.

On ne possède pas encore de médicament actif sur le virus responsable de la rage. La prévention de cette maladie mortelle est donc essentielle.

LA PRÉVENTION

Il faut intervenir le plus rapidement possible après la morsure, avant l'apparition des symptômes de la maladie. Lorsqu'un traitement adapté destiné à immuniser la victime est pratiqué dans les 2 jours qui suivent la morsure, la prévention de la rage est efficace. Passé ce délai, les chances de guérison sont de plus en plus faibles.

Toute blessure par morsure doit être soigneusement nettoyée avec du savon ou une autre solution antiseptique, car le virus est très sensible à ces produits. La plaie ne doit pas être suturée. Dans les pays où la rage sévit, il est impératif de consulter d'urgence un médecin qui adressera le malade au centre antirabique le plus proche, afin de déterminer si un traitement préventif est nécessaire. Il en existe 2 types :

– lorsque l'animal est capturé et placé sous surveillance vétérinaire, on administre à la personne mordue du sérum spécifique (immunoglobulines) par voie locale et générale et une première dose de vaccin, et on prescrit un traitement antibiotique en attendant les résultats vétérinaires pour poursuivre ou interrompre le traitement vaccinal ;

– lorsque l'animal s'est enfui, la vaccination antirabique, qui permet une protection à plus long terme, est effectuée en entier (5 injections plus 1 rappel à 3 mois). Elle est réservée aux personnes qui n'ont pas été préalablement vaccinées et doit se faire le plus rapidement possible après la morsure suspecte.

LA VACCINATION

La vaccination antirabique a été mise au point en 1885 par Louis Pasteur. Elle est réservée, à titre préventif, aux personnes exposées à la maladie : chasseurs, éleveurs, vétérinaires, gardes forestiers… Le vaccin s'administre en 2 doses à 1 mois d'intervalle, avec rappels 1 an et 3 ans après. Il n'existe aucune contre-indication à l'administration du vaccin antirabique, même pendant la grossesse. On dispose aujourd'hui de vaccins beaucoup mieux tolérés qu'il y a une vingtaine d'années.

LA RAGE CHEZ LES ANIMAUX

La rage se traduit, chez les animaux, par des modifications de leur comportement naturel. S'il s'agit d'un animal domestique, il devient anormalement agressif et a tendance à mordre sans arrêt ; s'il est sauvage, il vient sans crainte vers l'homme. De telles attitudes doivent attirer l'attention, surtout si elles s'accompagnent de troubles de la marche et d'hypersalivation.

La vaccination de certains animaux sauvages est aujourd'hui possible grâce à un vaccin oral distribué sous forme de boulettes dans leurs zones de déplacement.

Les animaux sauvages responsables de la maladie sont principalement le renard (Europe), le loup (Asie), le chien sauvage (Amérique du Sud) et les chauves-souris carnivores (Amérique du Sud). Mais tous les animaux domestiques (cheval, mouton, chat, chien, etc.) peuvent être victimes de la maladie s'ils sont eux-mêmes mordus par un animal sauvage enragé.

LA SEPTICÉMIE

Cette infection généralisée est provoquée par un germe qui se répand dans tout le corps. C'est toujours une affection grave, car elle peut être mortelle en l'absence de traitement.

Une septicémie est liée au passage de quantités importantes et répétées de germes dans tout le corps à partir d'une infection locale. Elle se développe généralement à partir d'un foyer infectieux initial (abcès, infection urinaire, pneumonie, etc.). De nombreuses bactéries peuvent être responsables d'une septicémie, les plus courantes étant les staphylocoques, les

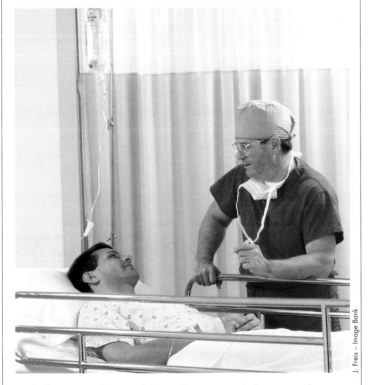

Malade sous perfusion à l'hôpital. *En raison de la gravité des septicémies, l'hospitalisation est indispensable. Après les soins intensifs, le malade se rétablit peu à peu.*

J. Freis – Image Bank

LA PERFUSION

Le procédé qui permet l'injection lente de liquide dans la circulation sanguine est la perfusion. Les perfusions dans les veines, communément appelées « goutte-à-goutte », sont utilisées pour apporter du sang ou pour remplacer ou conserver les liquides de l'organisme chez les patients qui ne peuvent ni boire ni se nourrir. D'autres utilisations consistent à apporter des aliments plus variés et plus concentrés à une personne incapable de digérer normalement, ou à lui administrer des médicaments. Le liquide contenu dans un récipient s'écoule par un fin tube en plastique (cathéter), lui-même inséré dans une veine, de l'avant-bras généralement. La vitesse d'écoulement est réglée au moyen d'une pompe.

streptocoques et les colibacilles. Une septicémie est plus fréquente et plus grave chez les personnes dont les défenses immunitaires sont affaiblies (immunodéprimées), car, dans ce cas, l'organisme n'arrive pas à faire face à la multiplication incontrôlée des bactéries.

LES CAUSES

Selon le mode de propagation de l'infection, on distingue 3 types de septicémie. Les septicémies d'origine veineuse proviennent d'une infection, non ou mal

71

soignée, de la peau, des muqueuses ou des viscères (rein, intestin, etc.). Ce sont les plus fréquentes.

Les septicémies d'origine lymphatique proviennent de l'infection d'un ganglion lymphatique. La diffusion des germes se fait alors par l'intermédiaire de la lymphe. C'est le cas lors de la fièvre typhoïde.

Enfin, les septicémies d'origine cardiaque sont dues à une infection des valves du cœur (endocardite infectieuse).

LES SYMPTÔMES ET LES COMPLICATIONS

La fièvre est élevée, durable, irrégulière (en clocher), avec des pics qui correspondent aux passages des germes dans le sang, ou sans variation (en plateau) en cas de septicémie d'origine lymphatique. Un affaiblissement général s'installe rapidement.

D'autres signes peuvent apparaître : éruption cutanée, augmentation du volume de la rate (splénomégalie), jaunisse (ictère), douleurs articulaires ou osseuses, signes respiratoires.

La complication la plus grave est la survenue d'un état de choc infectieux lors de la libération, par les germes, de substances toxiques (toxines) dans tout le corps. Après une fièvre en clocher avec frissons, on assiste à une chute brutale de la pression artérielle (collapsus), à un refroidissement de plus en plus important des pieds et des mains, et à une coloration bleue de la peau (cyanose). Le choc infectieux le plus grave (purpura fulminans) est celui qui est dû au méningocoque.

LE DIAGNOSTIC

Le diagnostic repose sur la mise en évidence de la présence du microbe dans le sang, notamment lors des pics de température (hémoculture). Le germe peut aussi être recherché dans les urines, dans le liquide céphalo-rachidien (prélevé par ponction lombaire) et dans des prélèvements de toutes les lésions infectées accessibles (ponction d'un abcès).

LE TRAITEMENT

En raison des risques de complications, le traitement des septicémies se fait à l'hôpital. Il consiste en l'association de plusieurs antibiotiques, qui doivent être administrés le plus tôt possible, à forte dose et en perfusion pendant au moins 15 jours. Il est poursuivi 4 à 6 semaines

L'HÉMOCULTURE

L'hémoculture est une technique particulière d'analyse de sang. Celui-ci est recueilli puis versé dans plusieurs flacons contenant des substances nutritives qui favorisent la multiplication des germes et permettent ainsi de les identifier. Cette mise en culture des germes permet également de tester l'efficacité des antibiotiques (antibiogramme). En cas de fièvre durable sans cause connue, 2 ou 3 hémocultures sont effectuées chaque jour, pour augmenter les chances d'isoler le germe.

en cas d'endocardite infectieuse. L'élimination chirurgicale du foyer infectieux est parfois réalisée. Le choc infectieux nécessite une hospitalisation en urgence dans un service spécialisé.

L'ENDOCARDITE INFECTIEUSE

On appelle endocardite infectieuse l'infection d'origine bactérienne de la paroi interne du cœur (endocarde) et des valves cardiaques. C'est une maladie grave, en raison du risque de complications cardiaques. Ce type de maladie infectieuse survient généralement après une intervention chirurgicale ou après des soins bucco-dentaires, surtout chez les personnes ayant un souffle au cœur (malformation ou lésion d'une valve mitrale ou aortique) ou qui sont porteuses d'une prothèse valvulaire (valve mécanique). L'endocardite infectieuse est également fréquente chez les toxicomanes qui utilisent des drogues injectables sans stériliser les seringues. Sa prévention chez les personnes porteuses d'une prothèse valvulaire, ou atteintes d'une maladie des valvules, repose sur un traitement antibiotique préventif (en général, par pénicilline) avant toute intervention chirurgicale, notamment avant des soins dentaires (extraction ou dévitalisation dentaire, détartrage). Dans ce cas, l'antibiotique est donné par le dentiste en une seule fois, 1 heure avant l'intervention. Pour les autres interventions, le traitement est débuté en perfusion au moment de l'opération et est renouvelé 6 heures après la fin de celle-ci.

LE TÉTANOS

Cette maladie infectieuse est due à une bactérie appelée bacille de Nicolaier, ou *Clostridium tetani*. C'est une affection grave qui, lorsqu'elle est guérie, laisse souvent des séquelles au niveau des muscles et des articulations.

CNRI

Tétanos chez un nouveau-né.
Lorsque le tétanos est généralisé, le corps prend une attitude caractéristique en arc de cercle, visible sur la photo.

Le bacille de Nicolaier vit dans la terre, le fumier et dans l'intestin des mammifères. Il est retrouvé avec une fréquence particulière dans le sol des écuries et dans les sols souillés par du crottin de cheval.
Dans les pays développés, les cas concernent essentiellement des personnes non vaccinées, souvent âgées de plus de 50 ans. Dans les pays en voie de développement, le tétanos atteint avant tout les nouveau-nés par contamination de la cicatrice ombilicale : dans ces pays, en effet, la coutume est d'appliquer de la terre sur la plaie après avoir coupé le cordon ombilical.

LES CAUSES

Le tétanos est transmis à l'homme par une blessure au niveau de la peau, même si celle-ci est superficielle. Par exemple, une simple piqûre avec une épine de rosier, une écharde dans le doigt ou une écorchure sur une ferraille rouillée peuvent ouvrir la voie à la contamination. Les jardiniers et les bricoleurs sont ainsi particulièrement exposés à cette maladie infectieuse. Les personnes s'occupant de chevaux ont également plus de risques de contracter la maladie.

LES PREMIERS SYMPTÔMES

La période d'incubation varie entre 3 et 30 jours ; plus elle est courte et plus la maladie est grave. Les premiers symptômes du tétanos sont musculaires et dus à l'action d'une toxine libérée par le bacille. La toxine se fixe sur les tissus nerveux, déclenchant des contractures au niveau des muscles.
La première contracture involontaire caractéristique du tétanos est celle qui affecte les muscles des mâchoires : elle porte le nom de trismus. Cette contracture

UNE VACCINATION OBLIGATOIRE

La vaccination est obligatoire et assure une protection parfaite si elle est complète : 3 injections à 1 mois d'intervalle avec rappel 1 an après, puis tous les 10 ans. Cette vaccination est souvent associée à celle contre la diphtérie, la coqueluche et la poliomyélite (vaccin DTCP). Il n'existe aucune contre-indication. La vaccination est simple alors que la maladie est extrêmement grave et longue, avec des hospitalisations en réanimation pouvant durer jusqu'à 5 semaines et plus.

empêche peu à peu l'ouverture de la bouche. La mastication devient alors très vite douloureuse, puis impossible.

LE CORPS TÉTANISÉ

Les muscles du visage, du cou et du tronc sont ensuite atteints. Le tétanos est généralisé quand les contractures touchent l'ensemble du corps et qu'elles sont permanentes, intenses et très douloureuses durant les spasmes généralisés. Le corps se tend en arc de cercle ; la fièvre s'élève, faisant abondamment transpirer le malade ; le rythme cardiaque s'accélère. Une asphyxie peut alors survenir, soit par contraction du larynx, soit par blocage des muscles du thorax.

LE DIAGNOSTIC ET LE TRAITEMENT

Le diagnostic du tétanos repose sur l'analyse des signes et des symptômes qui sont caractéristiques de cette maladie.
Dès les premiers symptômes, le malade doit être transporté

Taille d'un rosier. *Les personnes non vaccinées contre le tétanos doivent porter des gants de protection lors de travaux de jardinage et se faire vacciner.*

VACCINS ET SÉRUMS

Les vaccins et les sérums destinés à la prévention des maladies infectieuses sont des substances préparées différemment. Un vaccin est une préparation introduite dans l'organisme afin de provoquer la formation d'anticorps, qui vont aider l'organisme à se défendre contre l'infection. Il est obtenu par un traitement biologique, physique et chimique des microbes auxquels on fait perdre leur pouvoir nuisible pour ne garder que leur pouvoir stimulateur de notre système immunitaire, qui met environ 20 jours pour produire les anticorps. Un sérum est une substance préparée à partir du sang d'une personne (sérum humain) ou d'un animal, le plus souvent le cheval (sérum équin), qui contient les anticorps protégeant contre un germe spécifique. L'injection d'un sérum offre une protection immédiate, mais sur une durée relativement courte (entre 2 semaines et 1 mois). L'association d'un vaccin et d'un sérum (sérovaccination) permet de bénéficier d'une protection immédiate et à moyen terme.

d'urgence à l'hôpital dans un service de réanimation, car les risques d'asphyxie sont très importants. Le traitement consiste à administrer du sérum antitétanique humain et surtout, en attendant l'arrêt des effets de la toxine, à stopper les contractures involontaires pour éviter l'asphyxie. À cet effet, on utilise des sédatifs à très fortes doses (barbituriques ou benzodiazépines, curare dans les cas graves). Ces drogues entraînent, à doses élevées, une altération de la conscience qui permet de diminuer les effets de la douleur et de l'angoisse. Mais elles provoquent aussi une dépression respiratoire qui impose souvent une assistance respiratoire mécanique. Un orifice est alors pratiqué dans la trachée (technique appelée trachéotomie) pour introduire une canule branchée sur un respirateur assurant la respiration et qui prévient les conséquences des spasmes laryngés. Une sonde gastrique est posée pour permettre l'alimentation du malade. La guérison est obtenue dans plus de 80 % des cas, mais les séquelles sont fréquentes : blocages des articulations ou ruptures des tendons et des muscles. Le fait d'avoir déjà eu le tétanos ne protège pas d'une nouvelle infection. Il est donc indispensable de faire ses rappels de vaccination.

EN CAS DE PLAIE

Toute plaie, même superficielle, doit être nettoyée avec un antiseptique. Lorsque l'on n'est pas sûr d'être à jour dans ses rappels de vaccination, il est conseillé de consulter un médecin pour que soit fait immédiatement un rappel de vaccin et, en cas de non-vaccination antérieure, une injection de sérum antitétanique humain, afin de prévenir l'apparition du tétanos.

Barouilliet – BSIP

LA TOXOPLASMOSE

Cette infection très fréquente, qui passe le plus souvent inaperçue, est transmise à l'homme par l'intermédiaire du chat. Elle est grave quand elle touche la femme enceinte et les personnes dont le système immunitaire est affaibli.

La toxoplasmose est une maladie fréquente dans tous les pays. Elle est toujours bénigne chez les jeunes et les adultes sains.

LA CONTAMINATION

La toxoplasmose est due à un parasite, *Toxoplasma gondii*, qui vit dans l'intestin du chat. Les œufs du parasite, déposés sur le sol quand le chat produit des excréments, sont ensuite absorbés par des animaux herbivores, notamment le mouton.
L'homme s'infeste soit par l'absorption d'œufs présents dans des crudités ou des fruits souillés par des excréments de chat, soit en mangeant de la viande crue ou saignante (de mouton surtout), soit, encore, en ayant les mains sales pour les personnes en contact avec un chat.

LES SYMPTÔMES

L'infection ne provoque aucun symptôme, si ce n'est l'apparition de petits ganglions fermes au niveau de la nuque, qui sont sans gravité et disparaissent spontanément. Chez certaines personnes, la toxoplasmose peut également entraîner une légère fièvre (38 °C au maximum), des douleurs musculaires et une fatigue passagère. Elle peut aussi générer une inflammation de la rétine (rétinite) et des vaisseaux sanguins situés derrière la rétine (choroïdite).

LES COMPLICATIONS

Les complications ne se rencontrent que chez les patients dont le système immunitaire est affaibli. Dans ce cas, le parasite atteint le cerveau, où il provoque la formation d'abcès pouvant occasionner des paralysies, des convulsions et des troubles de la conscience. Le malade a beaucoup de fièvre, il présente un gonflement des ganglions lym-

DÉPISTAGE CHEZ LA FEMME ENCEINTE

Si l'examen sérologique est positif avant la grossesse, la femme a déjà eu la toxoplasmose et il n'y a donc plus aucun risque.
Si l'examen sérologique est négatif, la femme n'a jamais eu la toxoplasmose et doit par conséquent prendre les précautions nécessaires pour éviter de contracter la maladie.
Si le test, qui était négatif, devient positif pendant la grossesse, il faut surveiller la mère et l'enfant par des échographies et, surtout, faire une prise de sang dans le cordon ombilical vers la 22e semaine de gestation pour savoir si le fœtus est atteint. Si c'est le cas, un avortement thérapeutique peut être proposé.

■ CYCLE DU PARASITE

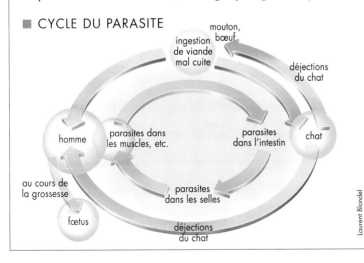

ingestion de viande mal cuite
mouton, bœuf
déjections du chat
homme
parasites dans les muscles, etc.
parasites dans l'intestin
chat
au cours de la grossesse
parasites dans les selles
fœtus
déjections du chat

Laurent Blondel

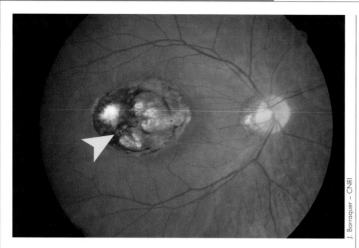

Examen du fond de l'œil montrant une inflammation de la rétine et de la choroïde. Cette inflammation, provoquée par la toxoplasmose, est visible sur la photo sous la forme d'un réseau noir sur fond blanc.

J. Barraquer – CNRI

phatiques et une grande fatigue. Il s'agit rarement d'un premier contact avec le parasite, mais plus souvent d'une résurgence d'une infection ancienne (primo-infection) passée inaperçue.

LE DIAGNOSTIC ET LE TRAITEMENT

Le diagnostic est établi après un examen de sang qui révèle la présence d'anticorps antitoxo-

L'ATTEINTE DU FŒTUS

La contamination du fœtus (toxoplasmose congénitale) peut provoquer des lésions céré-brales, oculaires et hépatiques irréversibles. Elles sont responsables d'un retard mental, d'un handicap moteur, de convulsions ainsi que d'anomalies des yeux qui peuvent apparaître plusieurs années après la naissance.

plasmose (séropositif). Il n'existe pas de vaccin contre la toxo-plasmose. Dans la plupart des cas, la guérison est spontanée et la maladie ne justifie pas de traitement particulier.

Le traitement à base d'antibio-tiques est nécessaire uniquement chez la femme enceinte infectée, les nouveau-nés et les enfants gravement atteints. En revanche, chez les personnes dont le sys-tème immunitaire est affaibli, le traitement par antibiotiques doit être prolongé quasi indéfi-niment. Chez la femme enceinte, les antibiotiques permettent de réduire de 50 % le risque de transmission au fœtus.

LA PRÉVENTION

Le dépistage de la toxoplasmose n'est obligatoire qu'en France et en Autriche chez toute femme enceinte. Il doit même être effec-tué systématiquement avant la grossesse, dans le cadre des examens prénuptiaux et préna-taux, afin d'assurer une surveil-lance régulière de la future mère et, au besoin, de prescrire un antibiotique dès le début de l'infection.

En raison de la gravité de la toxoplasmose congénitale et en l'absence de vaccin, les femmes enceintes non protégées doivent donc prendre deux types de précautions :
– ne manger que de la viande bien cuite, éviter les crudités, ne pas changer les litières de chats, sinon se laver soigneusement les mains après tout contact avec les excréments de l'animal, comme après toute manipula-tion de terre ou d'aliments pou-vant être contaminés ;
– se faire suivre régulièrement pendant une grossesse et faire un test de dépistage tous les mois jusqu'à l'accouchement.

LA TOXOPLASMOSE CONGÉNITALE

Quand une femme est atteinte de toxoplasmose pendant sa grossesse, elle peut transmettre la maladie au fœtus. On parle alors de toxoplasmose congé-nitale. Le risque de transmission n'est pas systématique et dé-pend du stade de la grossesse. Il est rare et grave au premier trimestre de la grossesse. À ce stade, la toxoplasmose congé-nitale peut être responsable d'une fausse couche. Pendant les deuxième et troisième trimestres de la grossesse, la transmission de la toxoplasmose est possible, mais les conséquences sont moins importantes pour le fœtus.

LA TUBERCULOSE

Cette maladie infectieuse contagieuse est due au bacille de Koch, encore appelé *Mycobacterium tuberculosis*, qui provoque des atteintes variées, notamment au niveau des poumons.

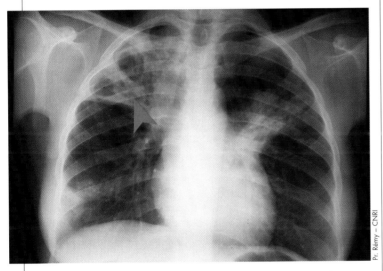

Pr. Rémy – CNRI

***Radiographie d'une tuberculose pulmonaire.** L'élimination du tissu nécrosé crée des zones de clarté (cavernes), visibles sur le cliché radiographique en haut et à gauche.*

Autrefois, la tuberculose était l'une des principales causes de mortalité des enfants et des adultes jeunes en Europe. La vaccination obligatoire et l'élévation générale du niveau de vie l'ont fait régresser. Mais, depuis quelques années, on note une réapparition de cette maladie infectieuse dans les pays développés, due, semble-t-il, à l'extension du sida et à l'appauvrissement progressif d'une partie de la population dans ces pays.

La tuberculose touche actuellement environ 10 millions de personnes dans le monde, dont les trois quarts dans les pays en voie de développement.

LA CONTAMINATION

La contamination se fait par l'intermédiaire de gouttelettes de salive contenant le bacille de Koch rejetées par un malade atteint de tuberculose pulmonaire ou laryngée, qui parle, éternue ou tousse. La tuberculose est donc une maladie contagieuse par voie aérienne.

LES SYMPTÔMES

Le premier contact avec le bacille déclenche une affection appelée primo-infection tuberculeuse. Dans les poumons se forme un petit foyer tuberculeux, comme un abcès, que l'on nomme chancre tuberculeux. En général, le patient ne ressent aucun symptôme et, dans 90 % des cas, la primo-infection guérit spontanément. Le foyer tuberculeux disparaît, laissant une cicatrice anodine, visible sur les radiographies pulmonaires sous la forme d'une petite calcification. Parfois, la primo-infection se manifeste par une toux, une fièvre peu élevée, une légère

UN PEU D'HISTOIRE

La tuberculose a été différenciée des autres maladies pulmonaires et décrite précisément en 1819, par le docteur Laennec. En 1882, Robert Koch a identifié le bacille en cause et lui a donné son nom. La tuberculose, autrefois répandue dans le monde entier, entraînait la mort de nombreux enfants et jeunes adultes. En Europe, elle aurait été responsable d'un quart des décès au XIXᵉ siècle. Sa fréquence a régressé dans les années 40 avec l'apparition des antibiotiques.

fatigue et une perte d'appétit (syndrome infectieux modéré). Dans des cas plus rares, les signes peuvent être plus importants, avec une fièvre élevée, des troubles digestifs et des éruptions cutanées rouge violacé sur les membres (érythème noueux). Dans 5 % des cas environ, le bacille se dissémine par le sang et est à l'origine de foyers qui peuvent rester latents (c'est-à-dire sans provoquer de symptômes) des années, puis, à l'occasion d'une baisse des défenses immunitaires, passagère ou non, se réactiver brutalement.

La maladie évolue alors le plus souvent avec une localisation pulmonaire. Celle-ci se traduit par une altération de l'état général. Trois symptômes sont évocateurs : la fièvre, surtout le soir, accompagnée de sueurs nocturnes, la fatigue et l'amaigrissement.

Puis les signes pulmonaires apparaissent : une toux plus ou moins grasse, des crachats parfois sanglants (hémoptysies), un essoufflement à l'effort ou, plus rarement, une véritable détresse respiratoire (broncho-pneumonie tuberculeuse).

LE DIAGNOSTIC

Le diagnostic repose sur une radiographie du thorax qui met en évidence des opacités (nodules) et des clartés (cavernes) dans les poumons, surtout dans leur partie supérieure.

Pour confirmer le diagnostic de la tuberculose, il faut rechercher la bactérie responsable de la maladie dans les crachats ou dans les sécrétions des bronches. Le bacille de Koch est souvent difficile à voir. L'examen direct au microscope étant rarement positif, il faut systématiquement mettre le prélèvement en culture. Les résultats de l'examen ne sont alors connus qu'après un délai de 3 à 6 semaines.

Des tests cutanés à la tuberculine peuvent également être utilisés. Ils permettent d'établir un diagnostic précis uniquement lorsque la réaction est très fortement positive. Une réaction plus faiblement positive peut indiquer un contact passé avec la maladie (primo-infection) ou une vaccination ancienne.

SIDA ET TUBERCULOSE

Aujourd'hui, un certain nombre d'études montrent un lien entre la recrudescence de la tuberculose et l'extension du sida. Les personnes atteintes de cette maladie ont en effet un système immunitaire affaibli, ce qui constitue un terrain favorable pour une réactivation du bacille de Koch (qui peut ne pas s'être manifesté depuis la primo-infection). Ce phénomène pose d'importants problèmes : fréquentes erreurs de diagnostic, traitement parfois inadapté, suivi plus ou moins régulier, etc. Le malade, non ou mal soigné, reste contagieux pour son entourage.

LE TRAITEMENT ET LA PRÉVENTION

Le traitement associe 3 ou 4 antibiotiques antituberculeux pendant une durée d'au moins 6 mois. On obtient une guérison dans la quasi-totalité des cas. Les malades doivent être isolés pendant les 3 premières semaines de traitement. Ensuite, ils ne sont plus contagieux.

Une primo-infection doit être traitée de la même façon pendant 3 mois pour éviter l'évolution ultérieure vers la tuberculose.

La prévention repose sur la vaccination par le BCG, dont l'efficacité est partielle, mais qui permet de réduire considérablement la fréquence des formes graves.

LA TUBERCULOSE MILIAIRE

La tuberculose miliaire est une forme particulièrement grave de tuberculose se traduisant par un essoufflement intense et, parfois, par une altération marquée de l'état général. Elle se caractérise en outre par la dissémination de bacilles de Koch vers de nombreux organes : méninges, abdomen, os, appareils génital et urinaire, etc. Selon la localisation, les symptômes sont variables : la tuberculose osseuse (mal de Pott) se manifeste par des douleurs osseuses ou articulaires ; la tuberculose génito-urinaire entraîne la présence de sang dans les urines ; la tuberculose méningée est responsable de troubles de la vigilance ; la tuberculose touchant la rate, les ganglions lymphatiques et la moelle osseuse se traduit par une hypertrophie de la rate et des ganglions ; la tuberculose digestive est caractérisée par des douleurs abdominales et des diarrhées.

LE TYPHUS

Cette maladie très contagieuse est due à une bactérie du genre *Rickettsia*, ou rickettsie, transmise à l'homme par les poux et par les puces.

J.L. Charmet

Épidémie de typhus dans les armées de Napoléon à Mayence.
Dans le passé, le typhus fut responsable d'épidémies meurtrières, notamment lorsque les conditions d'hygiène étaient mauvaises, comme pendant les guerres (bibliothèque des Arts décoratifs, Paris).

Le typhus est une maladie grave, autrefois mortelle et répandue dans le monde entier, responsable d'épidémies meurtrières lorsque l'hygiène était défectueuse, notamment pendant les guerres, les famines ou les catastrophes naturelles (tremblements de terre, par exemple).
Le typhus exanthématique a été particulièrement redoutable entre 1918 et 1922 en Russie, où il a atteint environ 30 millions de personnes et fait 3 millions de morts, et pendant la Seconde Guerre mondiale, en particulier dans les camps de concentration où toutes les conditions étaient réunies pour permettre la propagation de la maladie à grande échelle.

POUR Y VOIR PLUS CLAIR

Les rickettsies sont de toutes petites bactéries, incapables de se multiplier autrement qu'en envahissant les cellules d'une autre espèce vivante. À cet égard, elles ressemblent assez à des virus.
Les rickettsies parasitent essentiellement de petits animaux comme les poux, les puces, les tiques et les acariens. Ces arthropodes peuvent transmettre les rickettsies à des animaux plus gros (rongeurs, chiens, etc.) et à l'homme par l'intermédiaire de la salive (morsure de tique) ou par dépôt d'excréments sur la peau. La rickettsie passe alors dans le sang par une petite blessure cutanée.

Il existe plusieurs variétés de typhus, transmises par différentes bactéries du genre *Rickettsia*.

LES CAUSES ET LA FRÉQUENCE

Le typhus exanthématique, ou typhus européen à poux, historiquement le plus important, est dû à la bactérie *Rickettsia prowazecki*, du nom de deux médecins du début du XXe siècle, morts en luttant contre cette maladie. Cette bactérie est transmise à l'homme par l'intermédiaire de la piqûre ou des déjections du pou, lui-même contaminé à partir d'une personne porteuse de la rickettsie.

Les mesures sanitaires et l'utilisation des antibiotiques ont considérablement réduit la fréquence de cette affection, aujourd'hui rare, mais susceptible de se développer de nouveau lorsque les conditions d'hygiène sont déficientes. Elle se rencontre actuellement dans le nord de la Russie, en Turquie, en Arabie saoudite et en Australie. Le typhus exanthématique peut rechuter de manière bénigne plusieurs années après la contamination avec la bactérie *Rickettsia prowazecki*, sans nouveau contact avec le germe. C'est la maladie de Brill, caractérisée essentiellement par une lésion inflammatoire des artères (artérite) des membres inférieurs. Le typhus murin, dû à la bactérie *Rickettsia typhi* (ou *Rickettsia mooseri*), est une infection moins grave, transmise par les puces du rat. Il ne touche l'homme qu'accidentellement. Il sévit au Tchad, au Cameroun, au Gabon, à Madagascar, au Chili, sur la côte ouest des États-Unis, au Mexique, ainsi qu'en Inde et en Mongolie. Le typhus des broussailles, ou fièvre fluviale du Japon, est dû à la bactérie *Rickettsia tsutsugamushi*. Il se transmet par des acariens et touche l'Inde et l'Asie du Sud-Est.

LES FIÈVRES BOUTONNEUSES

Les fièvres boutonneuses font partie, comme le typhus, des rickettsioses (maladies dues à des rickettsies). Elles sont transmises par les tiques.
On distingue la fièvre boutonneuse méditerranéenne, due à la bactérie *Rickettsia conorii* ; la fièvre pourprée des montagnes Rocheuses, due à la bactérie *Rickettsia rickettsii* ; le typhus de Sao Paulo, dû à la bactérie *Rickettsia brasiliensis* ; la rickettsiose varioliforme, ou « rickettsial pox », due à la bactérie *Rickettsia akari*.
Parmi les rickettsioses, on trouve également la fièvre des tranchées, transmise par le pou et due à la bactérie *Rickettsia quintana*, et la fièvre Q, ou fièvre de Queensland, transmise par le pou, la tique ou par l'ingestion de lait et l'inhalation de poussière, et due à la bactérie *Coxiella burnetii*.

LES SYMPTÔMES

L'incubation du typhus peut durer 3 semaines. Dans le typhus exanthématique, la maladie se déclare brutalement par des frissons, des douleurs dorsales et musculaires, des maux de tête violents, une constipation et une fièvre élevée pouvant atteindre 40 °C. Une éruption semblable à celle de la rougeole s'étend sur toute la surface du corps, à l'exception de la paume des mains et de la plante des pieds. L'état du malade est confus, il est prostré, il délire et les battements de son cœur sont lents (bradycardie). La maladie dure environ 2 semaines.
Les autres typhus ont des symptômes plus ou moins similaires à ceux du typhus exanthématique.

LES COMPLICATIONS

Les complications surviennent essentiellement au niveau du cœur, des artères et du système nerveux. En l'absence de traitement, la maladie peut être mortelle par infection généralisée (septicémie), insuffisance cardiaque, insuffisance rénale ou pneumonie.
Tous les autres typhus ont le même type de complications, mais celles-ci sont moins graves dans le cas du typhus murin.

LE DIAGNOSTIC ET LE TRAITEMENT

Les différents types de typhus sont diagnostiqués grâce à des tests sérologiques qui mettent en évidence des anticorps spécifiques produits par l'organisme en réponse à l'invasion par les bactéries rickettsies.
Le traitement consiste à administrer des antibiotiques du groupe des cyclines, sous forme de comprimés (voie orale).
Dans les cas graves, d'autres traitements peuvent être associés (corticostéroïdes et oxygénothérapie).

LA PRÉVENTION

La prévention du typhus exanthématique repose sur la lutte contre les poux par l'utilisation d'insecticides.
Il existe également un vaccin contre cette affection. Ce vaccin est obligatoire pour les voyageurs qui se rendent dans des zones suspectes.
Les autres formes de typhus peuvent être évitées en se protégeant des piqûres de puces, d'acariens ou de tiques par le port de vêtements couvrants, par exemple.

LES VERS PARASITES

De nombreuses espèces de vers peuvent vivre à l'intérieur du corps humain et y provoquer des maladies touchant l'intestin, le foie, la vessie, les yeux, les muscles et la peau.

La plupart des maladies dues à des vers sévissent dans les zones tropicales d'Afrique, d'Asie, d'Amérique et d'Océanie. Cependant, un certain nombre d'entre elles se rencontrent aussi sous les climats tempérés.

Les maladies dues à des vers sont appelées des helminthiases. Elles ont toutes un signe commun, à savoir une augmentation de certains globules blancs (les éosinophiles) dans le sang, mais elles peuvent affecter différents organes.

LA CONTAMINATION

La plupart de ces maladies surviennent après l'ingestion d'aliments ou d'eau contaminés par les vers responsables. Mais il existe d'autres modes de contamination : les maladies dues à des vers présentes dans les pays tropicaux, à l'exception de la dracunculose, se transmettent par l'intermédiaire de piqûres d'insectes, qui injectent dans le sang les œufs du ver contenus dans leur salive, ou par pénétration directe des larves à travers la peau à l'occasion de baignades en eaux sales.

LES ATTEINTES INTESTINALES

Les atteintes intestinales sont dues soit à des vers ronds, comme l'ascaride, le trichocéphale, la trichine, l'anguillule, l'ankylostome ou l'oxyure, soit à des vers plats, comme le ténia, encore appelé ver solitaire, ou comme la douve intestinale ou encore les bilharzies. Leur taille est variable, de quelques millimètres (oxyure) à plusieurs mètres (ténia).

Ces vers entraînent des désordres digestifs variés : diarrhées, vomissements, perte d'appétit, constipation et douleurs abdominales. Mais, parfois, aucun symptôme n'apparaît.

D'autres signes peuvent apparaître selon les types de vers :
– les oxyures provoquent des démangeaisons de l'anus caractéristiques, car elles ne sur-

Tête de ténia vue au microscope électronique à balayage. La tête du ver est munie de ventouses, ressemblant à des yeux, qui se fixent sur la muqueuse de l'intestin de la personne contaminée.

CNRI

L'ONCHOCERCOSE

L'onchocercose est due à un ver, *Onchocerca volvulus*, qui infecte la peau et les yeux de l'homme. Il atteint plus de 20 millions de personnes dans le tiers-monde et constitue la première cause de cécité dans ces pays. Le ver se transmet par la piqûre d'un moucheron, la simulie. Une fois qu'il a pénétré dans la peau, le ver migre vers la cornée et la rétine, où il peut rester des années et provoquer une perte totale et définitive de la vue. Étant donné la gravité de cette maladie, l'Organisation mondiale de la santé (OMS) a mis en place un programme de lutte contre les simulies et de traitement des populations.

viennent que le soir et la nuit ;
– les ankylostomes provoquent une toux sèche, des éruptions cutanées et une anémie par perte de sang intestinal ;
– le ténia peut occasionner, dans certains cas, une boulimie ;
– la trichine donne des crampes musculaires et de la fièvre.

LES ATTEINTES DU FOIE

Le foie peut être envahi soit par des vers adultes (douve du foie, douve de Chine), soit par des larves provoquant des kystes (hydatidose, échinococcose), ou par des œufs (bilharziose).
Leur présence dans le foie peut entraîner une jaunisse (ictère), des douleurs et une augmentation de son volume.
L'atteinte du foie peut être plus grave et aller jusqu'à une cirrhose (altération des cellules du foie). Cette complication peut survenir des années plus tard.

LES VERS TROPICAUX

De nombreux vers présents dans les pays tropicaux peuvent contaminer l'homme. Les plus fréquents sont les filaires, les dirofilaires, les ankylostomes, les anguillules et les bilharzies.
En plus de l'intestin, ils peuvent toucher d'autres parties du corps : la peau, en donnant des démangeaisons et des abcès (filaires) ; les vaisseaux lymphatiques, en provoquant des œdèmes (filaires) ; l'œil, avec un risque de cécité (onchocercose) ; la vessie, en causant l'apparition de sang dans les urines (bilharzies).

LES ATTEINTES DU POUMON

Les atteintes du poumon sont dues à la présence de douves dans les bronches ou au développement, dans les poumons, d'un kyste hydatique, sorte de cavité bénigne, arrondie, remplie d'un liquide plus ou moins clair et de têtes de ténia.
Les douves entraînent la formation de cavités dans les bronches et se manifestent par des crachats de sang. Le kyste hydatique est à l'origine de toux et de douleurs thoraciques.

LE TRAITEMENT

L'ensemble des maladies infectieuses dues aux vers est traité par des médicaments antiparasitaires qui tuent les vers. Les plus utilisés sont le flubendazole, le pyrantel, le thiabendazole, l'ivermectine, le praziquantel et le fluvermal. Ces médicaments donnent de très bons résultats. Le traitement pris en une seule dose est habituellement suffisant.

LA PRÉVENTION

Dans les régions tempérées, la prévention repose sur la cuisson suffisante des aliments, notamment de la viande et du poisson, et le respect d'une bonne hygiène individuelle.
En zone tropicale, les mesures de prévention passent par la protection contre les insectes (utilisation de lotion antimoustiques et d'une moustiquaire), par la consommation d'eau potable, obtenue si nécessaire par désinfection et filtration, ainsi que par

L'ÉLÉPHANTIASIS

L'éléphantiasis désigne le gonflement monstrueux d'une région du corps (jambe, bras, organes génitaux, seins) lorsqu'un obstacle empêche la circulation normale de la lymphe dans les vaisseaux. L'éléphantiasis est classiquement dû à un ver parasite, la filaire de Bancroft, qui vit dans les vaisseaux lymphatiques. Son traitement est difficile.

la construction, par les autorités sanitaires, de tout-à-l'égout et de latrines pour diminuer la propagation dans la nature des vers contenus dans les selles. Dans les régions infestées, il faut éviter de marcher sans bottes dans l'eau douce (bilharziose) ou la boue (ankylostomiase).

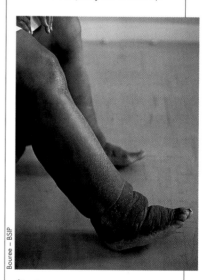

Bouree – BSIP

Éléphantiasis. La lymphe, qui ne circule plus, provoque un œdème de la jambe, avec un aspect en patte d'éléphant.

LE ZONA

Cette infection de la peau est due à la réactivation du virus de la varicelle, *Herpes virus varicellæ*. On l'appelle aussi herpès zoster.

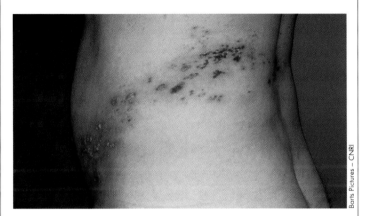

Barts Pictures – CNRI

Éruption cutanée due à un zona. *L'éruption, sous forme de cloques rouges, se produit le plus souvent sur un côté du thorax et suit le trajet d'un nerf intercostal.*

LES LOCALISATIONS

Le zona thoracique ou abdominal, lié à l'atteinte d'un nerf intercostal (entre les côtes), est le plus fréquent. Les symptômes se déclarent sur le côté droit ou gauche du thorax ou de l'abdomen, avec un trajet horizontal (de la colonne vertébrale vers le sternum ou vers le nombril).

Mais le zona peut atteindre tous les autres nerfs du corps : nerf lombaire (touchant la fesse ou la jambe), nerf cervical (touchant le bras, la nuque, le cou ou le cuir chevelu), nerfs faciaux (touchant le conduit auditif, le tympan et le cartilage de l'oreille, ainsi que la langue), nerf bucco-pharyngé (touchant la face interne de la joue, du palais et de la gorge), nerf trijumeau (touchant l'œil), toujours d'un seul côté.

Le zona est fréquent chez l'adulte après 50 ans. Il est exceptionnel chez le nourrisson, mais peut s'observer chez l'enfant sans avoir de gravité particulière. Il survient rarement plus d'une fois chez un même individu.

LES CAUSES

Après une varicelle, qui a lieu généralement dans l'enfance, la majorité des virus responsables de la maladie sont détruits, mais quelques-uns persistent à vie dans les ganglions de certains nerfs. À l'occasion d'une baisse des défenses immunitaires ou sous l'effet d'un stress physique ou psychologique, le virus se réactive et réinfecte une zone de la peau correspondant à un nerf. Contrairement à la varicelle, le zona se transmet rarement d'une personne à une autre ; il est peu contagieux. En revanche, il peut provoquer une varicelle chez les personnes qui n'ont jamais eu cette maladie.

LES SYMPTÔMES

Le zona se manifeste par des douleurs et par une éruption au niveau de la peau, unilatérale, qui touche de façon caractéristique soit le côté droit du corps, soit le côté gauche.

Le début du zona est marqué par l'apparition de douleurs cuisantes, qui ressemblent à des brûlures, localisées là où va apparaître ultérieurement l'éruption. Une diminution de la sensibilité de la peau, qui reste paradoxalement douloureuse au moindre contact, est également ressentie par le malade.

Le lendemain ou quelques jours après la survenue de ces douleurs, une éruption en forme de bande se déclare. Elle apparaît sous forme de taches rouges qui, en 1 à 2 jours, se recouvrent de cloques remplies d'eau (vésicules). En une semaine, ces cloques se dessèchent en formant

LE ZONA OPHTALMIQUE

Le zona est ophtalmique quand le virus touche l'œil par atteinte d'un nerf crânien. Il se manifeste par une éruption et des douleurs au niveau de l'orbite et du front, et peut entraîner des complications oculaires sévères : atteinte de la cornée (kératite), de l'iris (iridocyclite) ou de la rétine (rétinite), voire paralysie passagère de l'œil.

des croûtes qui tombent en 8 à 20 jours, laissant une cicatrice parfois indélébile.

L'éruption, qui dure 2 à 3 semaines, s'accompagne d'une augmentation des douleurs, qui deviennent souvent très difficiles à supporter, et d'une fièvre modérée à 38 °C.

LES COMPLICATIONS

Le zona est une maladie infectieuse bénigne en dehors de 2 circonstances : en cas de zona touchant l'œil (zona ophtalmique) et chez les personnes dont les défenses immunitaires sont affaiblies (sujets atteints du sida, de leucémie). Chez ces dernières, le zona peut se généraliser. Il se présente alors comme une varicelle grave, avec des lésions étendues sanguinolentes. Le risque est que le virus atteigne les organes vitaux (cœur, poumons, foie, etc.).

LE TRAITEMENT

Il existe actuellement un traitement antiviral, le valaciclovir, qui est efficace s'il est pris dans les 3 premiers jours de l'infection, c'est-à-dire quand les douleurs apparaissent ou au tout début de l'éruption. Dans les formes graves, le traitement comprend l'aciclovir, administré d'abord par voie intraveineuse, puis en comprimés ; il doit également être pris au début de la maladie.

Sinon, le traitement classique consiste en la désinfection locale des lésions de la peau (avec une lotion antiseptique), la prise de médicaments contre la douleur (antalgiques) et le repos. Actuellement, il n'existe pas de vaccin contre le zona.

LES SÉQUELLES

Le zona, une fois guéri, laisse souvent des douleurs, appelées algies postzostériennes, qui peuvent durer des années. Elles sont très intenses, allant jusqu'à empêcher le sommeil, et se localisent dans la région où a eu lieu l'éruption. Elles surviennent essentiellement après un zona ophtalmique ou chez les personnes âgées.

Ces douleurs peuvent être évitées grâce à la prise précoce du traitement antiviral au moment du zona, sinon elles persistent souvent pendant de nombreuses années.

Un certain nombre de méthodes ont été proposées pour soulager ces douleurs. Elles incluent, entre autres, la stimulation de la peau par des frottements intermittents, le passage d'un courant électrique alternatif à travers la peau, le réchauffement local, les applications de neige carbonique, l'injection d'anesthésiques locaux et même l'ablation chirurgicale des nerfs. Aucun de ces procédés ne s'est montré d'une efficacité absolue et constante pour soulager les algies postzostériennes.

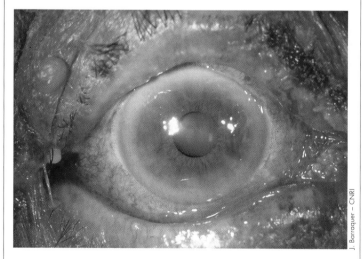

Zona ophtalmique. *Cette forme de zona se manifeste par une inflammation de la cornée, qui devient trouble, et de la conjonctive, qui est parcourue d'un réseau de petits vaisseaux rouges.*

J. Barraquer – CNRI

LE SIDA

DÉFINITION

Le sida est une maladie infectieuse due à un virus appelé virus de l'immunodéficience humaine (VIH), qui altère le système de défense de l'organisme contre les infections (système immunitaire).

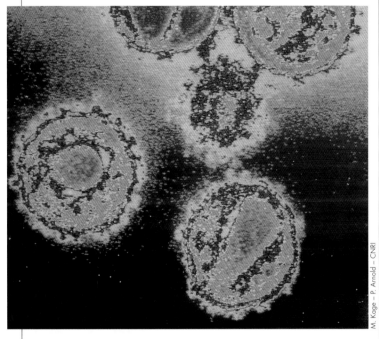

Virus de l'immunodéficience humaine. *Le VIH sort de la cellule infectée par bourgeonnement, ce qui lui permet de contaminer d'autres cellules.*

M. Kage – P. Arnold – CNRI

HISTORIQUE

C'est en 1981 qu'est survenue une éclosion brutale de maladies graves (pneumonies à *Pneumocystis*, sarcome de Kaposi, etc.), jusque-là exceptionnelles et constatées uniquement chez des personnes dont le système immunitaire était affaibli. Les groupes de population (homosexuels masculins ayant de nombreux partenaires sexuels, toxicomanes échangeant leurs seringues, transfusés) dans lesquels ces maladies se sont alors manifestées, d'abord aux États-Unis, ont fait supposer que les modes de contagion étaient la voie sexuelle et la voie sanguine.

Le virus du sida, ou virus de l'immunodéficience humaine, détruit certains globules blancs, les lymphocytes T4 (ou CD4), qui sont un des éléments de base de la défense de l'organisme contre les infections. Cette destruction provoque donc une déficience du système immunitaire, l'organisme devenant alors vulnérable à de très nombreuses infections.

Si les origines du VIH restent encore incertaines, ses modes de transmission entre les hommes sont en revanche bien connus. Ainsi, les mesures de prévention constituent actuellement le seul moyen pour chacun d'entre nous d'éviter d'être contaminé par ce virus et, collectivement, de lutter contre l'épidémie. Il n'existe en effet aujourd'hui aucun vaccin ou traitement antiviral capable de guérir définitivement la maladie.

LA DÉCOUVERTE DU VIH

C'est en 1983 que l'agent responsable du sida, un virus dénommé un peu plus tard VIH1, a été découvert à l'Institut Pasteur à Paris, par l'équipe du professeur Luc Montagnier. Ce virus était jusqu'alors inconnu. Cependant, des échantillons de sang stockés entre 1954 et 1973 ont apporté la preuve qu'il existait déjà dans plusieurs parties du monde.

En 1986, la même équipe a mis en évidence un autre virus proche du VIH1, baptisé VIH2, qui ne sévit que dans une région limitée de l'Afrique de l'Ouest, alors que le VIH1 a été retrouvé dans tous les pays du monde. Les scientifiques ont rapidement démontré que ces deux virus altéraient le système de défense immunitaire de l'organisme et étaient responsables des graves manifestations observées dès 1981, regroupées alors sous le terme de sida (syndrome d'immunodéficience acquise).

Défini d'après ces manifestations et l'existence d'un déficit immunitaire (baisse des lymphocytes T4), le sida a pu être

L'ÉPIDÉMIE DANS LES PAYS PAUVRES

Dans les pays pauvres, la transmission du VIH s'effectue essentiellement lors des rapports hétérosexuels et par le sang (transfusions...). La pauvreté, qui limite l'accès aux moyens de prévention et de dépistage (préservatifs, seringues stériles, matériel de soins jetable, moyens de stérilisation, tests de dépistage), facilite la propagation du sida. Les réactions propres à certaines cultures (comme la réticence à utiliser des préservatifs), ainsi que l'existence de maladies sexuellement transmissibles, favorisent également la diffusion de la maladie.

identifié, à partir des années 1984-1985, grâce à des tests sérologiques du VIH (test ELISA). Ainsi, actuellement, l'OMS (Organisation mondiale de la santé) estime que plus de 7 millions de personnes ont déjà été atteintes par le sida depuis 1981, dont plus des trois quarts dans les pays en voie de développement. Le nombre des personnes simplement infectées s'élèverait à plus de 25 millions et, chaque jour, plus de 8 000 per-

sonnes seraient nouvellement contaminées.

Aux deux principales populations initialement concernées, homosexuels masculins et toxicomanes par voie veineuse, se sont ajoutées, en nombre croissant, des personnes hétérosexuelles. Ces dernières années, le nombre de cas de sida s'est également accru chez les femmes, qui peuvent, lorsqu'elles sont enceintes, transmettre le virus à leur enfant.

Échange de seringues entre toxicomanes. *Cette pratique présente un risque de transmission du virus du sida (VIH), car il reste toujours un peu de sang dans la seringue après l'injection de drogue. Si ce sang est infecté, il peut contaminer la personne qui réutilise la seringue.*

Laurent – BSIP

LE VIRUS DU SIDA, OU VIH

Le virus de l'immunodéficience humaine (VIH) fait partie de la famille des rétrovirus, du nom de l'enzyme présente dans ces virus, la transcriptase inverse (*reversetranscriptase* en anglais).

Ce virus sait faire varier sans cesse certains éléments de sa structure, si bien qu'il parvient à échapper aux mécanismes de destruction que l'organisme lui oppose. C'est pourquoi il est si difficile de mettre au point un vaccin efficace. Ce virus résiste aux médicaments antiviraux.

LE SIDA

TRANSMISSION ET PRÉVENTION

Dès l'apparition des premiers cas de sida, en 1981, de nombreuses études ont permis de comprendre comment le virus se transmettait et de définir ainsi des mesures de prévention efficaces.

Le VIH se transmet selon 3 modes principaux : par voie sexuelle, par voie sanguine et de la mère à l'enfant.

LA TRANSMISSION

Pour être contaminé par le virus du sida, il faut soit avoir eu des rapports sexuels avec une personne infectée, soit avoir eu des contacts avec son sang. En effet, le virus n'est présent en quantité suffisante pour être contaminant que dans le sang, le sperme et les sécrétions vaginales. Aucun cas de contamination par la salive et les larmes n'a été rapporté à ce jour. Pour être infectant, le virus doit entrer en contact avec son site d'action, notamment les globules blancs (lymphocytes T4), et donc franchir la barrière constituée par la peau ou la muqueuse, en profitant d'une piqûre ou d'une plaie.
La contamination de la mère à l'enfant s'effectue soit pendant la grossesse, par l'intermédiaire du placenta, soit après, par l'allaitement maternel.
La transmission par voie sexuelle. C'est le mode de transmission le plus important.

Les rapports sexuels anaux (sodomie) ou vaginaux peuvent entraîner la transmission du VIH (présent dans le sperme et les sécrétions vaginales) si l'un des deux partenaires est porteur du virus.
Les muqueuses des organes génitaux et de l'anus présentent souvent des petites lésions qui favorisent la pénétration du VIH. Le risque de contamination existe, même s'il est plus faible, pour les deux partenaires lors des contacts bouche-sexe (fellation, cunnilingus). Les risques de transmission par voie sexuelle sont plus importants :
– en cas de rapports sexuels nombreux avec des partenaires multiples ;
– d'un homme séropositif à une femme séronégative. Toutefois, le risque de transmission en sens inverse, de la femme séropositive à l'homme séronégatif, existe, surtout lorsque la muqueuse est fragilisée par une lésion (une mycose ou une autre MST, par exemple) ; c'est également le cas pendant les règles, le sang contenant le virus.
La transmission par voie sanguine. Elle intervient lorsque le sang d'une personne

infectée entre en contact avec celui d'une autre personne. Cela peut arriver lors d'une transfusion de sang contaminé ou lors du partage de seringues chez des toxicomanes porteurs du virus et en cas de réemploi de seringues sans stérilisation (notamment dans les pays en voie de développement).
La voie sanguine est un mode de transmission très contaminant, le risque étant évalué à 90 %. Aussi les hémophiles, qui nécessitent de fréquentes transfusions de sang, ont-ils été particulièrement touchés par le sida jusqu'à ce que des mesures préventives (chauffage des produits transfusés puis contrôle par

CE QUI NE TRANSMET PAS LE VIRUS DU SIDA

La plupart des actes de la vie quotidienne ne comportent aucun risque d'infection par le VIH. Il ne faut donc pas craindre ou éviter la fréquentation de personnes porteuses de ce virus. Une poignée de main, un baiser sur la joue sont inoffensifs, de même que la fréquentation de lieux publics (locaux de travail, école, piscine, etc.), le contact avec des objets (poignée de porte, toilettes publiques, téléphone, etc.). Les piqûres d'insectes (moustiques, guêpes, etc.) ne jouent aucun rôle dans le développement des épidémies sous les tropiques.

tests) mettent un terme à cette contamination.

Lors d'une blessure accidentelle avec du matériel souillé par du sang infecté par le VIH (surtout en milieu hospitalier), ce risque est très faible, sauf en cas de coupure profonde.

La transmission par piqûre d'aiguilles d'acupuncture, de mésothérapie, de tatouage ou de piercing est théoriquement possible.

La transmission de la mère à l'enfant. Toute femme séropositive désireuse d'avoir un enfant court le risque de transmettre le VIH à son enfant. Tous les enfants nés de mère séropositive sont séropositifs à la naissance, car ils portent les anticorps de leur mère.

La contamination n'est pas pour autant obligatoire : sur 5 enfants nés de mère infectée, 1 seul est contaminé, mais plus si la mère est au stade du sida. Lorsqu'ils ne sont pas contaminés, les enfants deviennent séronégatifs vers l'âge de 15 à 18 mois.

Il existe également un risque de transmission du VIH par le lait maternel. C'est pourquoi l'on déconseille l'allaitement aux femmes séropositives dans les pays industrialisés.

LA PRÉVENTION

La prévention de la transmission par voie sexuelle consiste à utiliser le préservatif masculin lors des rapports sexuels. Celui-ci constitue en effet, à ce jour, la seule protection efficace. Le préservatif doit être utilisé quelles que soient les pratiques sexuelles.

La prévention de la contamination par voie sanguine repose sur un contrôle rigoureux des conditions de transfusion. Lors de l'entretien qui précède chaque don de sang, le médecin cherche à exclure les donneurs qui pourraient avoir été contaminés récemment.

Malgré ces deux précautions, le risque existe encore, mais il est minime : 1 cas sur 570 000 dons de sang. Il est lié à la possibilité d'échec de dépistage du virus dans le sang du donneur, les anticorps contre le VIH n'étant détectables qu'un mois après la contamination.

Les piqûres et les coupures accidentelles avec des instruments contaminés ou soupçonnés de l'être doivent être immédiatement désinfectées. Dans les pays où il existe une pénurie en matériel médical, les risques liés à la réutilisation de ce matériel sans stérilisation sont importants. Les mesures de prévention de la contamination chez les toxicomanes échangeant des seringues portent sur la toxicomanie même : programmes de drogues de substitution, incitation à désinfecter les seringues, programmes de fourniture de matériel neuf (des seringues stériles à usage unique peuvent être achetées anonymement en pharmacie).

La prévention de la contamination de la mère à l'enfant repose sur des mesures d'information. Si une femme apprend au cours de sa grossesse qu'elle est séropositive, les médecins peuvent lui proposer un avortement thérapeutique. L'administration d'AZT au cours de la grossesse et pendant l'accouchement est un traitement qui permet de réduire le risque encouru par l'enfant.

On déconseille aux femmes contaminées d'avoir un enfant, mais également aux hommes contaminés, car ceux-ci sont susceptibles de transmettre la maladie à la mère et, donc, à l'enfant.

Il faut déchirer délicatement l'étui pour ne pas abîmer le préservatif.

Pour éviter l'éclatement, il faut chasser l'air du petit réservoir en le pinçant.

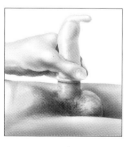

Le préservatif est mis en place lorsque l'érection est complète.

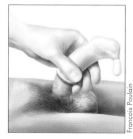

Après l'éjaculation, il faut retirer le préservatif en le tenant à sa base.

François Poulain

LA SÉROPOSITIVITÉ

Il existe un test fiable qui permet de savoir si l'on est contaminé ou non par le virus du sida. Le résultat (séropositif ou séronégatif) n'est sûr que 2 ou 3 mois après l'éventuelle contamination.

Faire le test du sida implique un certain nombre de questions. Où et comment le faire ? Comment se déroule-t-il ? Que signifient les résultats ? Sont-ils fiables ?

Être séropositif entraîne d'autres interrogations. Quelles sont les manifestations de la séropositivité ? Quand apparaissent les premiers signes graves ? À partir de quel moment est-on contagieux ? Doit-on consulter son médecin plus souvent ?

LE TEST

Où et comment faire le test ?

Le test, réalisé à partir d'une prise de sang, peut être demandé auprès de son médecin (généraliste ou spécialiste), qui établira une ordonnance ; il est ensuite effectué dans n'importe quel laboratoire d'analyses médicales. Dans certains pays, il est aussi possible de le faire dans les centres de planning familial, dans les dispensaires antivéné-riens et dans les centres de dépistage anonymes et gratuits.

En quoi consiste le test ? À partir du prélèvement de sang, le laboratoire d'analyses médicales réalise un test sérologique, par une méthode appelée ELISA. Le test met en évidence la présence ou l'absence d'anticorps contre le virus du sida, produits par certains globules blancs du système immunitaire.

Le résultat est négatif (personne séronégative). À partir de la date de contamination, il faut 2 ou 3 mois pour produire les anticorps contre le VIH. Un résultat négatif peut donc avoir deux significations :

– soit la personne n'a pas été contaminée par le virus du sida ;

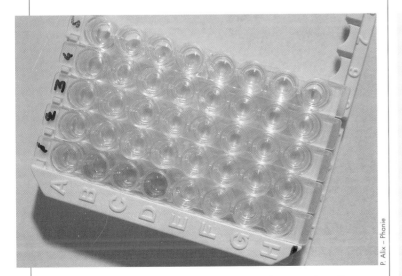

Test ELISA utilisé pour le dépistage du sida. *Chaque échantillon correspond à un prélèvement de sang. Ici, les 3 échantillons colorés en rouge-orangé sont des tests positifs.*

P. Alix – Phanie

QUAND PEUT-ON TRANSMETTRE LE VIRUS DU SIDA ?

Dès qu'une personne est contaminée, elle garde définitivement le virus en elle et peut donc le transmettre par voie sanguine ou par voie sexuelle. L'usage de préservatifs masculins est alors indispensable pour éviter la transmission de la maladie, y compris entre 2 personnes séropositives, car de nouvelles expositions au virus risquent d'accélérer l'évolution de la maladie. En cas de saignement, la personne doit connaître le risque qu'elle fait courir à son entourage et les moyens de protection à utiliser (gants).

ANDRÉE MORRISON
65-C Queen St.
Sturgeon Falls,
Ontario P0H 2G0

– soit la contamination est trop récente pour que les anticorps soient détectables dans le sang. Dans le doute, il faut refaire le test dans un délai de 3 mois à partir du moment présumé de la contamination, pour être sûr du résultat. Si le second test est négatif, la personne n'a pas été contaminée.

Le résultat est positif (personne séropositive). Pour éviter tout risque d'erreur, dès qu'un test est positif, il est immédiatement refait une seconde fois et complété par un autre test plus précis appelé Western-Blot. La réalisation des deux tests prend 1 semaine. Le test Western-Blot doit être renouvelé 1 mois plus tard pour confirmer une nouvelle fois le résultat. Ce n'est que lorsque tous les tests sont positifs que la

LE TERME SÉROPOSITIF

Il faut bien avoir présent à l'esprit que, dans le langage médical, le terme séropositif ne concerne pas uniquement l'infection par le virus du sida. Il est employé pour toutes les autres maladies infectieuses dont le diagnostic est révélé par un test sérologique qui recherche les anticorps spécifiques d'un microbe. Le plus souvent, être séropositif pour ces maladies signifie qu'on a des anticorps qui nous en protègent (c'est le cas, par exemple, de la rubéole pour une jeune fille).

Le lien entre sida et séropositivité tient à l'impact dramatique de la maladie, mais l'expression commune « être séropositif » n'a aucun sens médical précis.

personne est dite séropositive. Il existe d'autres tests, plus sophistiqués et plus coûteux, qui sont effectués en cas de résultats douteux et chez l'enfant.

LA SÉROPOSITIVITÉ

Y a-t-il des signes au moment de la contamination ? Pendant les 3 mois qui suivent la contamination par le virus du sida, la plupart des personnes ne ressentent aucun trouble. Parfois, certaines d'entre elles se plaignent de symptômes ressemblant à ceux d'une mononucléose infectieuse : fièvre pouvant durer jusqu'à 1 mois, gonflement des ganglions lymphatiques, courbatures, douleurs articulaires. Ces symptômes disparaissent spontanément en 1 mois environ. Pendant cette période, même si le test de dépistage est encore négatif, le risque de transmission du virus est élevé.

Quelles sont les manifestations de la séropositivité ? La séropositivité ne se traduit par aucun symptôme particulier. Pendant cette phase sans symptômes, appelée phase asymptomatique, les défenses naturelles de l'organisme sont préservées ou encore suffisantes pour contrôler les effets du virus. Les personnes ne présentent en général aucun trouble particulier si ce n'est, pour certaines, une augmentation de volume des ganglions lymphatiques du cou et des aisselles, ce qui n'est pas un signe d'aggravation de la maladie.

Dans l'état actuel des connaissances, la période asymptomatique peut durer de quelques

LA REMISE DU RÉSULTAT

Le résultat du test est confidentiel : il n'est connu que du patient et du médecin tenu au secret professionnel. La remise du résultat est souvent un moment de « choc » pour le patient. Elle doit se faire dans un climat de confiance et être l'occasion d'une discussion approfondie. Le médecin doit apporter au patient les explications nécessaires à la compréhension de la maladie et répondre à toutes ses questions.

années à 11 ans après la contamination par le virus du sida.

Quels sont les premiers signes graves ? Quand les premiers signes graves apparaissent, les personnes séropositives entrent dans la phase dite symptomatique, caractérisée par une fièvre qui persiste plusieurs semaines, des sueurs nocturnes, une fatigue intense, une perte de poids de plus de 10 % et de la diarrhée. La personne atteinte peut aussi présenter un muguet, ou candidose (lésion de la muqueuse buccale). Ces premiers symptômes annoncent et précèdent de peu l'apparition des infections graves. Ils signifient que le virus a détruit une grande partie des défenses immunitaires de la personne contaminée, qui entre alors dans la maladie appelée sida.

Quand faut-il consulter son médecin ? Au minimum tous les 6 mois en l'absence de signes, puis à la demande, quand les premiers symptômes apparaissent, pour surveiller l'évolution de la maladie.

LE SIDA DÉCLARÉ

DÉFINITION

Le sida déclaré correspond à la phase de cette affection où le système immunitaire de l'organisme est détruit ; il se manifeste par l'apparition de multiples infections, dites opportunistes, et de tumeurs.

Le sida ne survient que plusieurs années après la contamination par le virus du sida : de 7 à 11 ans pour la plupart des personnes atteintes, dans l'état actuel des connaissances. C'est le temps que met le virus à affaiblir puis à détruire certains globules blancs du système immunitaire, appelés lymphocytes T4 ou CD4, assurant normalement la défense de l'organisme contre les infections et les tumeurs.

Le nombre normal de lymphocytes T4 ou CD4 est de 800 à 1 000 par millimètre cube de sang. Quand le taux descend en dessous de 200 par millimètre cube, les défenses immunitaires sont tellement réduites que l'organisme n'est plus du tout

LES SURVIVANTS

Chez certaines personnes contaminées, dites survivants de longue durée, le sida ne s'est toujours pas déclaré après 15 ans de séropositivité. Les chercheurs ignorent encore l'origine de cette résistance naturelle au virus, qui autorise des espoirs si l'on arrive à en identifier les mécanismes.

protégé contre les microbes : on dit alors que le malade est immunodéficient. Le sida qualifié de sida déclaré apparaît.

LE DÉBUT DU SIDA

Avec la destruction progressive de ses lymphocytes T4 ou CD4, la personne contaminée peut présenter différents signes : accès de fièvre, sueurs, diarrhées, muguet, ou candidose (lésions blanchâtres de la muqueuse buccale et de la langue), poussées d'herpès récidivantes, zona, verrues multiples ou dermite séborrhéique du visage (plaques rouges desquamantes au niveau du front et des ailes du nez).
En général, l'apparition de ces symptômes, qui ne sont pas toujours présents, constitue

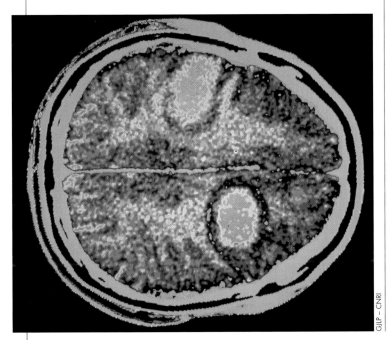

GJP – CNRI

***Toxoplasmose cérébrale
chez un patient atteint du sida.***
Les deux abcès (en orange sur la photo) de cette maladie parasitaire sont bien visibles sur ce scanner du cerveau.

DÉFINITION DU MOT SIDA

S pour syndrome = tous les signes et les symptômes caractérisant une maladie

I pour immuno = défenses naturelles (immunitaires) de l'organisme

D pour déficience = destruction des défenses immunitaires de l'organisme par le virus

A pour acquis = maladie qui survient au cours de la vie et qui n'est ni congénitale ni héréditaire

un indice d'évolution vers le sida déclaré dans les 2 ans qui suivent.

LE SIDA DÉCLARÉ

Le sida qualifié de sida déclaré se manifeste par des complications infectieuses et tumorales très graves et souvent mortelles.

Les infections opportunistes. Elles marquent l'entrée dans la phase de sida déclaré. Elles sont dites opportunistes car elles ne devraient normalement pas se manifester et saisissent l'opportunité d'une baisse des défenses immunitaires de l'organisme pour apparaître.

Ces infections sont très souvent multiples, ce qui peut compliquer leur diagnostic et leur traitement. Les infections opportunistes ont tendance à s'étendre à tout l'organisme et à rechuter même après un traitement efficace. C'est ainsi que leur répétition et leur nombre finissent par altérer profondément l'état général du malade.

Les tumeurs. Ce sont les secondes grandes manifesta-

tions du sida. Elles touchent le plus souvent la peau (sarcome de Kaposi), les ganglions (lymphomes), puis elles atteignent tous les organes (lymphomes cérébral, digestif, etc.). Leur évolution est en général mauvaise.

Les affections du cerveau. Elles sont dues à l'attaque des cellules nerveuses par le virus. Elles se manifestent par des troubles neurologiques graves avec apparition d'une démence, de troubles de la mémoire, de difficultés de concentration et d'un changement de caractère.

FACTEURS POUVANT ACCÉLÉRER LA MALADIE

Un certain nombre de facteurs semblent pouvoir accélérer l'évolution de l'infection par le virus du sida. Aucune certitude n'a pu être établie, mais de nombreuses recherches sont en cours. Ces facteurs seraient, entre autres :

– l'âge au moment de la contamination : plus la personne est âgée, plus l'évolution vers le sida déclaré serait rapide ;

– le terrain génétique propre à chaque individu ;

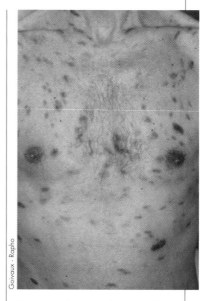

Goivaux - Rapho

Sarcome de Kaposi. Des taches violacées ou brunâtres peuvent apparaître sur le tronc soit d'emblée, soit après la formation d'autres lésions cutanées.

– des expositions répétées au virus du sida lors de contaminations successives ;

– certaines infections dues à des virus (cytomégalovirus) ou à des champignons (mycoplasmes).

LE SARCOME DE KAPOSI

Le sarcome de Kaposi est une tumeur qui touche principalement la peau et est très fréquente chez les personnes atteintes du sida, surtout chez les hommes homosexuels. Il constitue le mode de révélation du sida pour 40 % d'entre eux. Cette tumeur infiltre le plus souvent la peau du visage et des extrémités du corps (plante des pieds, mains) et se traduit par des taches violettes inesthétiques, mais qui ne sont pas douloureuses et ne démangent pas. Elle siège aussi très souvent dans la bouche (voile du palais) et sur les muqueuses génitales. Elle a tendance à s'étendre vers les organes internes (poumons, tube digestif) et à y provoquer des hémorragies graves.

Le Sida Déclaré

LES INFECTIONS OPPORTUNISTES

Les infections opportunistes, qui marquent l'entrée dans la maladie, sont dues à tous les types de microbes existants (bactéries, virus, champignons) et aux parasites.

On distingue ainsi les infections bactériennes, les infections virales, les infections fongiques et les infections parasitaires.

LES INFECTIONS BACTÉRIENNES

La tuberculose touche particulièrement les patients vivant dans des conditions défavorables. Elle peut survenir à un stade précoce ou tardif du sida. La localisation de la maladie est pulmonaire et/ou extrapulmonaire.
Les infections dues à des mycobactéries non tuberculeuses se manifestent lorsque le système immunitaire de la personne est très affaibli.
Certaines infections dues à des pneumocoques, ou à des staphylocoques, peuvent être responsables de septicémies spontanées lors de traitements de longue durée par voie veineuse. Les salmonelloses sont responsables de septicémies récidivantes et de diarrhées.

LES INFECTIONS VIRALES

Le virus de l'herpès touche la peau et les muqueuses. Les poussées d'herpès entraînent l'apparition de lésions au niveau des organes génitaux et de l'anus, lesquelles sont ulcérées, profondes, étendues, souvent surinfectées et récidivantes.
Le virus varicelle-zona, présent à l'état latent dans certaines cellules nerveuses, est fréquemment réactivé chez les personnes infectées par le virus du sida. La survenue d'un zona chez un séropositif peut être la première manifestation de la maladie.
Le papovavirus est responsable d'une forme grave d'encéphalite, appelée leuco-encéphalite multifocale progressive.
Le cytomégalovirus touche avant tout l'œil (avec risque de cécité), mais aussi les poumons et le cerveau. C'est l'une des maladies virales opportunistes les plus fréquentes.

LES INFECTIONS FONGIQUES

La cryptococcose, due à une levure pénétrant dans l'organisme par inhalation, provoque une maladie pulmonaire et, après dissémination, une atteinte du système nerveux (méningite ou méningo-encéphalite) dont l'évolution est souvent très grave.

La candidose, due à un champignon microscopique, affecte la muqueuse de la bouche et le pharynx, et provoque un muguet ou une glossite érosive (langue rouge, dont les papilles ont disparu). L'infection peut s'étendre à l'œsophage, entraînant une inflammation de l'organe (œsophagite) avec douleurs à la déglutition.

LES INFECTIONS PARASITAIRES

La cryptosporidiose est due à un parasite de la muqueuse gastro-intestinale qui entraîne une diarrhée importante avec fièvre, douleurs abdominales et altération de l'état général (amaigrissement, déshydratation).
La microsporidiose, infection jadis exceptionnelle chez l'homme, pourrait être responsable de 20 à 30 % des diarrhées inexpliquées chez les malades atteints du sida.
La pneumocystose, forme de pneumonie, qui constitue l'infection inaugurale du sida dans 15 à 50 % des cas si un traitement préventif n'est pas institué, se révèle par une toux sèche de plus en plus forte et peut conduire à l'insuffisance respiratoire aiguë.
La toxoplasmose provient de la réactivation d'une infection ancienne, souvent passée inaperçue. Elle entraîne des troubles neurologiques importants si elle atteint le cerveau (coma, convulsions).

PRINCIPALES INFECTIONS OPPORTUNISTES

Les infections opportunistes au cours du sida sont très nombreuses. Elles donnent lieu à plusieurs symptômes touchant les différents organes du corps : poumons, intestin, cerveau, œil. Chacune de ces infections peut se manifester chez une personne contaminée, sans que cela ait un caractère systématique. Mais, dans tous les cas, ce type d'infection profite de l'affaiblissement du système de défense de l'organisme pour se développer.

PRINCIPALES INFECTIONS OPPORTUNISTES

Maladie	Type d'infection	Organes touchés	Symptômes	Traitement
Pneumocystose	Parasitaire	Poumons	Toux, fièvre, essoufflement, détresse respiratoire	Traitement à vie ; il existe un traitement préventif
Toxoplasmose	Parasitaire	Cerveau Œil	Maux de tête, fièvre, troubles nerveux (paralysie, coma)	Traitement à vie ; il existe un traitement préventif
Cryptosporidiose	Parasitaire	Intestin	Plus de 10 selles par jour sous forme de diarrhée durant plus de 1 mois	Traitement peu efficace
Isosporidiose	Parasitaire	Intestin	Diarrhée chronique, fièvre, amaigrissement	Traitement possible
Tuberculose	Bactérienne	Poumons Ganglions	Toux, fièvre, sueurs nocturnes, amaigrissement	Traitement long (de 7 à 10 mois)
Infection à mycobactéries non tuberculeuses	Bactérienne	Tous les organes internes	Fièvre, perte de poids, sueurs, diarrhée, état cadavérique	Traitement pénible et long
Infection à cytomégalovirus	Virale	Œil, rétine, cerveau, poumons	Baisse de la vue puis cécité	Traitement possible mais rechutes fréquentes
Herpès	Virale	Bouche, anus, organes génitaux, tube digestif	Éruption cutanée, lésions des muqueuses	Traitement possible mais rechutes fréquentes
Zona	Virale	Peau, œil	Éruption cutanée douloureuse	Traitement possible
Candidose profonde	Fongique (due à un champignon microscopique)	Œsophage, trachée, bronches, poumons	Diarrhée, amaigrissement, fièvre	Traitement possible
Cryptococcose	Fongique	Cerveau	Maux de tête, fièvre, signes de méningite	Traitement à vie

LES TRAITEMENTS

LES PRINCIPES

Le traitement de l'infection due au virus du sida consiste, à l'heure actuelle, à tenter de retarder le plus longtemps possible l'apparition du sida déclaré et à prévenir les infections opportunistes.

LES VOIES DE RECHERCHE

Les recherches reposent sur la mise au point d'autres médicaments capables de renforcer les défenses de l'organisme ou de médicaments encore plus efficaces contre le virus lui-même. Les associations des différents antiviraux font également l'objet d'investigations.
Plusieurs essais de vaccin sont effectués. Malheureusement, les recherches en cours ne permettent pas encore d'espoirs à court terme et ne doivent donc pas faire cesser les moyens de prévention actuels.

Durand – Sipa Press

Malade en traitement à domicile. *Le traitement du sida implique la prise quotidienne de nombreux médicaments.*

Les progrès réalisés dans le traitement du sida permettent actuellement de retarder l'entrée dans la phase déclarée de la maladie. Malgré l'absence de médicaments capables de guérir définitivement la maladie, la qualité de vie des malades s'est beaucoup améliorée et leur espérance de vie s'allonge peu à peu. Plusieurs traitements existent. Les antirétroviraux s'attaquent au virus et cherchent à préserver les défenses immunitaires de l'organisme ; les autres médicaments (antibiotiques, antiparasitaires, etc.) traitent les causes ou les symptômes des infections opportunistes et des tumeurs pouvant survenir au cours de l'évolution de la maladie.

LA DÉCLARATION OBLIGATOIRE

Dans la plupart des pays, les cas de sida doivent obligatoirement être déclarés aux autorités sanitaires concernées (l'anonymat y est bien sûr respecté). Il est ainsi possible de connaître précisément l'évolution de l'épidémie dans ces pays et, partant, l'évolution de la maladie dans le monde. En revanche, la séropositivité pour le virus du sida ne fait l'objet d'aucune déclaration. Le nombre de séropositifs ne peut donc être qu'évalué, ce qui explique les grandes différences dans les chiffres avancés par les divers organismes depuis 10 ans, selon les méthodes d'estimation employées.

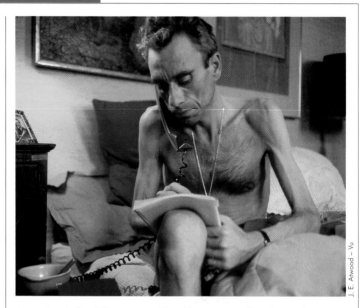

Les soins à domicile ont considérablement amélioré le confort du malade. *Grâce à ce type de traitement, le patient n'est pas coupé de son environnement familial, amical et social.*

QUAND DÉBUTER LE TRAITEMENT ?

Plusieurs médicaments antiviraux ont été mis au point depuis quelques années et d'autres sont encore à l'étude. Les traitements évoluent donc très rapidement. Ils sont administrés selon des recommandations propres à chaque pays. Pendant près de 10 ans, les modalités du traitement du sida ont été fonction du nombre de globules blancs, appelés lymphocytes T4 ou CD4, présents dans le sang des malades :
– lorsque le nombre de lymphocytes T4 ou CD4 était supérieur à 500 et qu'il n'y avait pas de symptômes, aucun traitement particulier n'était nécessaire, le malade devait seulement être suivi par un médecin ;

– quand il y avait plus de 500 CD4 mais que des symptômes étaient apparus, il était recommandé de commencer un traitement comprenant de l'AZT ;
– au-dessous de 500 T4 ou CD4, le traitement reposait sur des associations de médicaments comprenant l'AZT plus 1 ou 2 autres antiviraux plus puissants.
Actuellement, les modalités du traitement dépendent davantage des caractéristiques de chaque malade et de la mesure de la charge virale dans le sang.

LA VACCINATION DES ENFANTS SÉROPOSITIFS

L'Organisation mondiale de la santé (OMS) recommande d'effectuer toutes les vaccinations habituelles chez les enfants séropositifs (diphtérie, tétanos, coqueluche, poliomyélite, tuberculose, hépatite B), aux âges normalement conseillés. En revanche, chez les enfants ayant déclaré la maladie, la vaccination contre la tuberculose est contre-indiquée.
Les vaccinations contre la rougeole, les oreillons, la rubéole ne présentent pas de danger, sauf si l'enfant est porteur d'un déficit immunitaire important.
Dans tous les cas, les décisions de vaccination doivent être prises par un médecin et définies pour chaque enfant.

LES TRAITEMENTS

LES DIFFÉRENTS TRAITEMENTS

Depuis la découverte du premier médicament agissant sur le virus du sida, l'AZT, les chercheurs ont essayé de trouver de nouveaux médicaments plus efficaces.

Les médecins se sont également penchés sur la manière de prescrire ces médicaments, appelés antiviraux ou antirétroviraux, afin d'augmenter leur efficacité.

LES ANTIRÉTROVIRAUX

Les médicaments antirétroviraux agissent directement sur le virus. Certains antirétroviraux, appelés inhibiteurs de la réplication virale, empêchent le virus de se multiplier. La zidovudine (AZT), la didanosine (DDI), la zalcitabine (DDC), la stavudine (D4T) et la lamivudine (3TC) font partie de ces traitements. D'autres médicaments (saquinavir, indinavir, ritonavir et nelfinavir) sont des antiprotéases. Les protéases sont les enzymes qui permettent au virus de fabriquer des protéines ; leur inhibition par les antiprotéases aboutit à la formation de virus

CHEZ LA FEMME ENCEINTE

Le traitement par l'AZT est recommandé au cours de la grossesse pour les femmes séropositives enceintes. L'AZT, administrée selon des doses et des modalités très précises, permet de réduire les risques de transmission du virus du sida à l'enfant. Le traitement de la femme enceinte doit être discuté, en fonction de chaque situation, avec le médecin traitant.

défectueux, inaptes à survivre. L'AZT est le premier médicament qui a permis de ralentir l'évolution du sida et d'augmenter l'espérance de vie des malades. Mais il présente deux inconvénients :
– il peut entraîner des effets secondaires gênants (atteinte de certains éléments du sang et des muscles, troubles digestifs) et implique donc une surveillance médicale régulière ;
– il perd de son efficacité au cours du temps, si bien qu'il faut soit arrêter le traitement et prendre un autre médicament, soit le poursuivre en y associant un autre produit.

BITHÉRAPIE ET TRITHÉRAPIE

Les inconvénients liés à l'utilisation de l'AZT ont poussé les chercheurs à mettre au point de nouveaux médicaments et à

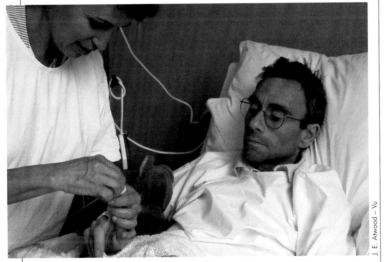

J. E. Atwood – Vu

Après les soins à domicile, le recours à l'hôpital est souvent inévitable. *Le malade est alors pris en charge par des équipes soignantes spécialisées.*

faire des essais d'associations de plusieurs médicaments pour augmenter l'efficacité des traitements. Des résultats récents ont montré que l'association de 2 ou 3 antirétroviraux peut ralentir encore plus l'évolution du sida. C'est ainsi qu'est né, en 1996, le principe de la bithérapie et de la trithérapie.

LE TRAITEMENT DES COMPLICATIONS

Le traitement des complications et leur prévention font partie du deuxième volet du traitement du sida. C'est dans ce domaine qu'ont été réalisés les premiers grands progrès. Actuellement, même si le traitement radical reste à inventer, bon nombre de complications de l'infection par le virus du sida peuvent être prévenues, traitées et guéries.

La prévention et le traitement des infections opportunistes. Ils sont fondés sur la prise d'antibiotiques, d'antiparasitaires, d'antiviraux ou d'antifongiques. Les traitements préventifs sont essentiellement utilisés dans le cas de la pneumocystose et de la toxoplasmose. La prévention de ces infections concerne les personnes séropositives, présentant ou non des symptômes, ayant moins de 200 lymphocytes T4 ou CD4 par millimètre cube de sang. Ce chiffre correspond au seuil à partir duquel les risques de survenue de la pneumocystose et de la toxoplasmose sont élevés.

Les traitements sont de 2 types. Un traitement d'attaque est instauré dès qu'une infection opportuniste se déclare. Le traitement d'entretien a pour but de limiter les risques de rechute ou de récidive de ces infections. En effet, les traitements sont généralement efficaces pour réduire le développement des microbes, mais ils ne le sont pas suffisamment pour détruire le germe en cause ; en raison de l'immunodéficience persistante, une nouvelle infection due à ces germes peut apparaître. Ainsi, chaque fois que cela est possible, le médecin propose un traitement d'entretien après la survenue d'une de ces maladies.

Le traitement du sarcome de Kaposi. Il repose sur l'interféron, la chimiothérapie, la radiothérapie ou la chirurgie. Le choix du traitement dépend de la localisation des lésions, de leur étendue et du stade d'immunodépression du patient. Les lymphomes sont généralement traités par chimiothérapie.

LES AUTRES SOINS

Les douleurs, la fièvre, les troubles digestifs de même que les signes psychiques comme l'angoisse et la dépression doivent être traités séparément, en fonction de leur cause et de leur gravité. L'alimentation par perfusion, le traitement de la douleur, les soins d'hygiène et la kinésithérapie constituent une aide précieuse pour le confort du malade et sont assurés chez les personnes les plus gravement touchées. L'admission en réanimation est effectuée en cas d'atteintes mettant en danger la vie du malade (coma, insuffisance respiratoire aiguë).

LES CONSEILS D'HYGIÈNE DE VIE

Les conseils d'hygiène de vie englobent les précautions que doit prendre une personne séropositive afin de ne pas être recontaminée. En effet, des contaminations multiples, par les apports répétés de virus qu'elles entraînent, accélèrent l'évolution de la maladie, donc le passage au sida déclaré.

On recommande également à la personne séropositive de se faire suivre régulièrement par un médecin : l'évolution de la maladie peut être très efficacement retardée par l'administration précoce ou préventive de médicaments et le respect d'une bonne hygiène de vie (alimentation correcte, propreté corporelle, repos, abstention de médicaments ou de drogues pouvant diminuer davantage l'immunité).

LES ESSAIS THÉRAPEUTIQUES

Les essais thérapeutiques ont plusieurs objectifs. Ils visent à améliorer l'utilisation des médicaments déjà existants et à en étudier de nouveaux (tolérance, mécanisme d'action, doses à employer, efficacité par rapport à un traitement de référence). Lorsque les résultats des essais sont concluants, l'autorisation de mise sur le marché (AMM) du médicament testé est donnée.

Pour réaliser ces essais thérapeutiques dans les meilleures conditions possible, la participation active des patients est nécessaire.

Vivre avec le Sida

Les malades atteints du sida et les personnes qui les soignent ont du mal à gérer une vie souvent faite d'angoisse, de désespoir et de solitude. Le soutien de la famille et des amis est alors primordial.

L'ENTOURAGE

Il est souvent difficile pour les proches de réagir face à une personne atteinte du sida. Surmonter sa peur, ne pas juger, se comporter comme avant sont autant de réactions qui permettent d'atténuer les souffrances psychologiques du malade, lequel a particulièrement besoin de respect et d'affection.

Parfois, il y a aussi les mauvaises périodes, où celui qui est malade reporte sa révolte et sa colère sur son entourage. Il faut alors lui manifester encore plus d'attention et de tendresse.

G. Alger – Edling

Le sida fait souvent naître peur et anxiété chez les personnes qui en sont atteintes. En continuant à mener des activités normales tant que cela est possible, le malade ne se sent pas exclu et peut mieux vivre sa maladie.

Le sida est encore aujourd'hui une maladie fatale dont le diagnostic constitue un véritable choc émotionnel.

L'ANNONCE DE LA SÉROPOSITIVITÉ

L'annonce de la contamination provoque un bouleversement total des comportements, des rapports à la sexualité, à la fécondité, des relations familiales et sociales. Puis, après quelque temps, la personne s'y habitue, apprend à vivre avec.

Ce processus est proche de celui de l'acceptation d'un deuil. La particularité du sida est qu'il touche surtout des personnes jeunes pour qui la mort n'est qu'une perspective lointaine. D'un seul coup, celles-ci sont confrontées, par leur séropositi-vité, au drame de leur mort annoncée, sans qu'elles puissent se défendre, sans que la médecine puisse leur offrir la guérison.

LES RÉACTIONS

Le refus de la maladie et des soins, l'isolement et la marginalisation sont souvent des réactions immédiates qui permettent d'exorciser la maladie. Ensuite, la colère et la dépression s'installent : ce sont des processus psychologiques nécessaires pour accepter et intégrer la maladie. Ainsi, même si cela semble impossible à croire au départ, la majorité des patients réussissent au bout d'un certain temps à se recréer un équilibre intérieur, en adoptant un style de vie adapté, propre à chacun.

LE CACHER OU LE DIRE

Cacher sa séropositivité ou la révéler à sa famille, aux amis ou aux collègues, est un choix souvent difficile pour la personne atteinte par le sida. L'entourage, qui découvre dans certains cas des comportements jusque-là ignorés (homosexualité, toxicomanie), peut mal réagir. Des conflits graves sont alors susceptibles de fragiliser, voire de détruire, les relations de couple, familiales ou amicales dont le malade a tant besoin.

LA PEUR DE SOI ET DES AUTRES

Le sida, du fait de sa singularité, fait souvent naître, chez les personnes qui en sont atteintes, une peur de soi et des autres. À la différence d'autres maladies graves comme le cancer, le sida est contagieux et la frustration engendrée par les précautions que le patient doit prendre peut être vécue comme les conséquences d'une faute et être rejetée avec un sentiment de révolte. Certains malades, qui se sentent repoussés comme des « lépreux » par leur entourage, se marginalisent et refusent de se soigner. Le risque de suicide est alors présent. D'autres personnes, susceptibles d'avoir été contaminées, iront jusqu'à ne pas faire le test, de peur de subir une déconsidération sociale ou personnelle.

LA DÉPENDANCE VIS-À-VIS DU MÉDECIN

L'évolution de la maladie passe par des épisodes aigus et par des périodes de rémission. La peur de se savoir à chaque fois amoindri crée une dépendance accrue vis-à-vis du médecin. Le patient cherche constamment à être rassuré alors qu'il peut remarquer lui-même les changements de son aspect physique,

Le rôle des associations. Il existe des associations qui prennent en charge les enfants dont les parents sont décédés du sida.

DU POINT DE VUE DES SOIGNANTS

Devant un malade atteint du sida, comme devant toute personne qui souffre d'une maladie très grave, les professionnels de la santé se sentent impuissants ou culpabilisent de ne pouvoir faire plus.
Il n'est pas facile de répondre aux questions du malade, et les soignants, qui sont constamment en relation avec lui, deviennent souvent une sorte de seconde famille, auprès de laquelle celui-ci trouve réconfort et soutien psychologique.

son amaigrissement, l'apparition de taches sur la peau, etc. Chaque examen, chaque nouveau traitement est source de stress. Le malade en arrive à douter du bénéfice du traitement, ce qui peut entraîner un état dépressif. La présence du médecin et des proches est alors particulièrement importante.

LES ASSOCIATIONS

La relation avec des personnes séropositives ou malades perturbe l'entourage et nécessite de sa part une grande énergie.
Pour aider à la fois les malades et leurs proches – famille et amis – à faire face au sida, il existe des associations spécialisées, au sein desquelles ils peuvent trouver des réponses à leurs questions et rencontrer d'autres personnes confrontées aux mêmes difficultés.

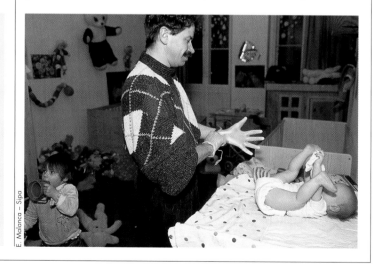

E. Malanca – Sipa

Problèmes d'aujourd'hui

Les cancers

Les cancers représentent aujourd'hui l'un des problèmes de santé les plus préoccupants. En effet, dans les pays occidentaux, ils constituent la deuxième cause de mortalité après les maladies cardiovasculaires.

Le cancer est un développement anarchique et continu de cellules anormales, issues à l'origine d'une seule cellule devenue cancéreuse parmi les milliards de cellules qui forment notre corps. Les cellules cancéreuses ne répondent plus aux règles et aux signaux de multiplication ou de non-multiplication, lesquels permettent normalement le fonctionnement harmonieux de l'organisme. En l'absence de traitement, le cancer va envahir et détruire les tissus sains voisins et coloniser des organes à distance (métastases). On dit alors qu'il est « généralisé ».

Les phénomènes génétiques et les mécanismes responsables de la transformation d'une cellule normale en cellule cancéreuse sont multiples et complexes. Ils sont variables dans le temps et pour chaque cancer. Grâce aux progrès de la médecine, ces données sont de mieux en mieux connues, ce qui permet aujourd'hui de proposer des mesures de prévention et de dépistage, et des traitements de plus en plus efficaces.

La prévention du cancer est avant tout personnelle. Le mode de vie et le comportement individuel sont en cause dans 80 % des cancers. C'est à chacun d'éviter les facteurs de risque les plus fréquents : tabac, alcool, exposition prolongée et répétée au soleil, alimentation déséquilibrée. Les cancers liés directement à l'environnement ou qui comportent un risque familial, par anomalie génétique transmise héréditairement, sont minoritaires.

Dans tous les cas, chacun doit être attentif aux premiers signes d'alerte du cancer. Ceux-ci justifient toujours, si minimes soient-ils, une consultation chez le médecin et d'éventuels examens qui permettront de découvrir des lésions précancéreuses ou des cancers à un stade précoce, augmentant ainsi les chances de guérison.

Une meilleure connaissance du cancer, de ses causes, de son mode de développement, a démystifié une maladie longtemps restée taboue, source de crainte et d'angoisse. Les recherches de nouveaux traitements (immunothérapie, thérapie génique), venus renforcer les traitements classiques (chirurgie, radiothérapie, chimiothérapie, hormonothérapie), laissent présager de nombreux espoirs dans la lutte contre cette maladie.

Les problèmes d'aujourd'hui

Notre santé est aujourd'hui menacée par de grandes maladies qui se sont considérablement développées au cours de ces dernières décennies : athérosclérose, infarctus, bronchite chronique, cancer des poumons, ulcère, etc. L'essor de ces affections est, en grande partie, lié aux modifications de notre mode de vie et de notre environnement. Le tabagisme, le stress, la pollution atmosphérique, une alimentation déséquilibrée sont autant de facteurs qui aggravent les risques d'être atteint par ces maladies. La prévention dans ce domaine reste essentielle.

Depuis une trentaine d'années, ces maladies bénéficient du développement considérable des méthodes de chirurgie : chirurgie cardiaque à cœur ouvert, greffe du cœur, du bloc cœur-poumons, du foie. De nouvelles techniques prennent actuellement le relais et apportent des progrès majeurs dans leur traitement. Par exemple, l'angioplastie permet d'intervenir directement dans les vaisseaux sanguins pour déboucher les artères, les dilater, ou poser des prothèses vasculaires, sans ouverture chirurgicale. Grâce à l'endoscopie, utilisée notamment dans les maladies du tube digestif, il est possible, au moyen d'un petit appareil, de visualiser directement un organe et donc de dépister ulcères, cancers et autres maladies, avec un minimum de gêne pour le malade.

Les problèmes d'aujourd'hui sont également marqués par

des faits de société. Par exemple, le stress a pris une importance considérable dans la vie quotidienne. Qui ne s'est jamais plaint un jour d'être stressé ? Si un stress modéré peut être momentanément bénéfique, il peut entraîner à la longue un épuisement psychique et une dépression. Il ne faut donc pas le négliger. L'alcoolisme et la toxicomanie font également partie des problèmes de santé actuels. Ces comportements sont aujourd'hui considérés comme de véritables maladies, dont il existe des traitements qui ont prouvé leur efficacité.

Nos sociétés ont pris conscience, en cette fin de siècle, que mieux vivre, c'était aussi mieux vieillir et mieux mourir. Mieux vieillir, c'est savoir prévenir les grandes maladies liées à l'âge, c'est continuer à mener des activités physiques et intellectuelles, c'est avoir encore sa place dans la société. Mieux mourir, c'est combattre la douleur sous toutes ses formes, c'est garder sa dignité d'homme.

Toutes ces notions ont leur place dans la prise en charge des grands problèmes d'aujourd'hui.

LES CANCERS

MÉCANISME ET ÉVOLUTION

Les cancers sont des maladies caractérisées par une prolifération anarchique, incontrôlée et incessante des cellules.

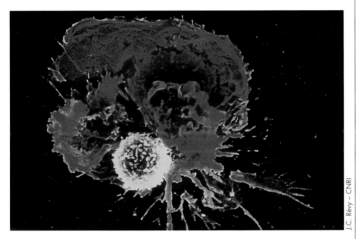

Lymphocyte (jaune) attaquant une cellule cancéreuse (rose fuchsia). Le but est de détruire la cellule cancéreuse.

J.C. Révy – CNRI

Le cancer prend généralement le nom de l'organe dans lequel il s'est déclaré : cancer du foie, du poumon, du rein, par exemple.

LE MÉCANISME

Normalement, les cellules qui constituent les tissus et les organes se multiplient en permanence, les cellules les plus jeunes remplaçant les plus vieilles. Pour chaque tissu, ce rythme est régulier et s'accélère parfois en cas de besoin. Ainsi,

les cellules de la peau se multiplient plus rapidement lors de la cicatrisation d'une coupure. Cette multiplication cellulaire, maîtrisée et harmonieuse, est contrôlée par des gènes. Mais certains de ces gènes, les oncogènes, sont susceptibles de subir une modification de structure, appelée mutation ; ils provoquent alors une multiplication ininterrompue des cellules, ce qui aboutit à la naissance d'un cancer. Les causes de ces mutations ne sont pas toujours connues. Certaines mutations sont probablement spontanées, d'autres étant provoquées par des facteurs extérieurs divers : virus, substances

LA CARCINOGENÈSE

La carcinogenèse est l'ensemble des mécanismes qui vont entraîner la transformation d'une cellule normale en cellule cancéreuse, en permettre la prolifération anarchique et incontrôlée et la dissémination dans l'organisme (métastases). Il s'agit d'un phénomène à plusieurs étapes, qui se déroule le plus souvent sur de très nombreuses années. Des anomalies et des dysfonctionnements s'accumulent au niveau de certains gènes appelés oncogènes. Chaque année, de nouveaux dysfonctionnements de la cellule cancéreuse par rapport à la cellule normale sont découverts. La complexité du processus d'apparition d'un cancer est de mieux en mieux comprise et laisse entrevoir la possibilité de traitements plus efficaces dans l'avenir.

naturelles ou chimiques, rayonnements solaire ou radioactif.

La mutation d'un oncogène ne suffit pas à faire naître un cancer, car l'organisme possède des systèmes de défense, dont le premier est celui des antioncogènes. Ces derniers sont des gènes destinés à contrer et à équilibrer l'action des oncogènes. Leur action est efficace lorsqu'il n'existe qu'une mutation. Mais ils peuvent être débordés quand plusieurs mutations ont eu lieu. Parfois, c'est l'antioncogène lui-

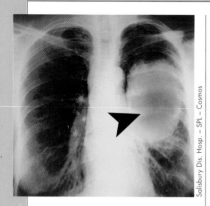

Cliché radiographique d'un cancer du poumon. *La tumeur, volumineuse, est visible en orange au niveau du poumon gauche.*

même qui subit une mutation. Il devient inactif et laisse le champ libre aux oncogènes, entraînant l'apparition d'un cancer. Enfin, il existe des cancers qui sont dus à l'absence héréditaire de plusieurs anti-oncogènes, ce qui expliquerait les prédispositions familiales à certains cancers.

LA NAISSANCE DU CANCER

Lorsqu'une cellule devient cancéreuse, elle se multiplie en donnant naissance à d'autres cellules, elles-mêmes cancéreuses. Lors de ces premières multiplications, l'organisme peut réagir grâce à son système immunitaire, qui mobilise des globules blancs spéciaux, appelés phagocytes. Ces derniers reconnaissent les cellules cancéreuses comme anormales, au même titre que des microbes ou des parasites, et sont capables de les détruire.

Il se produit ainsi une course de vitesse entre le système immunitaire et les cellules cancéreuses qui cherchent à se multiplier. Si celles-ci sont plus rapides, le cancer se développe. C'est pourquoi les malades qui ont un système immunitaire affaibli (sida, par exemple) développent aussi des tumeurs malignes en plus des infections.

La multiplication des cellules cancéreuses ne s'arrête jamais. Après les premières divisions cellulaires anormales, on ne peut plus espérer une guérison spontanée. C'est ce qui différencie le cancer des tumeurs bénignes. Celles-ci résultent également d'une multiplication anormale et excessive des cellules, mais qui reste limitée et localisée, comme pour les verrues.

L'ÉVOLUTION

L'évolution du cancer est généralement très longue. Les premiers symptômes de la maladie apparaissent souvent plusieurs années après la formation initiale du cancer. Au fur et à mesure que la maladie évolue, le tissu cancéreux devient de plus en plus autonome, fabriquant lui-même les facteurs de croissance dont il a besoin ou initiant leur production par les cellules normales qui l'entourent.

Des cellules cancéreuses peuvent se détacher de la tumeur initiale, migrer par les vaisseaux sanguins ou lymphatiques et s'implanter dans un autre organe pour donner naissance à une nouvelle tumeur cancéreuse : c'est ce que l'on appelle la métastase. Le cancer est alors disséminé et généralisé.

En même temps qu'il se développe, le cancer devient de plus

LES MÉTASTASES

Des cellules cancéreuses peuvent quitter la tumeur initiale, migrer vers d'autres organes et donner naissance à une tumeur secondaire, la métastase. La migration la plus fréquente s'effectue par les vaisseaux lymphatiques vers les ganglions. Ainsi, en cas de cancer, le médecin recherche toujours une modification des ganglions (ceux de l'aisselle pour le cancer du sein). Les cellules cancéreuses peuvent aussi passer par le sang et provoquer alors des métastases n'importe où dans l'organisme.

La présence de métastases est un signe de gravité du cancer, rendant le traitement plus difficile. Parfois, la métastase est plus grave que le cancer lui-même : c'est le cas d'une métastase localisée dans le cerveau, dont le foyer d'origine est, par exemple, un cancer digestif.

en plus agressif et résistant aux traitements entrepris.

L'évolution de la maladie est différente d'un cancer à l'autre. En effet, il existe 300 types de cellules dans le corps humain, chacun d'eux pouvant donner naissance à un cancer particulier. De plus, pour un même type de cancer, l'évolution peut également varier d'une personne à l'autre.

Ces variations dépendent du nombre et des types de dysfonctionnements accumulés dans la cellule cancéreuse et des relations complexes que le tissu cancéreux établit avec les cellules normales.

Salisbury Dis. Hosp. – SPL – Cosmos

LES CANCERS

CLASSIFICATIONS ET GRAVITÉ

Les cancers sont des maladies graves, mais dont le degré de gravité varie beaucoup d'une forme à l'autre. Leur pronostic dépend en effet de leur localisation et de leur stade d'évolution.

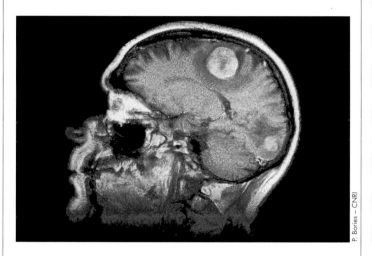

Coupe de cerveau en IRM (imagerie par résonance magnétique) avec métastase cancéreuse. La métastase cérébrale est visible en jaune.

P. Bories – CNRI

La diversité des cancers nécessite de les différencier selon un système de classification précis.

LES CLASSIFICATIONS

Les cancers peuvent être classés en fonction de l'organe ou de l'appareil dans lequel ils se développent (sein, foie, rein, appareil digestif, etc.) ou des cellules qui leur donnent naissance. Par exemple, la leucémie, qui est un cancer du sang, résulte de la prolifération cancéreuse des leucocytes (globules blancs). Une autre classification prend en compte les caractéristiques anatomiques des cancers : localisés ou diffus, avec ou sans envahissement des ganglions.

Les cancers peuvent également être classés selon l'aspect des cellules qui les constituent. Celles-ci peuvent ressembler aux cellules normales du tissu où le cancer se développe, même si elles sont assemblées de façon anarchique à cause de leur multiplication rapide. On parle alors de cancer « différencié ». À l'inverse, les cancers de type « indifférencié » ont des cellules complètement anormales, ressemblant à des cellules primitives, embryonnaires. Ces cancers se développent rapidement et sont particulièrement graves. Lorsque l'aspect des cellules cancéreuses est plus ou moins proche de celui des cellules normales, on parle de cancer moyennement différencié.

Les éléments qui concernent directement la tumeur (localisation, taille, existence d'un envahissement des ganglions, métastases) sont exprimés sous forme de code. Ce code, uni-

INFLUENCE DE L'ÂGE ET DU SEXE

Les individus ne sont pas égaux face au risque de cancer. Le principal facteur de risque est l'âge. En effet, même si les cancers peuvent s'observer à tout âge, leur fréquence augmente avec les années. 1 % des cancers apparaissent avant 15 ans, tandis que 55 % d'entre eux sont diagnostiqués après 65 ans.

Le sexe joue également un rôle important dans la fréquence respective des organes atteints. Les cancers sont plus fréquents et, surtout, plus meurtriers chez l'homme que chez la femme. 57 % des nouveaux cancers touchent le sexe masculin et 60 % des décès surviennent chez les hommes.

versel, permet de simplifier le diagnostic et les traitements qui s'y rapportent. Le code le plus ancien se réfère à une notion de stade. Le stade 0 correspond à une guérison dans 100 % des cas et le stade IV comporte un pronostic fatal dans près de 100 % des cas. Cette classification repose sur les données de l'examen clinique et des examens radiologiques. Un autre type de code prend en compte la description de 3 éléments : l'extension de la tumeur primitive (élément représenté par un T), l'état des ganglions lymphatiques (N) et l'absence ou la présence de métastases à distance (M). Chaque élément, T, N, M, est affecté d'un chiffre d'ordre croissant qui exprime le degré de gravité du cancer.

LA FRÉQUENCE

Le cancer est connu depuis l'Antiquité. Dans les pays industrialisés, il est la deuxième cause de mortalité après les maladies cardio-vasculaires. On remarque, en Europe et en Amérique du Nord, une prédominance des cancers du poumon (attribuables, pour 90 % d'entre eux, au tabagisme), des cancers du côlon ou du rectum (probablement liés, en partie, à l'alimentation) et des cancers du sein (aux causes encore méconnues).
En Afrique, on relève la fréquence des cancers du foie dans les zones d'endémie de l'hépatite B et celle des cancers du col de l'utérus dans les pays où la natalité est élevée et où l'hygiène est encore défaillante, ce qui a pour conséquence un taux accru de

maladies sexuellement transmissibles (papillomavirus ou virus herpétique), qui peuvent être à l'origine de ces cancers.

LE PRONOSTIC ET LA GRAVITÉ DES CANCERS

Le cancer est l'exemple type de la maladie grave, mais son degré de gravité est très variable d'une forme à l'autre et d'un individu à l'autre. De nombreux cancers sont relativement bénins. Ainsi, certains cancers cutanés ou digestifs, une fois traités, sont complètement guéris. Globalement, grâce aux différents traitements actuels, on estime que la moitié des personnes atteintes de cancers se rétablissent. La gravité d'un cancer dépend

souvent de sa localisation. Par exemple, un cancer du poumon ou du cerveau reste toujours grave. Le pronostic d'un cancer de la peau est révélé par sa classification TNM. L'examen au microscope dira s'il s'agit d'un cancer redoutable, avec risque de métastases, ou alors d'un cancer qui ne peut se développer que localement.
La gravité d'un cancer digestif dépend souvent de son stade d'évolution. S'il est découvert tardivement, les chances de guérison sont nettement diminuées. Il en est de même pour le cancer du col de l'utérus, où le dépistage doit permettre la découverte du cancer aux tout premiers stades, les chances de guérison étant alors supérieures.

CLASSIFICATION TNM (*) DES CANCERS

T : tumeur primitive		N : atteinte des ganglions		M : métastases à distance	
Tis	In situ (localisé)	N0	Pas d'atteinte	M0	Pas de métastases
T1	Taille de plus	N1	Nombre de	M1	Métastases
T2	en plus	N2	ganglions atteints		à distance
T3	importante	N3	de plus en plus		
			grand ou atteinte		
			d'aires ganglionnaires		
			de plus en plus		
			éloignées		
T4	Envahissement				
	de voisinage				

(*) Tumor - lymph node - metastasis (tumeur - ganglion - métastase)

CLASSIFICATION PAR STADE DES CANCERS

Stade 0	Cancer in situ (localisé) sans extension
Stade I	Petite tumeur sans envahissement ganglionnaire
Stade II	Tumeur plus volumineuse et envahissement ganglionnaire minime
Stade III	Tumeur développée au-delà de l'organe atteint avec envahissement ganglionnaire important
Stade IV	Tumeur diffuse avec métastases

LES SIGNES D'ALERTE

Les signes d'alerte des cancers peuvent être généraux, sans concerner particulièrement un organe, ou, au contraire, être liés à la localisation du cancer ou à sa dissémination.

La plupart des signes d'alerte du cancer ne sont pas spécifiques de cette maladie. Ils sont, pour cette raison, très souvent négligés par le malade, ou même par le médecin, étant rapportés à d'autres affections bénignes, ou considérés comme habituels et non alarmants. Néanmoins, ils justifient toujours, si minimes soient-ils, une consultation médicale. Seul un examen clinique, complété au besoin par des examens biologiques, radiologiques et endoscopiques, orientera le diagnostic de façon précise.

Femme ressentant de la fatigue. *Une fatigue inhabituelle, prolongée et inexpliquée, peut être un signe d'alerte du cancer.*

LES SIGNES GÉNÉRAUX

Les signes généraux sont variés et peuvent rester longtemps isolés, sans manifestation particulière d'un cancer, notamment en cas d'atteinte d'un organe profond. Ils doivent alerter par leur permanence ou leur aggravation.

Ils peuvent être une perte d'appétit (viande en particulier), une perte de poids importante et une fièvre, souvent peu élevée, qui résiste à tout traitement et sans cause infectieuse. Une fatigue inhabituelle et de plus en plus marquée peut également survenir.

LES GRANDS SIGNES D'ALERTE

Les cancers se manifestent par 3 grands signes d'alerte : saignement, douleur, infection.

Le saignement, qu'il soit minime ou abondant, constitue toujours un signe d'alerte. Il peut être dû à une lésion des vaisseaux sanguins, envahis par une tumeur, ou à leur rupture au sein même du tissu cancéreux. Il peut être extériorisé par la bouche ou par le nez en cas de cancers de la bouche, de la gorge, des sinus ou de l'œsophage ou

se limiter à quelques traînées sanglantes dans les crachats en cas de cancer des bronches et des poumons. La présence de sang dans les urines oriente vers un cancer des reins, de la vessie ou de la prostate (l'appareil urinaire). Chez la femme, des pertes de sang en dehors des règles ou provoquées par des rapports sexuels, ou encore survenant après la ménopause, peuvent être dues à un cancer de l'utérus ou à un cancer du vagin. Un saignement accompagnant les selles est souvent le premier signe d'un cancer du côlon. Un vomissement de sang est généralement lié à un cancer de l'œsophage ou de l'estomac.

La douleur fait également partie des grands signes d'alerte des cancers. Elle est particulière car

LES PHLÉBITES

Les phlébites (formation d'un caillot de sang dans une veine) sont parfois le premier signe d'un cancer. Au niveau des membres inférieurs, les phlébites peuvent être favorisées par une compression veineuse liée à une tumeur au niveau de l'abdomen ou du bassin. Elles peuvent être à répétition, avec des localisations variables et inhabituelles. Elles sont alors dues à la sécrétion, par le tissu cancéreux, de substances provoquant la formation de caillots sanguins.

de localisation fixe, permanente, s'accentuant régulièrement, cause d'insomnie et de plus en plus difficile à calmer par les médicaments antidouleur habituels. Un mal de tête permanent peut être, au début, le seul signe révélateur d'un cancer du cerveau. Des douleurs abdominales continues ou spasmodiques (coliques) peuvent être les premiers signes d'alerte d'un cancer développé dans un organe profond (côlon, par exemple).

L'infection. Des infections survenant à répétition et cédant mal à des traitements antibiotiques répétés peuvent constituer un signe d'alerte du cancer. En effet, le cancer facilite les infections bactériennes pour plusieurs raisons. Il entraîne un affaiblissement du système immunitaire, un rétrécissement des organes creux (bronches ou appareil urinaire, par exemple), une ulcération des muqueuses de la bouche, de la gorge ou des organes génitaux, ou une destruction des tissus. Tous ces troubles favorisent le développement des bactéries, responsables d'infections.

LES SIGNES PAR ORGANE OU PAR APPAREIL

Les signes d'alerte des cancers peuvent orienter précisément le diagnostic vers un organe ou un appareil particuliers.

La bouche, la gorge, les sinus et l'œsophage : les signes d'alerte sont une gêne ou une douleur à la mastication, la douleur se propageant dans les oreilles, une modification persistante de la voix avec enrouement (cancer de la bouche ou de la gorge) et une sensation, parfois douloureuse, de blocage des aliments, suivie de vomissements (en cas d'atteinte de l'œsophage).

Appareil respiratoire : une difficulté à respirer d'apparition brutale ou progressive, d'abord à l'effort puis au repos, est souvent le premier symptôme d'un cancer des poumons. L'apparition ou l'aggravation d'une toux qui dure doivent être considérées avec attention chez un fumeur.

Appareil digestif : les premiers signes d'un cancer de l'appareil digestif sont une sensation de pesanteur dans la partie haute de l'abdomen et un ralentisse-

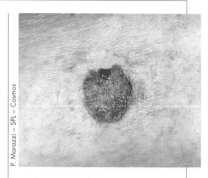

P. Marazzi – SPL – Cosmos

Mélanome malin. *Ce cancer provient de la transformation d'un grain de beauté, qui change de forme et de couleur.*

ment du transit intestinal (constipation). Des fausses envies, une pesanteur rectale parfois très douloureuse orientent vers un cancer du rectum ; une jaunisse s'accentuant rapidement évoque un cancer des voies biliaires ou du foie.

Appareil urinaire et prostate : des difficultés pour uriner, voire une rétention d'urine, peuvent être les premiers signes d'un cancer de l'appareil urinaire ou de la prostate chez l'homme.

Appareil ganglionnaire : l'augmentation de volume d'un ou de plusieurs ganglions lymphatiques au niveau du cou, des aisselles ou de l'aine peut être le premier signe d'un cancer profond ou d'un cancer développé aux dépens du tissu ganglionnaire lui-même.

Système nerveux central : un mal de tête persistant, des paralysies, des troubles visuels, des modifications du caractère, des vomissements survenant le matin sont parfois les premiers signes révélateurs d'un cancer au niveau du cerveau ou des méninges.

LES SIGNES PALPABLES OU VISIBLES

Certains signes d'alerte des cancers peuvent être directement visibles ou palpables. Un nodule (petite lésion sous forme de boule) ou un durcissement anormal au niveau de la peau, d'un muscle, d'un sein ou d'un testicule, qu'ils soient douloureux ou non, doivent inciter à consulter un médecin s'ils persistent et augmentent régulièrement de volume.

Une irritation saillante et irrégulière au niveau de la peau, ulcérée, qui ne cicatrise pas et s'étend, est un signe d'alerte important pour les cancers de la peau.

Enfin, en cas de modification d'une verrue ou d'un grain de beauté, avec épaississement, changement de couleur ou saignement, il faut consulter rapidement son médecin.

LES CAUSES DES CANCERS

De nombreux cancers ont des causes connues et sont donc évitables. Souvent, un cancer n'est pas dû à une cause isolée mais à un ensemble de causes.

Les facteurs de risque des cancers sont nombreux. Dans la plupart des cas, chaque facteur en cause donne naissance à un cancer au niveau d'un organe ou d'un appareil particuliers.

LE TABAC

Le tabac est responsable d'environ 90 % des cancers bronchopulmonaires. Il provoque la mort de 2 millions de personnes chaque année dans les pays industrialisés, dont la moitié avant 65 ans. Le risque est d'autant plus important que la personne fume beaucoup, depuis longtemps, qu'elle inhale la fumée et qu'elle a commencé jeune. Le filtre ne diminue que légèrement le risque, le tabac brun l'augmente. Autrefois essentiellement masculine, la consommation de tabac a augmenté chez les femmes. Par ailleurs, il y a probablement un risque accru de cancer bronchopulmonaire chez les sujets vivant dans un environnement enfumé.

Groupe de jeunes fumant et consommant des boissons alcoolisées. Le tabac et l'alcool sont les principales causes des cancers, et leur association a un effet multiplicateur.

L'ALCOOL

L'alcool est un facteur de risque pour les cancers de la bouche, de la gorge, de l'œsophage et du foie. Le fait de fumer multiplie ce risque.

RAYONNEMENT SOLAIRE

La mode du bronzage de ces dernières décennies s'est accompagnée d'une augmentation de la fréquence des tumeurs cutanées (carcinomes et mélanomes). Le rôle des ultraviolets, en particulier des UVB, dans l'apparition de ces cancers cutanés est aujourd'hui établi, surtout chez les personnes à peau claire.

Doisneau – Rapho

Un certain nombre d'études montrent une élévation du risque de cancer du sein chez les femmes consommant des boissons alcoolisées.

L'ALIMENTATION

Une alimentation trop riche en calories, en viandes rouges et en graisses animales augmente le risque d'apparition des cancers de l'intestin surtout, mais aussi celui des cancers du sein, de l'utérus et de la prostate.
En revanche, les fruits et les légumes paraissent avoir un rôle protecteur, notamment en ce qui concerne les cancers digestifs.

LES IRRADIATIONS

Le premier cancer de la peau après irradiation a été décrit dès 1904. Une publication révéla, en 1944, que les radiologistes mouraient 10 fois plus de leucémies que les autres médecins.
Chez les survivants d'Hiroshima (1945), les premières leucémies furent observées en 1948 ; d'autres types de cancer (moelle osseuse, thyroïde, sein, os) furent décelés 15 ans après

l'explosion et le sont, aujourd'hui encore, chez les survivants. Les leucémies apparaissent en moyenne 8 ans après l'irradiation, les autres tumeurs, 20, 30 ou 40 ans après.
La réglementation de la radioprotection a fait disparaître les risques professionnels, en particulier chez les radiologues, les manipulateurs et les ouvriers des installations atomiques.
De même, les progrès de la radiologie et les nouvelles méthodes d'imagerie médicale ont diminué, pour les patients, les risques liés aux radiographies.

L'ENVIRONNEMENT

On a établi dès 1775 qu'il y avait une relation entre l'exposition à la suie et l'apparition d'un cancer du scrotum (poche contenant les testicules) chez les ramoneurs : ce fut le premier cancer professionnel enregistré. Dans l'industrie, de nombreux procédés industriels ou substances chimiques nouvelles sont cancérogènes pour l'homme. Lorsque le danger est identifié, des mesures efficaces peuvent être prises. Mais certains produits sont parfois

L'HÉRÉDITÉ

Il n'y a pas de cancer héréditaire, mais on observe des prédispositions familiales à certains cancers. Ainsi, les membres d'une famille qui comporte une personne atteinte d'un cancer du côlon, de l'ovaire ou du sein, présentent un risque de 2 à 4 fois plus élevé que les autres de développer le même cancer.
Quelques maladies génétiques s'accompagnent d'un risque accru de cancers atteignant spécifiquement certains organes (par exemple, le rétinoblastome dans la trisomie 21, ou mongolisme).

employés très longtemps avant que l'on puisse établir leur nocivité. Ce fut le cas de l'amiante, largement utilisé dans la construction, et qui provoque des cancers de la plèvre (membrane enveloppant les poumons).

LES VIRUS

La première liaison mise en évidence entre virus et cancer fut celle du virus d'Epstein-Barr (responsable de la mononucléose infectieuse) avec le lymphome africain de Burkitt (1964).
Le virus de l'hépatite B provoque, à long terme, un cancer du foie. Le rôle cancérogène des rétrovirus, comme le virus du sida (VIH), est maintenant bien établi. Certaines leucémies aiguës sont induites par un virus très proche de celui du sida.
Les cancers du col de l'utérus sont plus fréquents chez des femmes qui ont été atteintes d'infections à papillomavirus.

HORMONES ET CANCERS

L'apparition de cancers du vagin chez les filles nées de mères ayant reçu du diéthylstilbestrol (œstrogène) pendant les trois premiers mois de grossesse a fait réfléchir sur le rôle cancérogène possible des hormones. Lorsque les œstrogènes sont utilisés en tant que contraceptifs, c'est-à-dire associés à des progestatifs, il n'y a pas, en règle générale, de risque accru de cancer du sein.
L'utilisation des contraceptifs oraux soulève pourtant quelques réserves quand elle commence très tôt avant une première grossesse ou qu'elle concerne des femmes atteintes d'une affection bénigne du sein (adénofibrome).

PRÉVENTION ET DÉPISTAGE

LA PRÉVENTION

Prévenir le cancer consiste à limiter l'exposition aux facteurs de risque et, ainsi, à réduire la fréquence de cette maladie.

Garo – Phanie

Jeune femme au marché.
L'alimentation joue un rôle dans la prévention des cancers. Les légumes riches en vitamine A ou en fibres ont un effet protecteur.

La prévention du cancer peut être individuelle ou collective, avec la mise en place d'une réglementation et de mesures d'information.

LA PRÉVENTION INDIVIDUELLE

La prévention individuelle repose sur la modification des modes de vie et du comportement, facteurs de risque les plus fréquents.

En effet, ces derniers, notamment le tabac, l'alcool et l'alimentation, sont en cause dans plus de 80 % des cancers. Les cancers consécutifs à la pollution ou à une exposition professionnelle sont estimés à 10 % et les cancers liés à des facteurs héréditaires sont très peu nombreux.

Le tabac est responsable de plus de 90 % des cancers broncho-pulmonaires, ces maladies étant la première cause de mortalité dans le monde. La prévention consiste simplement à éviter de fumer. Il existe de nombreuses méthodes pour arrêter de fumer. Il ne faut pas hésiter à demander conseil à son médecin. Il n'est jamais trop tard pour arrêter de fumer, chaque cigarette accroissant le risque.

L'alcool n'est pas directement cancérogène, mais, associé au tabac, il multiplie les risques d'apparition des cancers de la bouche, de la gorge et de l'œsophage. La plupart de ceux-ci s'observent, en effet, chez des personnes consommatrices d'alcool et de tabac.

L'alimentation riche en graisses saturées (animales essentiellement : viande et produits laitiers) et en protéines, et pauvre en fibres, multiplie le risque des cancers digestifs (estomac, côlon et rectum) ; elle augmente aussi celui des cancers du sein, de l'utérus et de la prostate. La prévention consiste donc à rééquilibrer l'alimentation en diminuant la consommation de viande et de graisses animales au profit du poisson et des graisses végétales. L'apport de pain, de féculents et de légumes riches en fibres doit être suffisant.

LA PRÉVENTION COLLECTIVE

La prévention collective repose sur la mise en place de mesures réglementaires administratives visant à réduire la pollution atmosphérique. La fréquence des cancers professionnels peut être diminuée par une meilleure protection des travailleurs exposés à l'amiante, aux radiations ionisantes, aux colorants aromatiques, aux poussières des bois exotiques, etc. Ces facteurs de risque professionnels sont en cause dans 2 à 5 % des cancers. Des campagnes d'information et d'éducation sont menées, notamment auprès des jeunes, concernant les principales recommandations d'hygiène contre le cancer. Dans la prévention du cancer, la lutte contre le tabagisme et l'alcoolisme reste prioritaire. Elle justifie des mesures collectives mais ne saurait remplacer la part de décision individuelle, essentielle dans ce domaine.

LE DÉPISTAGE

Le dépistage du cancer consiste à détecter, par un examen systématique, les états précancéreux avant l'apparition des premiers symptômes pour empêcher le développement de la maladie.

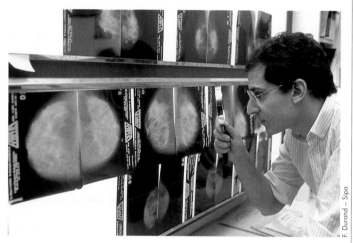

Centre de radiologie où un médecin analyse des clichés de mammographie. *Cet examen permet de dépister des cancers du sein à un stade très précoce, accroissant ainsi les chances de guérison.*

Le dépistage a pour objectif de traiter des cancers à un stade précoce, augmentant ainsi le pourcentage de guérison.

LES DIFFÉRENTS TYPES DE DÉPISTAGE

Le dépistage individuel est demandé par le médecin généraliste ou spécialiste. Plus rarement, il est sollicité par la personne elle-même, lorsque celle-ci est atteinte d'une maladie pouvant dégénérer en cancer ou qu'elle fait partie d'une famille dont plusieurs membres ont eu des cancers (cancer du sein ou cancer du côlon, par exemple).

Le dépistage de masse (comme le dépistage du cancer du sein par une mammographie) s'adresse à une population définie de plusieurs milliers d'individus (population exposée à des facteurs de risque particuliers ou non). Ce dépistage nécessite un programme préétabli, un budget et des moyens de réalisation relevant de la santé publique.

LES MOYENS DE DÉPISTAGE

Il existe différents moyens de dépistage adaptés à chaque type de cancer. Ces moyens sont cliniques (auto-examen ou examen médical), radiologiques (mammographie), endoscopiques (coloscopie), anatomopathologiques (frottis cervico-vaginal).

Le cancer du col de l'utérus. Il est dépisté grâce au frottis cervico-vaginal, qui est un examen simple et indolore. À partir des premiers rapports sexuels, on préconise deux examens à 1 an d'intervalle, puis un examen tous les 3 ans, en l'absence d'anomalies, jusqu'à l'âge de 65 ans.

Le cancer du sein. Il est dépisté par une radiographie des seins (mammographie). Celle-ci doit être effectuée tous les 2 ou 3 ans à partir de l'âge de 50 ans, et plus précocement en cas de risque familial. On estime à 30 % la réduction de la mortalité due au cancer du sein grâce à la pratique de ce dépistage précoce.

Le dépistage par la palpation ou l'autopalpation des seins est considéré aujourd'hui comme trop tardif lorsqu'il met une tumeur en évidence.

Le cancer colorectal. Il est dépisté par la recherche de sang dans les selles. En cas de résultat positif, un examen endoscopique est pratiqué pour confirmer ou non la présence d'un cancer ou de lésions précancéreuses (polypes).

Le cancer des poumons. Il peut être dépisté par des clichés radiographiques du thorax, mais ce type de dépistage n'a pas permis d'augmenter les chances de guérison. Par conséquent, la prévention primaire par arrêt du tabagisme est prioritaire.

TRAITEMENTS : GÉNÉRALITÉS

La prise en charge médicale d'un cancer implique, dans la grande majorité des cas, plusieurs types de traitement : chirurgie, radiothérapie, chimiothérapie, hormonothérapie ou immunothérapie.

Recherche de gènes en cause dans le cancer. La thérapie génique est en plein essor.

H. Raguet – Phanie

La chirurgie et la radiothérapie sont des traitements locaux du cancer ; la chimiothérapie et l'hormonothérapie, dont les effets touchent tout l'organisme, sont utilisées dans la prévention ou le traitement d'un cancer généralisé.

Le choix de ces différents traitements dépend du type de cancer, mais aussi de l'âge et de l'état général du malade ainsi que d'éventuelles maladies associées pouvant contre-indiquer certains traitements (par exemple, insuffisance respiratoire ou cardiaque).

LES TRAITEMENTS LOCAUX

La chirurgie est, au départ, souvent nécessaire pour confirmer le diagnostic de cancer. Elle aide également à évaluer les lésions cancéreuses et leur extension. En cas de cancer localisé, elle permet l'ablation totale ou partielle de l'organe atteint ou de la tumeur cancéreuse.

La radiothérapie utilise divers rayonnements qui vont provoquer des anomalies dans les tissus traversés, entraînant la destruction immédiate ou retardée des cellules cancéreuses. Mais les rayonnements s'attaquent aussi aux tissus sains proches de la tumeur, ce qui limite l'utilisation de ce traitement. Le type de rayonnement et les doses délivrées dépendent du type de cancer.

LES TRAITEMENTS GÉNÉRALISÉS

La chimiothérapie a recours à divers types de médicaments, lesquels sont administrés le plus souvent par voie intraveineuse et diffusent ainsi dans la totalité du corps. Ceux-ci peuvent donc attaquer les sites visibles et invisibles du cancer. Ils entraînent la destruction des cellules cancéreuses, mais sont également toxiques pour les tissus sains, en particulier ceux qui se renouvellent rapidement (comme la moelle osseuse).

L'hormonothérapie. Le traitement hormonal des cancers dits hormonodépendants (cancer du sein et cancer de la prostate) consiste à priver les cellules cancéreuses des hormones qu'elles utilisent pour se multiplier. Ces hormones délivrent un message de division aux cellules cancéreuses, permettant leur accroissement. En supprimant le lieu de synthèse de ces hormones (ovaires, testicules) ou en bloquant la transmission du message de division, on prive les cellules cancéreuses de leurs facteurs de croissance hormonaux.

L'IMMUNOTHÉRAPIE ET LA THÉRAPIE GÉNIQUE

L'immunothérapie consiste à administrer des substances capables de stimuler les cellules du système immunitaire en vue de détruire les cellules cancéreuses. Les indications demeurent actuellement limitées à certains types de cancer.

La thérapie génique utilise les gènes comme médicaments : il s'agit de remplacer les gènes responsables de la naissance et de la croissance du cancer par des gènes normaux. Cette thérapie en est encore au stade préliminaire.

LA CHIRURGIE

Cette technique constitue le plus ancien traitement du cancer. Actuellement, elle est très souvent associée aux autres traitements, mais son rôle reste essentiel.

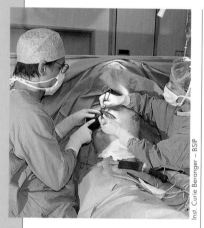

Ablation partielle du tissu mammaire. En cas de cancer, la chirurgie partielle – et non plus l'ablation totale du sein – est de plus en plus utilisée.

Le traitement chirurgical peut intervenir aux différents stades d'évolution du cancer.

LA CHIRURGIE DIAGNOSTIQUE

Dès les premiers signes d'alerte, le prélèvement d'un fragment du tissu suspect (biopsie) permet de confirmer le diagnostic. L'exploration chirurgicale complète les données recueillies par les examens effectués avec d'autres techniques (endoscopie, échographie et radiologie). Elle permet de visualiser directement l'extension locale du cancer, une donnée indispensable pour décider ou non d'un traitement complémentaire par chimiothérapie ou radiothérapie, par exemple.

LA CHIRURGIE D'ABLATION

Le but de la chirurgie d'ablation (exérèse) est de réduire le cancer à néant, ce qui peut impliquer l'ablation totale de l'organe où s'est développé le cancer (comme le poumon ou le rein). L'ablation chirurgicale peut être partielle pour un cancer limité en volume (cancer du sein, par exemple). Dans tous les cas, elle requiert plusieurs conditions :
– il ne doit pas y avoir de signes d'extension de la maladie (métastases) en dehors du site du cancer primitif ;
– il ne faut pas de contre-indications à l'acte opératoire ;
– l'ablation ne doit pas entraîner une détérioration d'une fonction vitale de l'organisme. Lorsque le volume du cancer, sa localisation ou son extension n'autorisent pas une ablation complète, la chirurgie, en réduisant le volume du tissu cancé-reux, permet une meilleure efficacité de la chimiothérapie ou de la radiothérapie, réalisées dans un second temps.
Pour certains cancers, l'ablation de sites de diffusion de la maladie (métastases) peut être réalisée quand ces derniers menacent des fonctions vitales (compression des bronches).

LA CHIRURGIE PRÉVENTIVE

La chirurgie préventive consiste à effectuer l'ablation totale ou partielle d'un organe à haut risque de cancérisation ou qui est le siège de lésions précancéreuses. Cette chirurgie peut être importante, par exemple dans les formes familiales de certains cancers rares de la thyroïde ou du tube digestif. Il peut également s'agir d'une chirurgie plus légère : ablation très localisée d'une lésion précancéreuse découverte lors d'un examen de dépistage du cancer.

LA CHIRURGIE RÉPARATRICE

La chirurgie réparatrice est actuellement en plein essor. Elle contribue de plus en plus à améliorer la qualité de vie des patients, en corrigeant les conséquences de mutilations inesthétiques ou fonctionnelles : reconstruction d'un sein, réparation d'un visage, pose d'une prothèse remplaçant un membre, par exemple.

LA RADIOTHÉRAPIE

Cette technique est actuellement utilisée dans le traitement de près de 50 % des cancers. Elle utilise l'énergie d'un rayonnement pour détruire les cellules cancéreuses, tout en préservant les tissus sains.

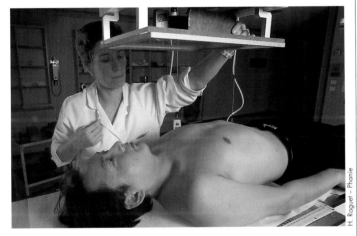

H. Raguet – Phanie

Personne atteinte d'un cancer des poumons en séance de radiothérapie externe.
Ce traitement utilise une source de rayons extérieure au patient.

LES DIFFÉRENTES TECHNIQUES ET LEURS INDICATIONS

Radiothérapie externe : source de radiation extérieure au malade.
– Tubes producteurs de rayons X : cancers cutanés.
– Accélérateurs :
de rayons gamma : cancers peu profonds (tête, cou, sein, ganglions) ;
d'électrons : tumeurs profondes (thorax, abdomen, bassin).
Curiethérapie : utilisation de rayons gamma émis par des sources radioactives placées dans l'organisme.
– Au contact de la tumeur : cancer du col de l'utérus.
– Dans les tissus : cancers de l'oreille, de l'anus, de la verge, récidive de cancer du sein.
Radiothérapie métabolique : administration d'un médicament contenant un élément radioactif, essentiellement l'iode 131 pour traiter le cancer de la thyroïde.

On estime que 1 cancer sur 2 est guéri grâce à la radiothérapie. Dans un grand nombre de cas, cette technique est employée seule, mais elle peut également être associée à d'autres traitements tels que la chirurgie ou la chimiothérapie.

LES TECHNIQUES D'IRRADIATION

La radiothérapie externe, encore appelée téléradiothérapie, dans laquelle la source du rayonnement est extérieure au malade, est la technique la plus utilisée. Elle fait appel à 2 types de rayonnements : des rayonnements ionisants électromagnétiques (rayons X, rayons gamma) ou des rayonnements constitués d'infimes particules élémentaires (électrons, protons, neutrons).

Ces rayonnements atteignent les tissus profonds après avoir traversé la peau et les tissus superficiels. Ils agissent en détruisant les chromosomes, responsables de la division cellulaire, ce qui entraîne la destruction des cellules cancéreuses irradiées. La radiothérapie a pour but de délivrer une dose de rayonnement suffisante pour traiter la tumeur, tout en épargnant les organes voisins. Ainsi, la dose totale est délivrée de façon discontinue en plusieurs séances. Elle est exprimée en grays (unité de mesure quantitative de radioactivité). Elle est comprise entre 20 et 80 grays et est calculée par informatique (dosimétrie).

La dose utilisée dépend du volume de la tumeur, du type de cellules qui la constituent et de l'objectif que s'est fixé le radiothérapeute : destruction de la tumeur, ralentissement de sa croissance (c'est le cas, par exemple, quand la tumeur ne peut pas être détruite parce qu'elle est très étendue ou inaccessible), ou seulement diminution de la douleur. La dose doit être efficace et bien tolérée. La technique des faisceaux convergents permet d'accroître l'efficacité du rayonnement sans abîmer les organes sains. Ces faisceaux, qui ont chacun une intensité trop faible pour léser les tissus normaux qu'ils traversent, sont orientés de façon à se recouper dans la tumeur : on obtient ainsi une concentration des rayonnements permettant de détruire les cellules cancéreuses en préservant les cellules voisines.

LE DÉROULEMENT DES SÉANCES

La radiothérapie suppose un environnement technique adapté. Avant le début du traitement, un scanner permet de repérer la localisation de la tumeur à irradier sur laquelle les rayons devront être ciblés. Des tatouages sur la peau marquent le point de pénétration des faisceaux et permettent de positionner les appareils lors des séances suivantes. Selon la profondeur de la tumeur, le cancérologue utilise des rayonnements plus ou moins puissants. L'utilisation d'un accélérateur de particules améliore la pénétration du rayonnement dans l'organisme.

Le malade est dévêtu, couché dans une position permettant l'irradiation, et immobile. Le traitement est indolore et ne dure que quelques minutes. Il est en général quotidien ou, parfois, fractionné dans la journée, pour augmenter son efficacité dans certains cancers (pharynx, larynx). Il dure en moyenne de 4 à 8 semaines, sans qu'une hospitalisation soit indispensable.

LES EFFETS SECONDAIRES

La radiothérapie anticancéreuse est une arme de mieux en mieux maîtrisée. Un certain nombre d'effets secondaires peuvent cependant survenir. Ils sont dus à l'atteinte des tissus sains par les radiations. Les effets immédiats sont transitoires, réversibles et ne laissent habituellement pas de séquelles. Ils varient selon la zone irradiée. Ils peuvent être locaux (rougeur, perte de poils) ou généraux (perte de poids, fatigue, nausées,

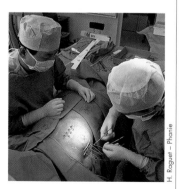

H. Raguet – Phanie

Femme atteinte d'un cancer du sein en séance de curiethérapie. *Cette technique de radiothérapie délivre les radiations directement dans la zone cancéreuse.*

LA RADIODERMITE

La radiodermite est une maladie de la peau provoquée par les radiations ionisantes. Plus la dose de rayonnement est forte, plus les lésions sont importantes. Selon le degré de gravité de la maladie, la peau peut être simplement rouge ou atteinte d'une pigmentation permanente, et la perte de poils peut être réversible ou définitive. Dans les cas les plus graves, des ulcérations cutanées peuvent apparaître, ainsi qu'un cancer de la peau radio-induit. La diminution de la dose a un effet préventif certain.

vomissements, diarrhée, diminution des cellules du sang).

Les complications tardives, conséquence de l'irradiation de tissus à renouvellement lent (os, muscles, poumon, foie, rein, tissu nerveux, moelle épinière), peuvent apparaître quelques années après la radiothérapie : envahissement des poumons par du tissu fibreux (fibrose pulmonaire), destruction osseuse (ostéonécrose), retard de croissance chez l'enfant, troubles génitaux (ménopause précoce, stérilité) ou sécheresse de la bouche et diminution du goût. Plus de 5 ans après la radiothérapie, des cancers provoqués par le traitement peuvent survenir.

La prévention repose sur des précautions techniques : dose de rayonnement et partie du corps irradiée les plus faibles possible, diminution de la dose administrée durant les séances avec augmentation du nombre de celles-ci.

LA CHIMIOTHÉRAPIE

Ce traitement repose sur l'utilisation de médicaments anticancéreux et a pour objectif de détruire les cellules cancéreuses ou d'empêcher leur multiplication. La chimiothérapie est souvent difficilement supportée par les malades.

La chimiothérapie est essentiellement utilisée pour traiter les cancers diffus ou susceptibles de se généraliser (métastases). Elle peut être employée seule ou en association avec d'autres traitements contre le cancer, comme l'hormonothérapie, la chirurgie ou la radiothérapie.

L'ACTION DES MÉDICAMENTS

Une cinquantaine de médicaments anticancéreux sont actuellement disponibles. Tous parviennent à atteindre la cellule cancéreuse juste avant qu'elle ne se divise en deux. La plupart agissent sur le noyau de la cellule, plus particulièrement sur la partie qui contient les informations génétiques nécessaires à la multiplication de la cellule (ADN).

Chaque médicament a son propre mécanisme d'action pour contrer le processus de multiplication des cellules cancéreuses, afin de stopper le développement de la tumeur. Ainsi, l'association de plusieurs médicaments, dont les mécanismes d'action sont différents, a une efficacité globale supérieure à celle de chaque produit.

LE CHOIX DES MÉDICAMENTS

Le type de médicament utilisé dépend de la localisation du cancer (sein, poumon, par exemple) et de la sensibilité du tissu à traiter, plus ou moins réceptif aux produits employés. Le médecin choisit le médicament en tenant compte de l'âge du patient, de ses maladies antérieures ou actuelles, qui peuvent constituer une contre-indication à certains médicaments anticancéreux. Il existe d'autres critères, tels que

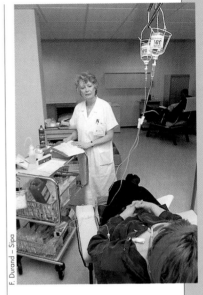

F. Durand – Sipa

Chimiothérapie par voie intraveineuse en hôpital de jour.
La perfusion est réalisée à l'aide d'un petit boîtier introduit sous la peau et relié à une veine située en profondeur.

l'intolérance à certains produits, la résistance du patient à certains médicaments. Par ailleurs, une mauvaise irrigation des vaisseaux sanguins situés à proximité de la tumeur freine l'arrivée des médicaments contenus dans le sang.

Le médecin prend aussi en considération la toxicité des médicaments, qui s'attaquent aussi aux tissus sains, afin de ne pas prescrire plusieurs produits ayant des effets secondaires importants sur le même organe ou le même tissu.

LA RÉSISTANCE AU TRAITEMENT

Les malades peuvent développer une résistance aux alcaloïdes de la pervenche, aux dérivés de la podophyllotoxine, aux anthracyclines et aux taxanes. Il suffit que le malade ait été traité par un seul de ces médicaments pour qu'il devienne résistant aux autres. Lorsque cela se produit, il faut faire appel à des médicaments ayant un mode d'action différent.

LES DIFFÉRENTS TYPES DE TRAITEMENT

Le traitement par voie générale s'effectue par prise orale du médicament ou par injection. Il est administré soit en continu, sur de longues périodes, soit en cure d'un ou de plusieurs jours, à intervalles réguliers. La plupart du temps, il a lieu à l'hôpital.

Ce traitement agit de manière très diffuse dans l'organisme et a ainsi l'avantage de détruire les métastases, qui sont des cellules cancéreuses disséminées à plusieurs endroits du corps. Dans certains cas, le traitement est si efficace qu'il parvient à diminuer le volume de la tumeur et à rendre possible son ablation chirurgicale, initialement impossible à réaliser sans abîmer les tissus sains entourant cette tumeur.

Le traitement local s'effectue sous forme d'injection dans les membranes de la cage thoracique (plèvre), du cœur (péricarde) ou dans la vessie. Dans certains cancers oto-rhino-laryngologiques et certains cancers des membres, du bassin ou du foie, il est administré dans l'artère qui irrigue la région où se trouve la tumeur. Ce type d'administration permet d'atteindre de fortes concentrations sans que le produit se dissémine dans l'organisme et d'éviter ainsi d'importants effets secondaires.

Le traitement chimiothérapique est effectué par cures répétées. Il est souvent commencé à l'hôpital et poursuivi, sous étroite surveillance médicale, à domicile.

LES EFFETS INDÉSIRABLES

Les médicaments anticancéreux n'agissent malheureusement pas uniquement sur les cellules cancéreuses. Ils sont également toxiques pour les cellules normales à renouvellement rapide (cellules sanguines ou digestives) et pour certains organes.

Tous les médicaments anticancéreux (excepté la bléomycine) sont toxiques pour les cellules sanguines. Cela se traduit par une diminution du nombre de globules blancs, responsables de la défense de l'organisme contre les infections, et du nombre de plaquettes, qui jouent un rôle essentiel dans la coagulation du sang. Ces atteintes entraînent, d'une part, une sensibilité accrue aux infections et, d'autre part, un risque d'hémorragies pouvant survenir de 10 à 14 jours après le traitement.

Pour éviter l'apparition d'infections, les malades sont soumis à des injections de médicaments appelés facteurs de croissance cellulaire, dont l'action principale est d'accélérer la production des globules blancs dans la moelle osseuse (leur lieu de formation) afin de remplacer ceux qui sont détruits.

Les effets indésirables sont également d'ordre digestif. Ils sont particulièrement marqués chez les patients qui suivent un traitement à base de sels de platine. Toutefois, les nausées et les vomissements disparaissent avec l'administration de puissants antivomitifs.

D'autres inconvénients peuvent se manifester. Des rougeurs de la peau et de petites lésions de la bouche et des muqueuses peuvent apparaître et s'accompagner d'une perte de goût. Des atteintes du système nerveux réversibles entraînent parfois des pertes de la sensibilité. La chute des cheveux constitue un inconvénient important du traitement sur le plan esthétique.

La chimiothérapie peut également entraîner une stérilité définitive. Les hommes en âge de procréer doivent par conséquent envisager de conserver leur sperme (par congélation) avant le début du traitement.

Les effets sur le cœur conduisent parfois à une insuffisance cardiaque grave.

Les effets des produits anticancéreux sur les poumons et les reins peuvent provoquer une gêne respiratoire et des œdèmes rénaux, qui guérissent avec l'arrêt du traitement.

LA CHUTE DES CHEVEUX

La chute des cheveux est fréquente au cours d'une chimiothérapie. Les anthracyclines, les alcaloïdes de la pervenche, les dérivés de la podophyllotoxine en sont responsables. Cette chute des cheveux peut être limitée grâce au port d'un casque réfrigérant pendant tout le temps de la perfusion. Le froid provoque une contraction des vaisseaux sanguins du cuir chevelu, ce qui permet de diminuer la quantité de produit arrivant jusqu'au cuir chevelu par le sang.

Ce casque est cependant parfois difficilement supporté. À l'arrêt du traitement, les cheveux repoussent normalement.

L'IMMUNOTHÉRAPIE

Ce traitement consiste à stimuler les défenses de l'organisme afin qu'il puisse combattre avec plus d'efficacité l'invasion des cellules cancéreuses.

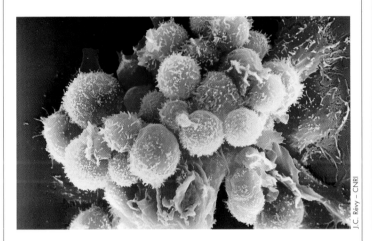

J.C. Révy – CNRI

Nombreux lymphocytes tueurs détruisant une cellule cancéreuse. *Les lymphocytes activés par le traitement (en jaune) attaquent la cellule avec plus d'efficacité.*

La stimulation des défenses naturelles de l'organisme entraîne une hyperactivité des globules blancs, qui sécrètent un plus grand nombre d'anticorps. Ces derniers ont pour rôle de détruire les substances étrangères (antigènes), comme certaines cellules cancéreuses qui n'ont pas les mêmes structures que les cellules normales. L'immunothérapie reste aujourd'hui en phase expérimentale. Cependant, elle fait l'objet de nombreux essais et il s'agit sans doute d'une des grandes voies d'avenir pour traiter et guérir les cancers, car elle s'attaque de façon spécifique au tissu cancéreux, en préservant les tissus sains, contrairement à la chimiothérapie ou à la radiothérapie. Elle repose actuellement sur 2 types de traitement : l'administration de cytokines et l'immunothérapie cellulaire.

LE TRAITEMENT PAR LES CYTOKINES

Les cytokines sont des substances normalement présentes dans l'organisme. Elles sont sécrétées par les globules blancs tueurs de cellules cancéreuses (lymphocytes T) et par les cellules chargées d'absorber les éléments étrangers (macrophages).

L'IMMUNOTHÉRAPIE CELLULAIRE

Cette technique consiste à prélever des globules blancs du malade, à les activer artificiellement avec des cytokines avant de les réinjecter au même malade. Cette activation produit 3 catégories de cellules tueuses, plus efficaces que les cellules d'origine : les lymphocytes tueurs activés (LAK : *lymphocyte activated killer*) ; les macrophages tueurs activés (MAK : *macrophage activated killer*) ; les lymphocytes infiltrant les tumeurs (TIL : *tumour infiltrating lymphocyte*).

Le rôle des cytokines est de contrôler l'activité de certains globules blancs et de participer ainsi à la défense immunitaire contre les cellules cancéreuses. Les cytokines employées en immunothérapie sont produites artificiellement en laboratoire. L'interleukine 2 est la plus utilisée d'entre elles. Des résultats ont été obtenus dans certains cancers : cancer du rein, mélanome malin métastasé (cancer de la peau atteignant d'autres organes) et leucémies. Mais l'activité de l'interleukine 2 est variable et de courte durée, et ses effets secondaires sont importants (fièvre, nausées, diarrhée, confusion mentale, éruptions cutanées, chute de la tension artérielle).

121

L'HORMONOTHÉRAPIE

Ce traitement repose sur l'utilisation des hormones sexuelles pour traiter les cancers réagissant aux hormones : cancers de la prostate chez l'homme, du sein et de l'utérus chez la femme.

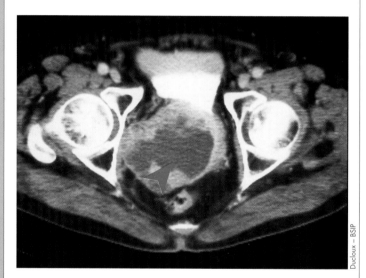

Ducloux – BSIP

Scanner révélant un cancer de la prostate. *La tumeur volumineuse (fléchée) remplit la quasi-totalité de la prostate (en gris), au centre de la photo.*

Certaines cellules cancéreuses possèdent des récepteurs sensibles aux hormones sexuelles : aux hormones féminines (œstrogènes et progestérone), sécrétées par les ovaires, et aux hormones masculines (androgènes), sécrétées par les testicules. Ces récepteurs réagissent à la présence de ces hormones en déclenchant un processus de division des cellules, qui se

multiplient, provoquant ainsi le développement d'une tumeur. L'objectif de l'hormonothérapie est d'empêcher les hormones de communiquer avec les cellules cancéreuses. Celle-ci peut être utilisée seule ou associée à la chimiothérapie et à la radiothérapie anticancéreuses.

LES DIFFÉRENTS TYPES DE TRAITEMENT

Le traitement le plus radical consiste à supprimer les organes producteurs des hormones, c'està-dire à pratiquer l'ablation des ovaires ou des testicules. Le

traitement le plus souvent utilisé consiste à administrer des médicaments hormonaux qui bloquent la sécrétion des hormones (castration chimique), empêchent leur fabrication ou leur activité (antihormones), ou inhibent la multiplication des cellules cancéreuses (hormones antagonistes), comme les œstrogènes qui neutralisent l'action des androgènes et sont utilisés dans le cancer de la prostate.

INDICATIONS

La moitié des cancers du sein réagissent aux hormones (hormonodépendants), et 30 % d'entre eux sont sensibles à l'hormonothérapie. Le traitement repose sur la prise d'antiœstrogènes et de progestatifs à forte dose. Dans certaines formes de cancer de l'utérus, les progestatifs sont efficaces et, dans le cancer de la prostate, la prise d'antiandrogènes permet de réduire le volume de la tumeur dans 75 % des cas.

L'ABLATION DES OVAIRES

L'ablation des ovaires, souvent traumatisante pour la femme, est pratiquée sous anesthésie générale. Si un seul ovaire est retiré, l'ovulation est préservée et la femme reste donc féconde. En revanche, l'ablation des deux ovaires, pratiquée avant la ménopause, entraîne une stérilité.

VIVRE AVEC UN CANCER

De plus en plus nombreux sont les patients qui vivent des années avec un cancer dont l'évolution est enrayée ou, du moins, suffisamment ralentie pour que tout danger à moyen terme soit écarté.

A. Kubacsi – Phanie

Pêcheur à la ligne. Après la guérison d'un cancer, il faut retrouver la sérénité et le goût de vivre.

Aujourd'hui, la seule guérison du cancer ne suffit plus. Il faut assurer, pendant le traitement, la meilleure qualité de vie possible en dédramatisant la maladie.

LA RÉVÉLATION DU DIAGNOSTIC

La révélation du diagnostic de cancer provoque toujours une forte anxiété chez les patients. Elle est plus ou moins profonde et extériorisée selon les personnes. L'anxiété peut être augmentée par l'expérience d'un cancer chez un proche, par le bouleversement de la vie familiale et professionnelle et par la remise en cause des projets personnels. Elle est aussi liée à l'appréhension des traitements et des hospitalisations.

Le médecin traitant habituel est souvent le mieux placé pour connaître la personnalité du malade et de ses proches, et pour révéler la vérité avec des termes adaptés à chaque cas. Le patient a généralement un comportement que ni son entourage ni son médecin n'avaient prévu. Il est le plus souvent prêt à se battre. Il fait confiance à l'équipe soignante et aux médecins traitants. Il attend de ceux-ci un dialogue sincère et des réponses directes à ses questions. Chaque personne a un besoin d'information qui varie en fonction de sa propre philosophie de la vie et de ses capacités de réaction.

LA PÉRIODE DU TRAITEMENT

Quel que soit le type de traitement décidé par l'équipe médicale, il doit être expliqué par

LE RETOUR À LA VIE NORMALE

Le retour à la vie normale d'un ancien cancéreux dépend pour une bonne part de sa motivation personnelle. Cette motivation peut être affective : la qualité des liens familiaux et amicaux joue alors un rôle primordial. Elle est également intellectuelle ou professionnelle : si la reprise du travail est possible, elle est souvent, pour le patient, dynamisante. La prise en charge des séquelles chirurgicales et de leur inconfort permet un retour plus rapide à la vie normale.

Par ailleurs, de nombreuses associations créées par d'anciens cancéreux peuvent apporter une aide précieuse.

le médecin en termes clairs et compréhensibles. Le traitement peut associer simultanément ou successivement la chirurgie, la radiothérapie, la chimiothérapie, l'immunothérapie ou l'hormonothérapie. Les informations sur ces divers traitements doivent être données au patient.

L'hospitalisation est indispensable en cas d'intervention chirurgicale ou lorsqu'un traitement requiert une technique particulière ou une surveillance stricte. Elle est également nécessaire lorsqu'une complication exige des soins et une prise en charge en urgence et lorsque l'état général du patient rend impossible le maintien à son domicile ou que les conditions de vie et l'absence d'entourage ne le permettent pas. Les traitements sont de plus en plus réalisés en hospitalisation de jour, n'imposant au patient qu'une présence de quelques heures à l'hôpital, ou en hospitalisation à domicile, si l'état clinique du malade et les conditions de vie le permettent.

Les membres de l'équipe médicale, à savoir le médecin traitant, l'équipe soignante à domicile et le médecin spécialisé, sont alors en contact permanent. L'hospitalisation à domicile n'est possible qu'avec l'accord complet de la personne et de son médecin traitant.

Ces hospitalisations de jour ou à domicile évitent ainsi au malade une rupture souvent difficile avec son cadre familial. Une telle approche est capitale sur le plan psychologique et devrait toujours, lorsque cela est possible, être proposée au patient.

Quand les traitements spécifiquement anticancéreux deviennent inefficaces, il est toujours possible d'améliorer le confort physique et psychologique du malade, en respectant toujours sa dignité et sa demande de soutien. Ces traite-

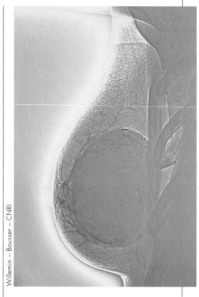

Willemin – Bousser – CNRI

Radiographie montrant une prothèse du sein. On voit clairement la poche remplie de sérum physiologique.

ments peuvent être poursuivis au domicile du malade, si l'entourage familial peut en assurer la charge physique et affective, le médecin et l'équipe soignante garantissant la coordination des soins.

LA RÉCIDIVE

La récidive est un événement difficilement supportable pour l'ancien malade. Elle est vécue comme une injustice. Ce n'est plus l'angoisse du diagnostic et l'appréhension des traitements qui prédominent, mais, souvent, la révolte ou le désespoir. Une rechute est d'autant plus mal acceptée qu'un long intervalle sécurisant s'est déroulé depuis le diagnostic initial.

La majorité des patients font pourtant face avec un comportement digne et courageux et acceptent de reprendre le combat avec l'équipe soignante. Ils n'attendent ni pitié ni sollicitude, mais demandent une prise en charge sans faille.

LA SURVEILLANCE

Après le traitement, plus ou moins long, et la guérison, une surveillance est toujours nécessaire pour évaluer les conséquences des diverses thérapies menées, pour faciliter le retour à la vie normale du patient et pour dépister, le plus tôt possible, une éventuelle rechute. La surveillance doit être une assurance supplémentaire et non une source d'anxiété ou de phobie de la « rechute ». Elle varie, pour chaque type de cancer, en fonction de l'évolution de ce dernier et du risque plus ou moins important de récidive. Elle associe un examen clinique et des examens complémentaires. Ce suivi est assuré régulièrement, 2 ou 3 fois par an durant les premières années après la guérison, puis tous les ans ou tous les 2 ans.

Le Point des Recherches

Les recherches sur le cancer portent essentiellement sur la thérapie génique et sur les nouvelles
approches de l'immunothérapie, traitement qui
consiste à stimuler les défenses de l'organisme.

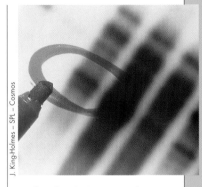

Ces nouvelles voies de recherche semblent prometteuses pour le traitement du cancer, car elles visent de manière spécifique le tissu cancéreux en respectant les tissus sains, contrairement à la radiothérapie et à la chimiothérapie.

LA THÉRAPIE GÉNIQUE

La thérapie génique utilise les gènes et l'information dont ils sont porteurs pour modifier le comportement des cellules. Elle fait l'objet de nombreuses

LA THÉRAPIE GÉNIQUE AUJOURD'HUI

La thérapie génique est un mode de traitement actuellement réalisable, mais encore confronté à des difficultés techniques. Elle permet d'envisager de nombreuses possibilités thérapeutiques ; cependant, cette « manipulation génétique » doit être menée avec une extrême prudence. Les premiers essais chez l'homme sont en cours. Des résultats positifs ont été relevés dans des cancers du cerveau, de la peau et du poumon. Il est toutefois encore impossible, faute d'un recul suffisant, d'en évaluer la réelle efficacité.

recherches dans le traitement du cancer. En effet, il est maintenant bien établi que l'apparition et le développement des cancers sont liés à un dérèglement de certains gènes, en particulier ceux qui contrôlent les divisions des cellules, et donc leur multiplication.

Le développement de la biologie moléculaire a permis d'identifier un nombre important d'anomalies au niveau de ces gènes. Ces anomalies s'accumulent dans le temps, durant toute l'évolution de la maladie, rendant les cellules cancéreuses de plus en plus agressives et résistantes aux défenses de l'organisme.

La thérapie génique vise à utiliser des gènes comme des médicaments. Pour introduire le gène médicament dans la cellule que l'on veut traiter, on utilise ce que l'on appelle des vecteurs, qui sont, en quelque sorte, des moyens de transport du gène. Ces vecteurs peuvent être des virus inactivés, qui ont perdu leur capacité à provoquer des maladies, ou des substances chimiques, par exemple des petites vésicules de graisse (liposomes). Différents types de gènes sont ainsi utilisés comme des médicaments, chacun ayant son propre mécanisme d'action.

J. King-Holmes – SPL – Cosmos

Recherche d'une anomalie génétique au niveau des chromosomes. *Les gènes sont représentés par les bandes noires. Le gène entouré en rouge est responsable d'un cancer.*

IMMUNOTHÉRAPIE : NOUVELLES APPROCHES

Les nouvelles approches de l'immunothérapie reposent sur la mise au point d'anticorps artificiels spécifiquement dirigés contre les cellules cancéreuses et sur l'utilisation des cytokines.

Les anticorps. Deux conditions sont nécessaires pour qu'une cellule cancéreuse soit reconnue comme un élément étranger par l'organisme et détruite grâce aux défenses immunitaires. D'une part, la cellule cancéreuse doit comporter des structures différentes de celles des cellules normales, afin d'être identifiée comme une substance étrangère, ou antigène. D'autre part, l'activité des cellules du système immunitaire (macrophages, différentes classes de lymphocytes) doit

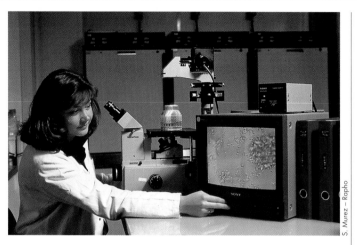

S. Murez – Rapho

Chercheur examinant en vidéo une culture de lymphocytes en laboratoire. Les lymphocytes sont activés et attaquent spécifiquement les cellules cancéreuses.

être suffisamment importante pour pouvoir reconnaître la cellule cancéreuse comme étrangère, l'attaquer et la détruire.

Plusieurs structures reconnaissant les cellules cancéreuses comme étrangères ont été identifiées. La recherche porte sur la création artificielle de substances reconnaissant spécifiquement ces structures. Ces substances, appelées anticorps, pourraient être utilisées comme transporteurs de médicaments qui n'atteindraient alors que les cellules cancéreuses, en respectant les cellules normales de l'organisme.

Ces anticorps pourraient également être dirigés contre les facteurs de croissance des cellules cancéreuses ou contre leurs récepteurs situés en surface. Ils pourraient ainsi être utilisés pour annuler les messages de

prolifération donnés aux cellules cancéreuses. La difficulté de cette voie de recherche est d'obtenir un ciblage très spécifique des cellules cancéreuses.

Les cytokines. Depuis la découverte de l'interféron, en 1957, une vingtaine d'autres cytokines ont été isolées. Elles sont employées en immunothérapie. Leur rôle est de contrôler l'activité de certains globules blancs et de participer ainsi à la défense immunitaire contre les cellules cancéreuses. Actuellement, les cytokines utilisées sont l'interleukine 2 et les interférons.

Des recherches sur l'administration simultanée de plusieurs cytokines et sur leur association à la chimiothérapie se poursuivent dans le traitement de nombreux cancers, avec des résultats encourageants. Ainsi, la cytokine responsable de la formation des globules rouges peut être utilisée pour corriger la diminution des globules rouges (anémie) qui survient après certaines chimiothérapies, en évitant le recours à des transfusions sanguines.

Les cytokines responsables de la formation des globules blancs sont également utilisées après certaines chimiothérapies pour réactiver la moelle osseuse. Ce traitement permet de diminuer les risques infectieux secondaires à la chute des globules blancs provoquée par les chimiothérapies. Dans certains cancers, les cytokines permettent, associées ou non à des greffes de moelle osseuse, d'administrer de très fortes doses de chimiothérapie. D'autres recherches portent sur l'association des cytokines à la thérapie génique. En introduisant les gènes commandant la sécrétion de certaines cytokines dans les cellules cancéreuses, la multiplication des cellules immunitaires et leur activation en cellules tueuses sont réalisables au niveau même des tissus cancéreux. Cette modalité de thérapie génique offre de nouvelles perspectives dans le traitement des cancers.

L'ACTION DES CYTOKINES

Les cytokines sont des substances normalement présentes dans l'organisme. Certaines d'entre elles interviennent dans les réactions de défense de l'organisme face aux agressions extérieures. Elles conduisent cette défense en activant les diverses cellules du système immunitaire capables de reconnaître l'agresseur étranger à l'organisme et de le détruire.

D'autres cytokines contrôlent, au niveau de la moelle osseuse, la production et la maturation des cellules du sang : globules rouges, globules blancs, plaquettes.

LES DIFFÉRENTS CANCERS

Ce tableau donne une classification simplifiée des cancers les plus fréquents, en fonction de l'appareil ou des organes atteints.

Pour chaque cancer, les caractéristiques, les risques et zones d'extension et les modalités de traitement sont indiqués. Les possibilités de dépistage ne sont pas mentionnées, car elles ne concernent que quelques cancers : côlon et rectum (recherche de sang dans les selles, coloscopie pour les formes familiales), prostate (toucher rectal à intervalles réguliers à partir de 50 ans), sein (mammographie) et col de l'utérus (frottis cervico-vaginal). Un conseil génétique est possible dans les formes familiales de certains cancers. Il permet d'étudier quels sont les risques pour un individu d'avoir un cancer.

Appareils et organes	Caractéristiques (facteurs de risque, fréquence)	Risques d'extension (métastases les plus fréquentes)	Traitement
APPAREIL RESPIRATOIRE			
Trachée, bronches, poumons	Tabac : plus de 95 % des cas observés chez les fumeurs. Cancer le plus fréquent chez l'homme	Ganglions, plèvre, péricarde, cerveau, os, foie, peau	• Formes localisées : chirurgie, radiothérapie • Métastases : chimiothérapie
Plèvre (enveloppe séreuse des poumons) : mésothéliome malin	Inhalation prolongée de poussières d'amiante	Thorax, péritoine	• Formes très localisées : chirurgie • Métastases : immunothérapie, chimiothérapie
VOIES AÉRO-DIGESTIVES SUPÉRIEURES			
Bouche, gorge, larynx	Tabac et alcool	Ganglions, poumons, os	• Formes localisées : chirurgie, radiothérapie • Métastases : chimiothérapie
Cavités nasales, sinus	Origine virale en Asie et dans le pourtour méditerranéen. Poussières des bois exotiques	Ganglions, poumons, foie	• Formes localisées : chirurgie, radiothérapie, chimiothérapie • Métastases : chimiothérapie
Œsophage	Tabac et alcool	Ganglions, poumons, foie	• Formes localisées : chirurgie, radiothérapie, chimiothérapie • Métastases : chimiothérapie
APPAREIL DIGESTIF			
Estomac	En régression dans les pays industrialisés, sauf au Japon, où les habitudes alimentaires (salaisons) expliquent la fréquence élevée	Ganglions, foie, péritoine, poumons, os	• Formes localisées : chirurgie • Métastases : chimiothérapie

Appareils et organes	Caractéristiques (facteurs de risque, fréquence)	Risques d'extension (métastases les plus fréquentes)	Traitement
Côlon et rectum	Premier facteur de risque : alimentation riche en graisses et pauvre en fibres Cancer le plus fréquent	Ganglions, foie, péritoine, poumons	• Formes localisées : chirurgie, chirurgie et radiothérapie (rectum) • Métastases : chimiothérapie, ablation préventive des polypes
Pancréas	Diagnostic tardif car organe profond	Ganglions, foie, poumons, péritoine	• Formes localisées : chirurgie • Métastases : chimiothérapie
Foie	Cirrhose après hépatite (virus B et C) Cirrhose alcoolique	Poumons, os, péritoine	• Chirurgie partielle ou greffe • Injection d'alcool dans la tumeur • Chimiothérapie intra-artérielle hépatique • Obstruction artérielle • Radiothérapie métabolique
Voies biliaires	Calculs de la vésicule	Foie, péritoine, poumons	• Chirurgie
Appareil Urinaire			
Rein	Néphroblastome : forme rare d'un cancer embryonnaire de l'enfant	Ganglions, poumons, os, foie, cerveau	• Formes localisées : chirurgie • Métastases : immunothérapie
Vessie	Tabac Colorants chimiques Bilharziose (parasitose africaine)	Ganglions, poumons, os, foie	• Formes localisées : – superficielles : chimiothérapie ou immunothérapie – profondes : chirurgie, radiothérapie • Métastases : chimiothérapie
Prostate	Personnes âgées Cancer hormonodépendant	Ganglions, os, poumons, foie	• Formes localisées : chirurgie, radiothérapie • Métastases : hormonothérapie (antiandrogènes, castration chirurgicale ou chimique), chimiothérapie
Appareil Génital			
Tumeurs placentaires (choriocarcinome)	Rare cancérisation placentaire durant la grossesse	Poumons, foie, cerveau	Chimiothérapie très efficace
Sein	Cancer hormonodépendant Principal facteur de risque : antécédent familial Cancer le plus fréquent chez la femme (25 % des cancers féminins) 1 % des cancers chez l'homme	Ganglions, os, foie, poumons, plèvre, peau, cerveau	• Formes localisées : chirurgie, radiothérapie • Métastases : chimiothérapie, hormonothérapie : privation des œstrogènes (antiœstrogènes), castration chimique ou radiothérapique

LES DIFFÉRENTS CANCERS

Appareils et organes	Caractéristiques (facteurs de risque, fréquence)	Risques d'extension (métastases les plus fréquentes)	Traitement
Ovaires	Dans sa forme habituelle, cancer observé le plus souvent après la ménopause Observation possible chez des femmes jeunes	Ganglions, péritoine, plèvre	• Formes localisées : chirurgie • Métastases : chimiothérapie, traitements locaux dans le péritoine, chimiothérapie, immunothérapie
Col de l'utérus	Tabac Certains virus (papillomavirus)	Ganglions, os, poumons, foie	• Formes localisées : chirurgie et radiothérapie (curiethérapie) • Métastases : chimiothérapie
Corps de l'utérus	Observé après 60 ans	Ganglions, os, poumons, foie	• Formes localisées : chirurgie, radiothérapie • Métastases : hormonothérapie, chimiothérapie
Testicules Cancer qui se développe le plus souvent aux dépens des cellules germinales du testicule	Anomalie de descente des testicules dans l'enfance (testicule ectopique) Hommes jeunes (de 18 à 40 ans)	Ganglions, poumons, cerveau	• Formes localisées : chirurgie (ablation du testicule), radiothérapie (séminome) • Métastases : – radiothérapie et chimiothérapie (séminome) – chimiothérapie (tumeurs embryonnaires et choriocarcinome)
PEAU Plusieurs types :			
Cancers de l'épiderme (cancers basocellulaires, cancers spinocellulaires)	Exposition répétée ou intense au soleil	Pas de métastases (cancers basocellulaires) Ganglions, poumons, os (cancers spinocellulaires)	• Formes localisées : chirurgie, radiothérapie • Métastases : chimiothérapie, chirurgie, radiothérapie
Mélanomes (développés à partir des cellules pigmentées de la peau)		Extension possible à tous les organes ou tissus (mélanomes)	• Formes localisées : chirurgie, • Métastases : chimiothérapie, immunothérapie
SARCOMES			
Os et cartilages Autres tissus	Sujets jeunes : ostéosarcome Autres sarcomes pouvant se développer à partir de nombreux tissus (muscles, vaisseaux, tissu adipeux, tissu nerveux), et observés à tout âge	Poumons	• Formes localisées : chirurgie, radiothérapie, chimiothérapie • Métastases : chimiothérapie, chirurgie (métastases pulmonaires)

Appareils et organes	Caractéristiques (facteurs de risque, fréquence)	Risques d'extension (métastases les plus fréquentes)	Traitement
SYSTÈME SANGUIN ET LYMPHATIQUE			
Leucémies : cancers du sang par prolifération anormale (aiguë ou chronique) des précurseurs des globules blancs dans la moelle osseuse :	Exposition au benzène et aux radiations ionisantes Rares leucémies induites par la chimiothérapie et par la radiothérapie	Diffuse	• Fomes aiguës : chimiothérapie intensive et greffe de moelle osseuse • Immunothérapie (interféron) dans une variété rare • Dérivé de la vitamine A dans une autre forme rare • Formes chroniques : chimiothérapie, immunothérapie
	4 grandes variétés		
– des lymphocytes (cellules immunitaires) ;	– formes aiguës : lymphoblastiques (enfants), myéloblastiques (adultes) ;		
– des leucocytes (globules blancs de défense contre les infections : cellules myéloïdes)	– formes chroniques (lymphoïde ou myéloïde) pouvant devenir aiguës		
Lymphomes : cancers des organes lymphoïdes (ganglions, foie, rate, etc.) Deux grandes variétés selon le type de lymphocytes malades :	Facteur viral en cause, dont le virus du sida	Diffuse	Chirurgie, radiothérapie Chimiothérapie intensive dans certaines formes très agressives, radiothérapie
– maladie de Hodgkin ;	– taux de guérison très élevé		
– autres lymphomes	– nombreuses variétés		
THYROÏDE	– Radiations ionisantes – Une forme rare à prédisposition familiale		• Formes localisées : chirurgie, radiothérapie (iode radioactif dans les formes différenciées) • Métastases : iode radioactif dans les formes différenciées, chimiothérapie
SYSTÈME NERVEUX	– 1 % de tous les cancers		
Cancers primitifs du cerveau et des méninges	– Cancérisation du tissu de soutien des cellules nerveuses	Pas de métastases	Chirurgie, radiothérapie
Cancers du tissu nerveux périphérique	– Cancérisation des gaines des nerfs	Métastases possibles	Chirurgie

LES MALADIES CARDIOVASCULAIRES

LES PRINCIPALES AFFECTIONS

Les maladies cardiovasculaires constituent aujourd'hui un véritable fléau dans les pays industrialisés, au même titre que la variole ou la tuberculose autrefois.

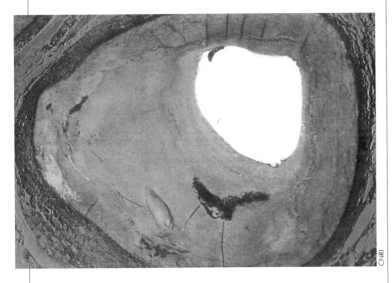

CNRI

Plaque d'athérome dans une artère coronaire. *La plaque est constituée d'un dépôt graisseux qui, en réduisant le diamètre de l'artère, peut conduire à l'angine de poitrine, puis à l'infarctus.*

Les maladies cardiovasculaires comprennent plusieurs maladies qui atteignent le système cardio-vasculaire à différents niveaux.

L'ATHÉROSCLÉROSE

L'athérosclérose est caractérisée par la présence de dépôts graisseux sur la paroi des artères (plaques d'athérome), gênant la circulation du sang. Cette affection peut toucher les artères du cœur (coronaires), qui sont alors incapables de lui fournir le sang oxygéné dont il a besoin. L'a-thérosclérose coronaire constitue la première cause de mortalité dans le monde occidental.

Au début, l'athérosclérose ne provoque en général aucun symptôme. Elle peut être révélée par une douleur thoracique semblable à une crampe et souvent déclenchée par un effort physique (angine de poitrine) ou par un infarctus du myocarde. L'athérosclérose peut affecter d'autres artères, notamment celles du cerveau, entraînant alors un risque d'accident vasculaire cérébral, et celles des membres inférieurs, avec un risque de diminution ou d'arrêt de la circulation artérielle (ischémie).

L'HYPERTENSION ARTÉRIELLE

La tension, ou pression arté-rielle, s'exprime en millimètres de mercure. La pression maxi-

LES VALVULES CARDIAQUES

La fonction essentielle des val-vules du cœur est d'orienter la circulation du sang dans une seule direction, lors de son pas-sage dans les différentes cavités de l'organe : des oreillettes dans les ventricules et des ventricules dans les artères principales. Elles jouent donc un rôle de soupape. Chaque valvule est constituée de plusieurs élé-ments, appelés valves. La val-vule tricuspide, entre l'oreillette et le ventricule droits, est formée de 3 valves ; la valvule mitrale, entre l'oreillette et le ventricule gauches, de 2 valves ; la valvule pulmonaire, à l'entrée de l'artère pulmonaire, et la valvule aor-tique, à la naissance de l'aorte, sont composées chacune de 3 valves, dites sigmoïdes.

131

LES MALADIES DES VALVULES CARDIAQUES

Différentes maladies d'origine inflammatoire, infectieuse ou dégénérative peuvent empêcher le fonctionnement normal des valvules cardiaques. Un défaut d'étanchéité (insuffisance valvulaire) ou une obstruction de la valvule (sténose valvulaire) peuvent également être observés. La gravité du trouble impose parfois le remplacement chirurgical de la valvule atteinte par une valvule artificielle.

male (ou pression systolique) est observée quand le cœur se contracte et envoie le sang dans les artères. La pression minimale (ou pression diastolique) est mesurée après l'éjection du sang, pendant la phase de repos du cœur. Une élévation anormale de la pression, au-delà de 160/95 millimètres de mercure, mesurée au repos, en position couchée et à plusieurs reprises, correspond à une hypertension

artérielle. Le médecin dit plutôt 16/9,5 pour exprimer cette pression. L'hypertension est très fréquente : elle concerne de 5 à 15 % de la population. Ne provoquant généralement aucun symptôme, elle est souvent découverte par hasard, à l'occasion d'un examen médical de routine. Dans 90 % des cas, son origine demeure inconnue.

Cette maladie favorise une augmentation de volume (hypertrophie) du ventricule gauche du cœur et peut entraîner des complications graves au niveau du cerveau (accident vasculaire cérébral), des reins (insuffisance rénale chronique) et des yeux (rétinopathie).

LES AUTRES MALADIES

Les maladies du muscle cardiaque (myocardiopathies et myocardites) sont très variées. Elles s'accompagnent généralement d'une dilatation et/ou d'une augmentation de volume du ventricule gauche, associées à un mauvais fonctionnement de la pompe cardiaque.

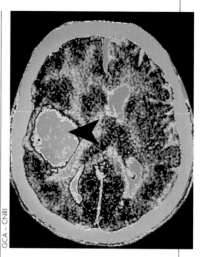

GCA – CNRI

Scanner du cerveau montrant un accident vasculaire. *La tache orange correspond à la zone du cerveau qui n'est plus irriguée, en raison de l'obstruction d'une artère.*

La formation d'un caillot de sang dans le système veineux, le plus souvent au niveau des jambes, détermine la survenue d'une phlébite, dont le risque principal est la migration d'une partie du caillot vers le cœur et les poumons (embolie pulmonaire aiguë). Cette complication se produit lors d'une phlébite profonde négligée ou identifiée avec retard. L'embolie pulmonaire peut avoir 2 conséquences graves : une insuffisance respiratoire aiguë et une défaillance du système circulatoire.

Une infection ou une inflammation de l'enveloppe entourant le cœur (péricarde) peut le comprimer, gênant alors son bon fonctionnement.

Enfin, certaines maladies génétiques ou dégénératives peuvent entraîner une rupture de l'aorte.

LES SIGNES D'ALERTE

Certaines maladies cardiovasculaires, comme l'hypertension artérielle, peuvent se développer insidieusement et rester longtemps sans symptômes. D'autres, au contraire, comme l'infarctus du myocarde, peuvent se révéler de manière dramatique, par un arrêt cardiorespiratoire (mort subite) ou par une insuffisance cardiaque.

Néanmoins, le plus souvent, des symptômes évocateurs marquent l'évolution d'une maladie cardiaque. Il peut s'agir d'un essoufflement anormal lors d'efforts physiques, de palpitations (impression anormale de sentir battre son cœur), de syncopes (perte de connaissance brève souvent due à un ralentissement excessif du cœur ou à une chute de son débit), d'une baisse de la tension artérielle (hypotension artérielle) ou d'une angine de poitrine.

LES MALADIES CARDIOVASCULAIRES

LES FACTEURS DE RISQUE

Le tabac, l'hypertension artérielle et un taux trop élevé de cholestérol dans le sang (hyper-cholestérolémie) sont les principaux facteurs de risque des maladies cardiovasculaires.

Ces différents facteurs de risque agissent essentiellement au niveau des artères, notamment celles du cœur. Ils sont responsables de la formation, sur les parois, de plaques constituées de dépôts graisseux, appelées plaques d'athérome, qui gênent la circulation, réduisant l'approvisionnement en sang du cœur. Cette maladie de la paroi des artères est l'athérosclérose.

LA MULTIPLICATION DES FACTEURS

L'association, chez une même personne, de plusieurs facteurs néfastes (tabagisme, stress, hypertension, alcoolisme, etc.) augmente considérablement le risque de survenue d'une maladie cardiovasculaire. Son effet est multiplicateur, c'est-à-dire qu'il ne correspond pas à une simple somme arithmétique.

LE TABAGISME

Les effets nocifs du tabagisme sont nombreux et connus. Le tabac a une action néfaste sur les poumons (bronchite chronique, cancer broncho-pulmonaire), mais aussi sur le système cardiovasculaire. Il favorise en effet la progression de l'athérosclérose, augmentant ainsi les risques de maladies cardiovasculaires. Le risque d'infarctus du myocarde est multiplié par 2 chez un fumeur et il est d'autant plus important que la consommation de tabac est élevée. Si la personne arrête de fumer, plusieurs années sont nécessaires pour que ce risque diminue jusqu'à atteindre celui d'un non-fumeur.

Voisin – Phanie

Femme stressée au bureau, fumant et buvant du café.
La multiplication des facteurs (hyperactivité, tabagisme, stress) augmente les risques de maladies cardiovasculaires.

LA PRÉVENTION

La connaissance des principaux facteurs de risque des maladies cardiovasculaires permet de prévenir, grâce à une modification du mode de vie, leur apparition ou leur aggravation. Ne pas fumer, pratiquer régulièrement une activité sportive, respecter un régime alimentaire équilibré sont autant de mesures susceptibles de réduire les risques de maladies cardiovasculaires.

L'HYPERTENSION ARTÉRIELLE

L'hypertension artérielle, qui correspond à une élévation anormale de la pression dans les artères, est une affection très fréquente, qui augmente le risque de développer une insuffisance d'oxygénation du muscle du cœur par diminution ou arrêt de la circulation du sang dans une ou plusieurs artères du cœur (cardiopathie ischémique). Ce risque est proportionnel à l'augmentation de la pression artérielle. Cette maladie favorise également le développement de l'athérosclérose et s'accompagne, au niveau du cœur, d'une hypertrophie du ventricule gauche entraînant une augmentation des besoins en oxygène.

L'EXCÈS DE CHOLESTÉROL

L'augmentation anormale du taux de cholestérol dans le sang, appelée hypercholestérolémie, peut être responsable du développement de l'athérosclérose

des artères coronaires, de la survenue d'un infarctus du myocarde et d'une cardiopathie ischémique. On parle d'un excès de cholestérol dans le sang à partir d'un taux de 2,5 g/l. Entre 2,5 g/l et 3 g/l, le risque cardiovasculaire est moyen. Au-dessus, le risque est élevé.

LES AUTRES FACTEURS DE RISQUE

D'autres facteurs peuvent accroître les risques de maladies cardiovasculaires. Le diabète, caractérisé par un taux de sucre dans le sang (glycémie), à jeun, supérieur à 1,4 gramme par litre, multiplie par 2 le risque de développer une affection du cœur, par rapport à une personne non diabétique.

L'obésité ainsi qu'une sédentarité excessive, associées à d'autres facteurs de risque (hypertension, hypercholestérolémie, diabète), exposent également à un risque accru de maladie des artères du cœur. La pratique régulière d'une activité

H. Raguet – Phanie

Personne se faisant prendre la tension. *L'hypertension est l'un des facteurs de risque de maladies cardiovasculaires les plus importants.*

L'ALIMENTATION

De nombreuses études ont mis en évidence les liens entre l'alimentation et les maladies cardiovasculaires. Certaines suggèrent que le risque d'infarctus du myocarde est réduit lorsque l'alimentation est riche en fibres, donc en fruits, en légumes et, surtout, en céréales. D'autres évoquent l'effet protecteur, à long terme, du poisson, qui améliore le taux de graisses circulant dans le sang et diminue la pression artérielle. Enfin, la consommation modérée d'alcool, notamment de vin, diminuerait les risques de maladies cardiovasculaires, en particulier les risques d'infarctus du myocarde.

physique paraît au contraire exercer un rôle protecteur vis-à-vis du développement de l'athérosclérose.

Bien que cela soit difficile à démontrer scientifiquement, il semble que le stress, surtout lié à la vie professionnelle, soit impliqué dans le développement de l'athérosclérose, notamment au niveau des artères coronaires. Ce facteur semble particulièrement important chez certaines personnes que l'on qualifie d'hyperactives.

Enfin, d'autres facteurs de risque semblent jouer un rôle secondaire dans l'apparition de maladies cardiovasculaires. Il s'agit notamment de l'élévation anormale du taux d'acide urique dans le sang (hyperuricémie) et de certaines anomalies métaboliques (concernant par exemple le calcium).

LES MALADIES CARDIOVASCULAIRES

LES TRAITEMENTS

Les traitements des maladies cardiovasculaires peuvent être médicamenteux ou chirurgicaux. Dans le second cas, les techniques sont souvent très sophistiquées.

Une fois la maladie présente, les différents traitements sont très utiles pour limiter son aggravation. Le traitement, chirurgical ou médicamenteux, est d'autant plus efficace qu'il est entrepris lorsque la maladie est peu évoluée.

LA CHIRURGIE DES VALVES DU CŒUR

Le traitement des maladies des valves cardiaques consiste, par différentes techniques chirurgicales, à réparer les valves quand l'atteinte n'est pas trop grave, ou à les remplacer par une valvule artificielle (prothèse). Il en existe 2 sortes. Les prothèses en métal ou en carbone (les plus utilisées) sont des prothèses mécaniques. Elles assurent un bon fonctionnement à long terme, mais nécessitent un traitement à vie contre la coagulation (anticoagulant), à cause du risque de formation d'un caillot au niveau de la prothèse.

Les prothèses fabriquées à partir de valves prélevées sur un animal (porc ou veau le plus

Coronarographie montrant une angioplastie avec la mise en place d'une prothèse.
L'angioplastie permet de dilater le rétrécissement d'une artère.

L'ANGIOPLASTIE CORONAIRE

Le pontage coronaire, intervention lourde de chirurgie, est habituellement réservé aux malades présentant des lésions graves et diffuses. Lorsque les lésions sont moins importantes, il est possible de réparer le vaisseau déformé, rétréci ou dilaté par une technique moins agressive que la chirurgie, appelée angioplastie coronaire. Elle consiste à introduire dans l'artère atteinte une sonde contenant un ballon, et à le gonfler une fois arrivé au niveau du rétrécissement. Cette technique permet d'annuler l'obstacle et d'implanter une petite prothèse.

souvent), stérilisées et préparées de manière à éviter une réaction de rejet, sont appelées bioprothèses. Avec ce type de prothèses, le traitement anticoagulant ne dure que quelques semaines après l'opération, mais la durée de vie de ces prothèses est plus courte, ce qui implique une nouvelle opération de remplacement au bout d'un certain nombre d'années.

LE PONTAGE

Le traitement chirurgical qui consiste à réunir 2 vaisseaux sanguins par une greffe dite vasculaire ou par un tube plastique est nommé pontage. Il vise à restaurer une circulation

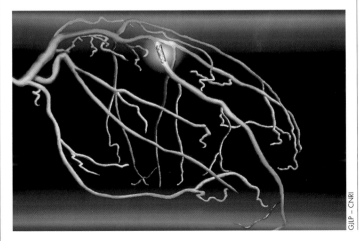

GILP – CNRI

135

normale et à court-circuiter un rétrécissement ou une obstruction des artères.

Les premiers pontages ont été effectués dans la seconde moitié des années 60, entre l'aorte et les artères du cœur (artères coronaires). Les progrès réalisés dans ce domaine ont été considérables et, actuellement, même si le pontage reste une intervention chirurgicale lourde, sa technique est parfaitement maîtrisée et ses chances de réussite sont bonnes. Le greffon utilisé pour rétablir la circulation au niveau des différentes artères est souvent une veine prélevée sur le malade lui-même, en général au niveau des jambes (veines saphènes). Une autre technique consiste à dériver, après l'avoir soigneusement disséquée et isolée, une artère du malade de diamètre identique à celui des coronaires, comme l'artère mammaire interne, et à l'implanter sur l'artère coronaire atteinte.

LES NOUVELLES TECHNIQUES

L'objectif des nouvelles techniques cardiovasculaires est de repousser l'échéance de la transplantation cardiaque. Par exemple, la technique appelée cardiomyoplastie repose sur le principe de soutenir le cœur défaillant du malade, en l'enveloppant par un muscle non spécialisé du dos. Ce dernier est préalablement préparé à sa nouvelle fonction pendant plusieurs semaines et entraîné à se contracter rythmiquement à l'aide d'un stimulateur électrique.

TECHNIQUE DU PONTAGE CORONAIRE

L'intervention qui consiste à rétablir la circulation entre l'aorte et une ou plusieurs artères du cœur est appelée pontage coronaire. Elle est effectuée sous anesthésie générale et peut durer jusqu'à 5 heures. Le chirurgien incise verticalement le thorax, puis ouvre le muscle cardiaque. Le patient est alors relié à une machine cœur-poumons (circulation extra-corporelle) qui assure les fonctions du cœur et des poumons pendant la durée de l'opération sur le cœur. L'artère coronaire est ensuite incisée et un segment de veine ou d'artère du patient (greffon) est alors relié à l'artère. Après 3 ou 4 jours de surveillance dans un service de soins intensifs, le patient reste à l'hôpital une douzaine de jours. La convalescence dure environ 6 semaines et s'accompagne d'une rééducation progressive.

LA TRANSPLANTATION

Lorsque les lésions cardiaques sont irréversibles et qu'aucun traitement médical ou chirurgical ne permet de rétablir le bon fonctionnement du cœur, le médecin peut être amené à proposer au malade une greffe du cœur, voire une greffe cœur-poumons en cas de mauvais fonctionnement de ces 2 organes. La transplantation cardiaque consiste à remplacer le cœur malade du patient par un cœur sain, prélevé chez un donneur en état de mort cérébrale.

LES TRAITEMENTS MÉDICAMENTEUX

Les traitements à base de médicaments sont de plus en plus utilisés dans le suivi des maladies cardiovasculaires, notamment lorsque ces maladies sont peu avancées. Il s'agit de médicaments qui réduisent le taux de graisses dans le sang (hypolipémiants). L'aspirine est très efficace après un infarctus du myocarde, dans l'angine de

H. Raguet – Phanie

Pontage coronaire. *Cette intervention chirurgicale permet de restaurer la circulation du sang dans les artères du cœur, évitant ainsi les risques d'infarctus.*

poitrine ou dans l'insuffisance coronaire ; elle empêche l'agrégation des plaquettes, donc la formation de caillots.

Des études ont montré que la consommation régulière de faibles doses d'aspirine, chez les personnes atteintes de maladies coronaires, diminue de 30 % le risque d'aggravation de ces affections.

LES MALADIES RESPIRATOIRES

LES PRINCIPALES AFFECTIONS

Les maladies infectieuses, comme la tuberculose, ont beaucoup régressé au cours du XXᵉ siècle, tandis que la fréquence du cancer du poumon ou de l'asthme a considérablement augmenté.

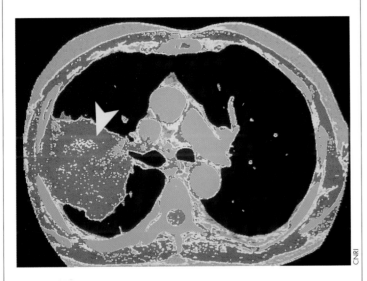

CNRI

Volumineux cancer du poumon droit. *La tache orange représente la tumeur cancéreuse.*

LE CANCER DU POUMON

La fréquence du cancer du poumon s'est considérablement accrue depuis la seconde moitié du XXᵉ siècle, avec l'augmentation du tabagisme. L'environnement (exposition à des radiations nucléaires, à des matières comme l'amiante, le chrome, le nickel ou les hydrocarbures) constitue également un facteur de risque de ce cancer. L'évolution de cette maladie est en général très mauvaise : seuls 5 à 10 % des patients atteints seront en vie 5 ans après le diagnostic. Actuellement, le traitement le plus efficace est la chirurgie, qui supprime la tumeur ainsi qu'une partie importante du poumon adjacent. Les autres traitements associent, suivant le type de cancer, la chimiothérapie et la radiothérapie.

Les maladies respiratoires qui se sont développées au cours des dernières décennies sont essentiellement liées au tabagisme et à la modification de l'environnement urbain et industriel.

LA BRONCHITE CHRONIQUE

La bronchite chronique se caractérise par une hypersécrétion des bronches de façon permanente ou récidivante. On parle de bronchite chronique lorsque les périodes de toux et d'expectoration durent 3 mois d'affilée et s'étendent sur au moins 2 ans. La consommation de tabac joue un rôle important dans cette maladie : la fréquence de la bronchite chronique chez les non-fumeurs est de l'ordre de 8 %, alors qu'elle atteint 50 % chez les personnes fumant plus de 20 cigarettes par jour. D'autres facteurs, comme la pollution atmosphérique et les infections à répétition, ont également une incidence.

La bronchite chronique évolue en général vers l'insuffisance respiratoire chronique et vers une destruction des alvéoles pulmonaires (emphysème), entraînant un essoufflement, une coloration mauve ou bleutée de la peau (cyanose) et un œdème des membres inférieurs. Après plusieurs années, la gêne respiratoire à l'effort persiste au repos et devient invalidante.

Le traitement, qui varie selon la gravité de la maladie, repose sur l'arrêt de la consommation de tabac, la surveillance et un traitement antibiotique prescrit lors de chaque nouvelle infection, la kinésithérapie respiratoire et l'administration de médicaments (bronchodilatateurs, fluidifiants des sécrétions, etc.).

L'ASTHME

La fréquence globale de l'asthme, en augmentation, se situe aux alentours de 5 % de la population. On distingue habituellement l'asthme allergique, dû aux acariens (petits animaux vivant dans la poussière), aux pollens, aux poils, etc., et plus souvent rencontré chez l'enfant, et l'asthme non allergique, pour lequel les facteurs déclenchant la crise ne sont pas spécifiques (fumée, effort, air froid, etc.). L'asthme est une maladie qui touche les bronches. Celles-ci réagissent à une irritation en se rétrécissant. Elles rendent alors

LA PRÉVENTION

La prévention des maladies respiratoires repose sur la lutte individuelle et collective contre le tabagisme et la pollution atmosphérique et sur la mise au point de mesures de protection contre les facteurs de risque liés à l'environnement (exposition aux radiations nucléaires, à l'amiante, aux hydrocarbures, etc.).
Pour prévenir l'apparition de maladies chroniques, il faut éviter de contracter, de façon fréquente, des maladies infectieuses pulmonaires, qui finissent par fragiliser l'appareil respiratoire, et, quand elles apparaissent, les traiter efficacement par des médicaments appropriés.

LA TRACHÉE ET LES BRONCHES

Normalement, lors de l'inspiration, l'air est amené dans les alvéoles pulmonaires pour apporter au sang l'oxygène dont nous avons besoin. Il y est conduit par un système de tuyaux entourés de muscles. Le conduit le plus gros, qui va du larynx aux poumons, est la trachée. La trachée se divise en 2 grosses bronches. Puis chacune de celles-ci se divise plusieurs fois, en devenant de plus en plus étroite, jusqu'aux bronchioles. Chez une personne en bonne santé, l'arbre bronchique est suffisamment ouvert pour permettre une inspiration et une expiration libres et faciles, ne demandant aucun effort particulier.

l'expiration difficile. Les patients se plaignent avant tout d'une sensation d'oppression. Les crises d'asthme sont souvent imprévisibles. Elles peuvent être courtes ou durer plusieurs jours. Entre les crises, un essoufflement peut persister voire devenir permanent chez les personnes âgées.
Le traitement repose sur la prise de médicaments dont le but est de dilater les bronches. Dans les cas les plus graves, une hospitalisation en urgence est indispensable afin d'administrer les médicaments par perfusion, d'oxygéner le malade et, parfois, de pratiquer une respiration assistée. Avant tout, la personne asthmatique doit éviter, dans sa vie quotidienne, tout ce qui est susceptible de provoquer des crises : la compagnie des animaux domestiques, les lieux et les objets poussiéreux, les endroits enfumés, etc.

L'INSUFFISANCE RESPIRATOIRE

L'insuffisance respiratoire est une incapacité des poumons à assurer leur fonction, qui se traduit par une diminution de la concentra-

tion d'oxygène dans le sang. L'insuffisance respiratoire aiguë est une défaillance brutale et grave du fonctionnement des poumons ; elle provoque des troubles du rythme respiratoire, une coloration bleutée de la peau (cyanose), une accélération du rythme cardiaque, une hypertension artérielle ou un coma. Elle peut être provoquée par une obstruction des bronches (suite à une bronchite chronique, une crise d'asthme, etc.), un traumatisme au niveau du thorax ou un coma. En raison de sa gravité, elle nécessite une hospitalisation d'urgence dans un service de réanimation. Lorsque l'insuffisance respiratoire devient permanente, elle est chronique. Elle se traduit essentiellement par une respiration difficile. Elle évolue lentement, aggravée par des poussées d'insuffisance respiratoire aiguë. Les séjours à l'hôpital se répètent et se rapprochent.
Le traitement de l'insuffisance respiratoire associe plusieurs méthodes : l'apport d'oxygène (oxygénothérapie), les médicaments dilatant les bronches ; les antibiotiques et la kinésithérapie respiratoire.

LES MALADIES RESPIRATOIRES

LES FACTEURS DE RISQUE

L'appareil respiratoire reçoit l'oxygène nécessaire au bon fonctionnement de l'organisme ; il arrive aussi que d'autres substances, parfois nocives, l'envahissent.

Avant de parvenir jusqu'aux alvéoles pulmonaires où s'effectuent les échanges gazeux avec le sang, l'air inspiré passe par la trachée, les bronches et, enfin, les bronchioles. À chaque étape, cet air est filtré par divers mécanismes afin d'arriver pur aux poumons.

Lorsque l'air inspiré contient des substances nocives en grande quantité et que les mécanismes de défense sont dépassés, l'appareil respiratoire est fragilisé, ce qui peut conduire à l'appari-tion de maladies respiratoires. Les facteurs qui favorisent l'apparition de ces maladies sont nombreux et bien connus.

LE TABAC

Connu depuis le XVIᵉ siècle et rapporté des Amériques, le tabac a eu un succès grandissant du fait de son pouvoir psychostimulant, malgré la dépendance physique et psychique qu'il entraîne. Autrefois essentiellement masculine, la consommation de

Usines dégageant des gaz pollués. *La pollution de l'air constitue un facteur important de risque de maladies respiratoires.*

X. Testelin – Rapho

LA POLLUTION

Il n'existe pas à l'heure actuelle d'études scientifiques qui démontrent le rôle de la pollution dans le développement des maladies pulmonaires, mais l'exposition à certaines substances semble avoir une incidence dans la survenue de ces maladies.

Ainsi, les personnes qui travaillent dans les mines dont la concentration en radon (gaz contenant du radium radioactif) est élevée ont plus de risques de développer un cancer du poumon. De même, il semble exister un risque supplémentaire, pour les ouvriers des industries du nickel, du chrome, de l'arsenic et des hydrocarbures, de développer des maladies pulmonaires.

tabac tend à gagner un nombre croissant de femmes et touche des populations de plus en plus jeunes.

De nombreuses études ont montré que la consommation de tabac avait une grande responsabilité dans la survenue de maladies pulmonaires comme le cancer du poumon, la bronchite chronique ou l'insuffisance respiratoire chronique. Outre la nicotine, les substances nocives pour la santé proviennent de la combustion du tabac, du papier et des additifs incorporés à la cigarette. Les plus dangereuses sont les goudrons, qui sont cancérogènes, et l'oxyde de carbone. Plus la consommation de tabac est importante, en quantité et en durée, plus les risques sont élevés. De même, commencer à fumer jeune augmente les risques de survenue de cancers plus précoces et qui évoluent plus rapidement.

Depuis quelques années, des études ont montré que les non-fumeurs pouvaient développer des maladies liées à l'exposition à la fumée. Cela est notamment vrai pour l'enfant dont les poumons n'ont pas achevé leur développement et sont donc particulièrement vulnérables. De nombreuses rhinopharyngites, bronchites, ainsi que certains asthmes sont liés à cette exposition passive au tabagisme. D'après certaines études, on estime que, chez un non-fumeur vivant parmi de grands fumeurs, le risque de survenue d'un cancer du poumon est supérieur de 35 % à

Fibres d'amiante sortant d'un revêtement endommagé.
L'amiante, fréquemment utilisé dans l'industrie, est responsable de nombreuses maladies pulmonaires (asbestose, épanchement pleural, etc.).

LA MUCOVISCIDOSE

Certaines maladies génétiques ont une incidence sur le risque de survenue de maladies pulmonaires. Ainsi, la mucoviscidose, liée à une anomalie génétique découverte en 1989, est l'une des maladies génétiques les plus fréquentes. Cette maladie transmise de façon héréditaire est caractérisée par une viscosité anormale du mucus que sécrètent les glandes intestinales, pancréatiques et bronchiques. Elle entraîne notamment une dénutrition, une dilatation des bronches, la survenue d'infections répétées et, pour finir, une insuffisance respiratoire sévère, souvent mortelle. Cette maladie, dont les traitements n'agissent que sur les symptômes, est très grave.

celui encouru par un non-fumeur qui n'est pas exposé au tabagisme passif.

L'AMIANTE

L'amiante est un silicate de magnésium extrait de certains sites géologiques. L'intérêt principal de cette fibre est son rôle d'isolant thermique. Pour cette raison, elle a été largement utilisée dans l'industrie du bâtiment, dans l'industrie navale pour le calorifugeage, etc. Son rôle dans la survenue de maladies pulmonaires n'a été reconnu que tardivement, car il faut un très long délai (de 30 à 40 ans) entre l'exposition à l'amiante et l'apparition de ces maladies. Cependant, il est maintenant établi qu'une inhalation intense et prolongée de poussières d'amiante est responsable de l'asbestose, l'une des plus importantes maladies des poumons liées à une activité professionnelle. Elle peut également entraîner l'apparition d'un épaississement de la membrane qui tapisse le thorax et enveloppe les poumons (plèvre), de calcifications du diaphragme, d'une inflammation de la plèvre

(épanchement pleural) due à la présence de liquide ou de gaz entre les 2 feuillets la constituant, et d'une tumeur de cette membrane (mésothéliome). Le tabagisme associé à l'exposition à l'amiante augmente de façon considérable le risque de cancer du poumon.

LES AUTRES FACTEURS DE RISQUE

Les facteurs allergiques semblent jouer un rôle dans l'apparition de maladies pulmonaires. Par exemple, dans l'asthme, qui est lié à certaines allergies (aux acariens contenus dans la poussière, aux pollens, aux poils d'animaux, etc.), l'hyperactivité des bronches pourrait être un facteur de risque de développement d'une bronchite chronique. Certaines formes graves d'infections de la petite enfance (coqueluche, rougeole, bronchiolites, etc.) sont susceptibles d'entraîner, à l'âge adulte, des maladies respiratoires telles que l'asthme, les dilatations des bronches ou les bronchites chroniques.

LE TABAC : COMMENT ARRÊTER ?

Il n'existe pas de pilule ou de recette miracle pour arrêter de fumer. Au départ, seule compte une forte motivation, doublée d'une solide volonté.

Ensuite, différentes méthodes peuvent être proposées au fumeur pour l'aider à se libérer de sa dépendance à la nicotine.
L'arrêt du tabac, même après 30 ans de tabagisme, est tou-jours bénéfique. En règle générale, si le fumeur ne présente aucun trouble lié au tabac, l'arrêt de sa consommation lui permettra d'éviter l'apparition d'une maladie due au tabagisme et, s'il souffre d'une de ces maladies, de limiter sa progression.

L'ARRÊT DE LA CONSOMMATION

Diminuer progressivement la quantité de cigarettes fumées chaque jour ne semble pas être la solution idéale pour arrêter de fumer. En effet, le nombre de personnes qui y sont parvenues de cette manière est infime.
En revanche, l'arrêt brutal et total accroît considérablement les chances de succès à long terme. Dans la plupart des cas, il est préférable d'arrêter de fumer dans un contexte favorable (absence de problèmes familiaux et professionnels). En effet, l'arrêt du tabagisme entraîne toute une série de troubles liés au manque, observables dès les premières 24 heures : agitation anxieuse, irritabilité, difficulté de concentration, troubles du sommeil, parfois vertiges, maux de tête

Laurent – BSIP

***Pose d'un patch.** Les substituts du tabac permettent de réduire progressivement la quantité de nicotine, ce qui facilite la désaccoutumance.*

LE PROBLÈME DE LA PRISE DE POIDS

Le grignotage fait partie du comportement habituel des personnes en cours de sevrage tabagique et se traduit souvent par une prise de poids de 2 à 3 kg, après l'arrêt du tabac. Cette dernière est liée, d'une part, à un phénomène de compensation : la personne a, en effet, tendance à remplacer le plaisir perdu de la cigarette par la nourriture, et d'autre part, à l'interruption de l'apport de nicotine (celle-ci augmente la vitesse du transit intestinal, limite l'absorption des aliments et par conséquent agit en coupe-faim), qui renforce l'appétit de l'ancien fumeur. La prise de poids peut être évitée grâce à un régime diététique approprié ou une pratique sportive quotidienne.

et grignotage intempestif. Si certaines personnes parviennent à se désintoxiquer sans aucune aide, la majorité ont recours à une aide sous forme de substituts du tabac, d'acupuncture, d'auriculothérapie, etc.

LES SUBSTITUTS DU TABAC

Délivrés uniquement sur prescription médicale, les substituts du tabac se présentent sous la forme de timbres transdermiques (patch) ou de gommes à mâcher (chewing-gum), conte-

L'EFFICACITÉ DES TRAITEMENTS

Les substituts du tabac ont un taux de réussite supérieur à 50 %. Les autres techniques n'ayant jamais fait l'objet d'évaluation rigoureuse, il est difficile de les apprécier. Certaines estimations avancent le chiffre de 25 %.

Bien qu'il existe de nombreux cas de reprise du tabac, les tentatives d'arrêt sont l'indice d'une forte motivation et précèdent souvent l'arrêt définitif. On a en effet observé que, généralement, le deuxième essai donne des résultats plus satisfaisants que la première tentative. De plus, les statistiques montrent que, à partir d'un an d'abstinence, les risques de rechute sont très faibles, de 4 à 5 %.

nant de la nicotine à différentes doses. L'objectif de ces médicaments est d'aider le patient à surmonter son désir de fumer en réduisant progressivement la quantité de nicotine délivrée, jusqu'à désaccoutumance complète.

Le dosage du médicament, adapté aux habitudes tabagiques du fumeur, est déterminé par un test de dépendance à la nicotine. Dans tous les cas, les substituts à la nicotine nécessitent l'arrêt total du tabac, car la consommation de cigarettes décuple les effets de la nicotine et risque de provoquer des nausées, des maux de tête et des palpitations. Les patchs sont des pansements à coller sur la peau, de taille proportionnelle au dosage de nicotine. Grâce au dispositif trans-

dermique, la nicotine contenue dans ce patch traverse la peau, gagne le sang et agit sur le système nerveux, permettant ainsi au fumeur de ne pas ressentir les symptômes dus à l'arrêt du tabac. Dans le cas des chewing-gums à la nicotine, celle-ci arrive dans le sang par l'intermédiaire de la salive. La gomme à mâcher est utilisée chaque fois que le besoin de fumer se fait sentir, mais n'est plus efficace après 30 minutes de mastication. Un nombre limité de gommes est prescrit chaque jour pour éviter les surdosages.

LES AUTRES MÉTHODES

Les autres méthodes pour arrêter de fumer sont souvent très utiles, non pas pour supprimer totalement les symptômes de manque, mais surtout pour renforcer la motivation des patients. **L'acupuncture** consiste en la pose d'aiguilles pendant 20 à 40 minutes, en des points précis de la surface de la peau correspondant à certains centres de

l'organisme. Elle permet de faire disparaître la sensation de besoin en provoquant un certain dégoût de la cigarette. Le traitement s'étale sur 3 semaines, à raison de 1 à 5 séances par semaine.

L'auriculothérapie est un dérivé de l'acupuncture. Son principe repose sur la stimulation de 2 points du pavillon de l'oreille par un fil de Nylon, conservé 3 semaines. Il est conseillé d'y associer d'autres méthodes telles que les substituts du tabac.

Les psychothérapies de groupe consistent en des réunions de fumeurs désirant s'arrêter, en présence de médecins. Le programme se déroule sur 5 soirées au cours desquelles sont exposés les motivations des fumeurs, les informations sur les méfaits du tabac et les conseils d'hygiène alimentaire et sportive.

En conclusion, il est important de souligner qu'un ancien fumeur qui reprend une seule cigarette juste « pour voir », 1 semaine, 1 mois, 1 an ou 10 ans après l'arrêt, peut facilement replonger dans le tabagisme.

LA PRÉVENTION

Compte tenu de la difficulté d'arrêter de fumer, il est essentiel de prévenir la première prise de tabac, qui se produit habituellement, selon des estimations, vers l'âge de 10-12 ans. Les pays qui ont mis en place une politique publique de réduction du tabagisme (Norvège, Grande-Bretagne, France, Canada, Australie) ont obtenu des résultats significatifs (chute de la consommation de tabac puis réduction de la fréquence des maladies liées au tabagisme, notamment du cancer du poumon).

Un tel programme, conduit sur plusieurs dizaines d'années, associe 4 types de mesures : interdiction de toute forme de publicité, directe ou indirecte ; interdiction du tabagisme dans les lieux collectifs clos de façon à protéger les non-fumeurs ; augmentation du prix des cigarettes ; programmes d'information et d'éducation du public.

LES MALADIES DIGESTIVES

L'appareil digestif peut être atteint par des maladies très diverses. Certaines sont bénignes, comme le syndrome du côlon irritable, d'autres sont plus graves, comme la cirrhose du foie ou le cancer du côlon.

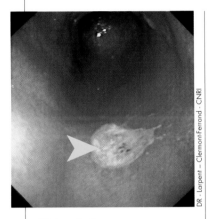

Ulcère de l'estomac vu par endoscopie. *La destruction de la muqueuse gastrique (tache blanchâtre) entraîne une douleur dans le haut du ventre.*

Tous les organes de l'appareil digestif sont concernés : le tube digestif lui-même (bouche, pharynx, œsophage, estomac, intestin grêle, côlon, rectum et anus) ainsi que les organes annexes (foie, pancréas, vésicule biliaire).

MALADIES DE L'ESTOMAC ET DE L'INTESTIN GRÊLE

Les gastrites sont des inflammations de la muqueuse de l'estomac. Elles peuvent apparaître brutalement (forme aiguë) ou se développer lentement sur de longues périodes (forme chronique). Les gastrites sont provoquées par l'action irritante de médicaments (aspirine ou anti-inflammatoires), de l'alcool et du tabac. La bactérie *Helicobacter pylori* pourrait favoriser les gastrites, en faisant augmenter la quantité d'acide sécrété par l'estomac. Les symptômes sont essentiellement des douleurs, souvent déclenchées ou aggravées au moment des repas, et des nausées ou des vomissements. Ils ressemblent à ceux de l'ulcère, ce qui peut rendre le diagnostic difficile.

Le traitement des gastrites repose sur des mesures préventives. Il faut éviter l'alcool, le tabac, les aliments irritants comme les épices, les médicaments anti-inflammatoires ou l'aspirine. Les pansements gastriques sont utiles pour calmer rapidement la douleur. Les infections à *Helicobacter* sont traitées par des antibiotiques, mais sont assez résistantes.

L'ulcère est une lésion de la muqueuse de l'estomac et, plus fréquemment, du duodénum (première partie de l'intestin grêle). Le principal symptôme est une douleur dans le haut du ventre, ressemblant à une crampe ou à une brûlure. Celle-ci survient 2 à 3 heures après les repas et est soulagée par la prise d'aliments. Elle se manifeste par crises de 2 ou 3 semaines, entrecoupées de périodes où tout semble rentrer dans l'ordre. Elle est parfois associée à des nausées ou à des vomissements. On ignore encore la cause exacte de l'ulcère, mais la bactérie *Helicobacter pylori* pourrait favoriser son développement, comme dans le cas des gastrites.

Le traitement repose sur la prise d'antibiotiques et de divers médicaments capables de soulager la douleur. Parfois, un traitement chirurgical est nécessaire,

LE CANCER DE L'ŒSOPHAGE

Le cancer de l'œsophage, assez fréquent, est le plus souvent lié à une intoxication par le tabac et l'alcool, comme pour les cancers de la gorge (pharynx ou larynx) et du poumon. Le premier signe est une difficulté à avaler. Le diagnostic se fait grâce à la fibroscopie, qui permet de voir la lésion, et à la biopsie, qui permet d'en prélever une partie afin de l'examiner au microscope. Le traitement est essentiellement chirurgical. L'évolution d'un tel cancer est souvent mauvaise, surtout s'il est découvert tardivement.

notamment chez les personnes souffrant d'ulcères persistants ou/et présentant des risques d'hémorragie.

LES MALADIES DU FOIE

Les hépatites sont des affections du foie, le plus souvent dues à des virus (virus A à E). Ce sont les maladies du foie les plus fréquentes. Les premiers symptômes sont des nausées et des vomissements, puis une jaunisse apparaît. Dans la plupart des cas, les hépatites sont bénignes. Le traitement consiste à se reposer et à s'abstenir de consommer toute boisson alcoolisée. Les hépatites virales B et C peuvent évoluer vers une forme chronique et nécessiter des traitements par des médicaments, notamment par l'interféron. D'autres types d'hépatites proviennent de l'action toxique de certains médica-

LE SYNDROME DU CÔLON IRRITABLE

Le syndrome du côlon irritable est chronique et dû à une perturbation du mouvement musculaire à l'intérieur du gros intestin, sans cause organique. C'est l'une des affections digestives les plus fréquentes. Les symptômes, souvent accentués par l'anxiété et le stress, associent des douleurs abdominales, des ballonnements et des troubles du transit (constipation, diarrhée, ou les 2 en alternance). Ils peuvent s'atténuer, voire disparaître, pendant de longues périodes, puis réapparaître à tout moment de l'existence. Il s'agit plus d'un état que d'une véritable maladie : en dehors de ces signes, les personnes sont en bonne santé. Le traitement repose sur un changement d'alimentation, sur la relaxation et sur la prise d'antispasmodiques.

ments ou de substances chimiques et de certaines infections bactériennes.

La cirrhose se caractérise par des lésions diffuses dans le foie. Les cellules sont détruites et remplacées par du tissu fibreux (sclérose). La plupart du temps, elle est due à l'alcoolisme. Elle peut aussi être provoquée par l'évolution d'une hépatite chronique ou par des maladies rares (l'hémochromatose). Le premier signe caractéristique est l'apparition d'un épanchement de liquide dans la membrane tapissant les parois de l'abdomen (péritoine) ; celui-ci devient gonflé et ballonné (ascite). Surviennent ensuite des hémorragies digestives très graves. Enfin, le dernier stade se traduit par une jaunisse, des hémorragies diffuses et un coma progressif. La suppression complète de toute boisson alcoolisée est indispensable et peut permettre une stabilisation des lésions. Mais la cirrhose, une fois installée, est irréversible. Dans les cas les plus graves, elle peut conduire à un cancer du foie, de mauvais pronostic.

LES MALADIES DU CÔLON

Le cancer du côlon est l'un des cancers les plus répandus dans les pays industrialisés. Les premiers signes sont généralement digestifs : constipation, diarrhée, douleurs abdominales ou présence de sang dans les selles. Ensuite, des signes généraux tels que la fièvre, la fatigue et une détérioration de l'état général font leur apparition.

Le traitement est chirurgical. Il consiste à enlever la portion de l'intestin atteinte par la tumeur. Il est d'autant plus efficace qu'il est réalisé de façon précoce. C'est pourquoi il est essentiel de dépister le cancer du côlon le plus tôt possible. Ainsi, les personnes qui ont le plus de risques de développer un tel cancer (personnes ayant des polypes intestinaux ou dont certains membres de la famille ont eu des cancers du même type) peuvent subir un dépistage. Ce dernier repose sur la surveillance des polypes lorsqu'ils existent et sur la détection de sang dans les selles.

LES CALCULS DE LA VÉSICULE

La vésicule biliaire est un petit réservoir situé sous le foie. Lors des repas, elle déverse la bile dans l'intestin, permettant ainsi une meilleure absorption des aliments, notamment des graisses. Des calculs peuvent se former dans la vésicule et obstruer les voies biliaires. Ils provoquent alors des douleurs abdominales intenses (coliques) ou des infections responsables d'une inflammation aiguë de la vésicule. Le traitement est souvent chirurgical. Il consiste à enlever la vésicule biliaire.

LES MALADIES LIÉES AU VIEILLISSEMENT

LES MALADIES VASCULAIRES

Le vieillissement est souvent synonyme de mauvaise santé. En effet, les personnes âgées de 65 à 79 ans souffrent en moyenne de 2 fois plus de maladies que l'ensemble de la population.

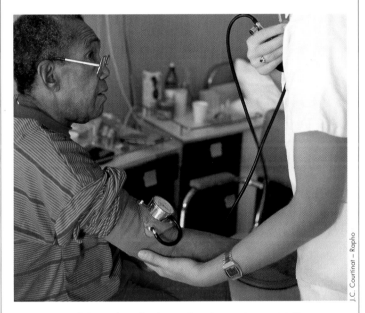

J.C. Courtinat – Rapho

Personne se faisant prendre la tension. *La tension artérielle, qui augmente avec l'âge, doit être régulièrement surveillée car, si elle est trop importante, elle peut conduire à l'infarctus ou à l'accident vasculaire cérébral.*

L'hérédité et l'hygiène de vie sont souvent responsables des maladies vasculaires qui affectent les personnes âgées.

L'HYPERTENSION ARTÉRIELLE

Chaque jour, le cœur pompe environ 7 000 litres de sang avec un débit qui peut varier entre 4 litres et demi et 24 litres par minute. Ce sang est véhiculé par les artères.

La pression artérielle, ou tension artérielle, est la force exercée par le sang sur les parois des artères. Elle prouve la capacité du cœur à propulser le sang pour le faire circuler dans l'ensemble du corps. Elle s'exprime en millimètres de mercure. La pression maximale, ou pression systolique, est observée quand le cœur se contracte et envoie le sang dans les artères. La pression minimale, ou pression diastolique, est mesurée après l'éjection du sang, pendant la phase de repos du cœur.

L'hypertension artérielle correspond à une élévation anormale de la pression artérielle, au-delà de 160 mm de mercure (tension maximale) et de 95 mm de mercure (tension minimale), de façon permanente, même au repos.

La pression artérielle augmente normalement avec l'âge : les personnes âgées sont donc souvent atteintes d'hypertension artérielle. Celle-ci est l'un des grands

FREINER LE VIEILLISSEMENT NORMAL

Des recherches sont menées pour comprendre le processus du vieillissement et tenter de le freiner. Une étude américaine a ainsi démontré les effets bénéfiques de l'hormone de croissance : son administration entraîne en particulier une augmentation du volume musculaire et un épaississement de la peau, mais les effets secondaires d'un tel traitement sont encore méconnus. Le rôle d'une autre hormone, la dihydroépiandrostérone (DHEA), produite par les glandes surrénales et présente à un taux beaucoup plus élevé chez les jeunes que chez les personnes âgées, est actuellement à l'étude.

facteurs d'accident vasculaire cérébral ou cardiaque après 65 ans. Une meilleure hygiène de vie (régime alimentaire basses calories, parfois sans sel, arrêt du tabac et de l'alcool) permet souvent de retrouver une tension artérielle normale. Si ces mesures échouent, des antihypertenseurs sont prescrits.

L'ACCIDENT VASCULAIRE CÉRÉBRAL

La fréquence de l'accident vasculaire cérébral augmente considérablement au-delà de 60 ans. Lorsqu'il survient, il provoque une interruption de l'irrigation d'une partie du cerveau (thrombose et embolie cérébrales) ou l'irruption de sang hors du vaisseau (hémorragie cérébrale). Les mouvements et les fonctions commandés par la région cérébrale atteinte sont alors perturbés. Les accidents vasculaires cérébraux laissent des séquelles nombreuses et handicapantes, telle l'hémiplégie. En outre, ils sont mortels dans environ 1 cas sur 3.

L'ARTÉRITE DES MEMBRES INFÉRIEURS

L'artérite des membres inférieurs touche les artères des jambes. Elle se caractérise par des dépôts graisseux (plaques athéromateuses) sur les parois internes des artères dont le nombre et l'épaisseur augmentent avec l'âge. Ces dépôts provoquent une gêne de la circulation du sang, favorisent la formation de caillots sanguins et provoquent des douleurs dans les jambes.
Les hommes âgés sont les plus exposés, surtout s'ils cumulent plusieurs facteurs de risque (tabagisme, diabète, hypertension artérielle, obésité, taux élevé de cholestérol, antécédents familiaux, etc.).
Le traitement repose d'abord sur l'élimination de certains facteurs de risques. Puis, des médicaments (anticoagulants, vasodilatateurs) visent à freiner l'évolution de la maladie ou à en limiter les complications. En dernier recours, lorsque la maladie est avancée, un traitement chirurgical

(pontage, dilatation, prothèse vasculaire), peut être utilisée.

LES AUTRES MALADIES VASCULAIRES

D'autres maladies cardiovasculaires, telles que l'insuffisance cardiaque, l'insuffisance coronarienne, l'angine de poitrine (angor) et sa principale complication, l'infarctus du myocarde, sont fréquentes chez les personnes âgées, mais ne sont pas spécifiquement liées au vieillissement. L'hérédité est un facteur déterminant pour la survenue ou non de ces maladies.

LES MALADIES DE L'ŒIL

Plusieurs maladies liées à l'âge affectent l'œil. Le cristallin peut perdre sa transparence (cataracte) et rendre la vision difficile. L'opération de la cataracte donne de très bons résultats et ne demande qu'une très courte hospitalisation.
L'œil peut aussi souffrir d'une hypertension oculaire qui entraîne la lésion du nerf optique (glaucome). Le glaucome doit être dépisté le plus tôt possible, car, soigné trop tard, il peut conduire à la cécité. On le traite par instillation d'un collyre ou, si nécessaire, par une intervention chirurgicale.
Au cours du vieillissement, une dégénérescence de la macula, zone de la rétine qui permet la vision précise, peut survenir. En l'absence de traitement, cette maladie est actuellement responsable de nombreux cas de cécité après 65 ans.

LES CANCERS AU COURS DU VIEILLISSEMENT

La fréquence des cancers augmente avec le vieillissement. À 20 ans, le risque d'être atteint d'un cancer est très faible. Entre 30 et 40 ans, ce risque est multiplié par deux, puis il le sera encore à chaque décennie. Environ 50 % des cancers sont diagnostiqués chez des personnes de plus de 65 ans. Ce sont surtout des cancers digestifs (côlon), du sein, de la prostate, de la vessie et de la peau. À 80 ans, le taux de fréquence du cancer du sein est 100 fois plus important qu'à 30 ans. Quelle que soit la cause du décès chez une personne de plus de 90 ans, un examen soigneux des organes internes révèlerait souvent l'existence d'un cancer de petite taille. Celui de la prostate est, par exemple, pratiquement retrouvé chez tous les hommes très âgés.

LES MALADIES LIÉES AU VIEILLISSEMENT

MALADIES DU CERVEAU ET DES OS

Les maladies qui surviennent au cours du vieillissement peuvent être responsables d'une perte importante d'autonomie.

H. Raguet – Phanie

Test de dépistage de la maladie d'Alzheimer. *Cette maladie dégénérative du cerveau entraîne une détérioration importante des facultés mentales, que l'on peut déceler par différents tests.*

Les maladies liées au vieillissement atteignent en particulier le cerveau, les os et les articulations.

LES MALADIES DU CERVEAU

Une personne sur 20 de plus de 60 ans souffre de graves détériorations des facultés mentales. À 85 ans, le pourcentage est 4 fois plus élevé (1 personne sur 5).

La maladie d'Alzheimer est en cause dans 50 à 60 % des maladies dégénératives du cerveau. Elle se manifeste par des troubles de la mémoire, du langage, du raisonnement et par une diffi-

culté à s'orienter dans le temps et l'espace. Cette affection apparaît rarement avant 60 ans. Plus de 30 % des personnes de plus de 85 ans en sont atteintes.

Il n'existe pas de traitement. Un seul médicament (tacrine) est actuellement proposé pour diminuer les signes, mais il n'est efficace que chez un petit nombre de patients. Le maintien d'une activité et la stimulation quotidienne du malade dans les gestes de la vie courante sont recommandés, pour assurer l'autonomie le plus longtemps possible.

La maladie de Parkinson, autre affection dégénérative du cerveau, débute rarement avant 55-60 ans ; elle se manifeste souvent de manière progressive. Elle touche environ 1 % de la population âgée de plus de 50 ans. Elle se caractérise par un tremblement au repos, une expression figée, des mouvements lents et peu nombreux, et une raideur généralisée.

On ne sait toujours pas guérir cette maladie dont les causes sont actuellement méconnues, mais divers médicaments permettent d'en atténuer sensiblement les symptômes.

LES MALADIES DES OS ET DES ARTICULATIONS

L'ostéoporose, qui se traduit par une perte de densité des os, est directement liée au vieillis-

DYSFONCTIONNEMENT DES SPHINCTERS

Chez les personnes âgées et particulièrement chez les femmes, les sphincters (dispositifs musculaires entourant un orifice ou un canal naturel et permettant son ouverture et sa fermeture) perdent de leur efficacité, ce qui peut entraîner une incontinence urinaire et, plus rarement, fécale. Lorsque l'incontinence urinaire est légère, une rééducation spécialisée peut améliorer les symptômes. Le port de serviettes hygiéniques est conseillé. Dans les formes plus graves, on peut avoir recours à la chirurgie (mise en place d'une prothèse).

sement. En effet, à 70 ans, la densité du squelette a diminué d'environ 1/3. Le squelette devient plus fragile et est davantage exposé aux fractures (principalement celles du col du fémur). Pour des raisons hormonales, l'affection touche plus souvent les femmes que les hommes car, à la ménopause, les ovaires cessent de produire les œstrogènes essentiels au maintien de la structure osseuse. À 75 ans, près de la moitié des femmes ont eu au moins une fracture due à l'ostéoporose. La maladie peut provoquer des tassements vertébraux et de vives douleurs au niveau du dos.

Quelques mesures préventives peuvent compenser et retarder les effets de l'ostéoporose. Un apport correct en calcium dans l'alimentation (lait et produits laitiers) est nécessaire, celui-ci étant indispensable à la constitution de l'os. Il est également recommandé d'avoir une activité physique régulière pour maintenir en bon état les muscles et le squelette. Enfin, pour les femmes, en dehors de contre-indications, un traite-

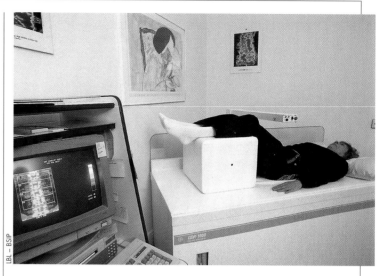

LBL – BSIP

Personne en train de subir une **ostéodensitométrie.** *Cet examen permet de mesurer la densité des os et, par là, l'évolution de l'ostéoporose.*

ment hormonal de substitution peut prévenir une installation trop rapide de l'ostéoporose. Ce traitement peut être complété par l'apport de calcium, de fluor et de vitamine D.

L'arthrose est une dégénérescence des cartilages, qui apparaît le plus souvent après 60 ans et affecte surtout les femmes. Les articulations des hanches, des genoux, des vertèbres cervicales et lombaires sont les plus touchées, car elles sont

soumises à de lourdes contraintes mécaniques ; cependant, la maladie peut atteindre toutes les articulations. Les symptômes sont des douleurs, un gonflement localisé à l'articulation, des craquements et une raideur de l'articulation atteinte.

Il n'existe pas de traitement préventif, mais l'on dispose de médicaments pour soulager la douleur (anti-inflammatoires non stéroïdiens et antalgiques). Il est possible, si cela s'avère nécessaire, de remplacer l'articulation détruite par une prothèse. Une importante mesure de prévention repose sur la perte des kilos superflus chez les personnes trop fortes. La pratique d'un sport, notamment la natation, aide à fortifier les muscles, à entretenir la mobilité de l'articulation et à atténuer la douleur.

LA PROSTATE

La prostate est une glande qui se trouve à proximité de la vessie, chez l'homme. Elle intervient dans la composition du sperme et joue également un rôle dans la fonction urinaire.

À partir de la cinquantaine, le volume de la prostate augmente naturellement ; les tissus qui la composent changent de consistance et deviennent moins souples, ce qui peut entraîner une gêne pour uriner. L'adénome de la prostate est une tumeur bénigne, qui apparaît avec l'âge. Cette affection touche environ 90 % de la population masculine de plus de 80 ans. Elle se traduit par une hypertrophie de la glande, entraînant des difficultés à uriner. En fonction de l'importance de la gêne occasionnée, le traitement est soit médical, soit chirurgical.

BIEN VIVRE, BIEN VIEILLIR

Conserver des activités intellectuelles et physiques, respecter une bonne hygiène de vie et s'astreindre à un suivi médical régulier sont les principales mesures qui permettent de préserver sa santé et de vieillir dans les meilleures conditions.

LE MÉDECIN DE FAMILLE

Le médecin de famille est le mieux placé pour surveiller votre santé : il vous connaît et peut contrôler régulièrement certains paramètres comme votre poids ou votre tension artérielle. Il peut également vous prescrire, lorsque cela est nécessaire, un bilan biologique. Il peut, par ailleurs, vous conseiller sur le meilleur régime alimentaire à adopter, sur le choix d'un sport ou encore, pour les femmes, sur les possibilités de suivre un traitement hormonal substitutif pour prévenir l'ostéoporose. Votre médecin de famille est le seul à avoir une vision globale de votre santé.

B. Erlanson – Image Bank

Couple de personnes âgées faisant ses courses en flânant. *Le fait de continuer à mener des activités agréables permet de vieillir dans les meilleures conditions.*

Les processus de vieillissement sont inscrits dans nos gènes. Il s'agit d'un phénomène naturel, qui répond à une loi biologique fondamentale et débute au moment même de notre naissance.

L'espèce humaine semble programmée pour vivre environ 120 ans. En pratique, la frontière entre l'âge adulte et la vieillesse est franchie au cours de la soixantaine. Mais il existe de nombreuses variations selon les individus, déterminées par des facteurs génétiques et influencées par d'autres facteurs, comme l'hygiène de vie. Par exemple, les chances, pour une personne, d'atteindre un âge avancé sont beaucoup plus élevées lorsque ses propres parents et grands-parents sont eux-mêmes décédés très âgés. Malgré ces disparités, l'espérance de vie augmente, grâce surtout aux progrès de la médecine et à l'amélioration des conditions de vie.

VIVRE PLUS LONGTEMPS

Entre l'espérance de vie actuelle dans les pays développés (82 ans pour les femmes et 74 ans pour les hommes) et la longévité potentielle de l'être humain (120 ans), il existe quelques dizaines d'années de vie à gagner. D'autant plus que la théorie du déclin inéluctable des grandes fonctions de l'organisme dû à l'âge (débit cardiaque, fonctionnement cérébral…) est actuellement remise en cause. Certaines études révèlent en effet qu'il n'y a pas toujours baisse des performances avec l'âge pour un organe donné. Des travaux américains ont notamment montré que le débit cardiaque de personnes âgées ne souffrant pas de maladies cardiaques n'est pas plus faible que celui d'adultes jeunes. Il semblerait donc que la baisse des performances physiques constatée chez les personnes âgés ne soit pas uniquement liée au vieillissement naturel, mais aussi aux maladies qui l'accompagnent.

QU'EST-CE QUE LE VIEILLISSEMENT ?

Le vieillissement physique concerne toutes les structures de notre corps (molécules, cellules, tissus et organes spécialisés). Si la science constate facilement le vieillissement physique, en revanche elle n'explique pas encore tous les mécanismes de ce vieillissement biologique ni ses conséquences.

La vieillesse est marquée par l'apparition, avec une fréquence accrue, de maladies graves telles que l'artériosclérose, les cancers ou encore les maladies dégénératives. Elle s'accompagne de la détérioration de certaines fonctions : l'œil perd son pouvoir d'accommodation (presbytie), la perception des sons aigus s'émousse (surdité ou presbyacousie).

En fait, le vieillissement entraîne surtout une diminution des capacités d'adaptation de l'organisme. Par exemple, une pneumonie peut plus facilement entraîner une insuffisance cardiaque chez une personne âgée que chez un adulte jeune.

Le vieillissement a également des conséquences sur le psychisme. Entre 50 et 60 ans, un certain nombre de changements importants surviennent dans la vie des individus : le départ des enfants et la retraite bouleversent souvent l'environnement familial et professionnel. Les modifications corporelles (rides, ménopause, etc.) affectent particulièrement les femmes.

LUTTER CONTRE LE VIEILLISSEMENT

S'il est naturel de vieillir, il est légitime de chercher à « bien vieillir ». La prévention du vieillissement doit commencer le plus tôt possible. Il est scientifiquement prouvé qu'en écartant certains facteurs de risque on retarde les effets du vieillissement. Il s'agit essentiellement de se protéger du stress, de limiter sa consommation d'alcool et de tabac, d'éviter les expositions excessives au soleil. Il est probable, bien qu'aucune preuve scientifique n'ait pu en être apportée, qu'une alimentation pauvre en graisses, en sucres rapides et riche en protéines soit bénéfique pour maintenir l'organisme en forme, de même qu'une consommation raisonnable d'oligoéléments et de vitamines.

Dans tous les cas, que ce soit pour l'homme ou pour la femme, il est conseillé de pratiquer régulièrement une activité physique modérée, de poursuivre une activité intellectuelle constante et de conserver un intérêt pour le monde extérieur (activités culturelles, lecture de journaux, etc.). Grâce à un suivi médical régulier, il est possible de dépister plus tôt, donc de traiter plus efficacement, de multiples maladies et d'en éviter un grand nombre.

LE TRAITEMENT HORMONAL DE SUBSTITUTION

À la ménopause, la femme peut choisir de suivre, en l'absence de contre-indications, un traitement hormonal substitutif. Celui-ci agit à différents niveaux. Il retarde le vieillissement osseux (ostéoporose) qui s'accentue lors de l'interruption des sécrétions hormonales des ovaires. Il permet également d'éviter que la peau, les ongles et les cheveux ne perdent de leur qualité. Enfin, le traitement empêche l'atrophie vaginale, souvent responsable d'une baisse de l'activité sexuelle. Tous ces éléments bénéfiques sur le plan physique le sont aussi sur le plan psychologique.

LES SOINS EN FIN DE VIE

DÉFINITION ET MODALITÉS

Les soins en fin de vie concernent les patients en phase avancée ou terminale d'une maladie potentiellement mortelle.

LES UNITÉS DE SOINS PALLIATIFS

En 1967, le docteur Saunders fondait en Grande-Bretagne le Saint Christopher Hospice, dont le principal objectif était d'aider les malades à vivre le temps qu'il leur restait de façon humainement satisfaisante. Depuis, les pouvoirs publics de nombreux pays ont encouragé et favorisé la création d'unités de soins palliatifs, spécifiquement chargées de s'occuper des mourants et d'accueillir leur famille. Les professionnels qui se consacrent uniquement aux mourants font tout ce qu'ils peuvent pour soulager leurs douleurs physiques et émotionnelles.

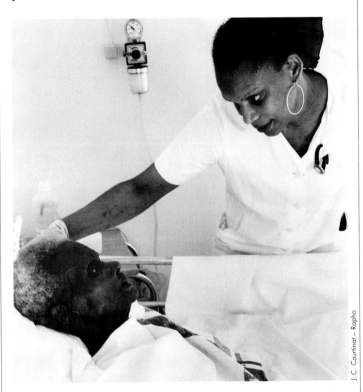

J.C. Courtinat – Rapho

Infirmière auprès d'une personne en fin de vie dans une unité de soins palliatifs. *Le personnel hospitalier apporte un grand réconfort aux malades et forme souvent comme une seconde famille.*

Les soins en fin de vie, également appelés soins palliatifs, ont pour but de préserver la meilleure qualité de vie possible au malade, jusqu'à la fin. Ils ne hâtent ni ne retardent le décès.

LES MODALITÉS

Outre les cancers, les maladies le plus souvent prises en charge par les unités de soins palliatifs sont les maladies neurologiques dégénératives (sclérose latérale amyotrophique, chorée de Huntington) et le sida.

Les soins palliatifs exigent de la part du personnel soignant une écoute constante du malade pour pouvoir répondre à ses demandes. Celles-ci sont parfois difficiles à formuler par le patient et nécessitent alors une grande psychologie de la part du personnel soignant et de la famille.

Les personnes qui arrivent en fin de vie ont besoin de certains soins qui les aident à affronter cette ultime étape le plus humainement possible.

La détresse du mourant peut en partie être soulagée par la

LES ESCARRES

Les escarres sont des lésions de la peau fréquentes chez les personnes âgées contraintes à l'immobilité et chez les malades alités. Elles sont dues à une compression prolongée sur les zones d'appui : talons, fesses, bas du dos, hanches, genoux, épaules ou chevilles. Elles débutent par des plaques rouges, douloureuses, sur les points de pression, puis elles ont tendance à s'étendre en surface et en profondeur, à s'ulcérer et à se surinfecter. Leur guérison est difficile, c'est pourquoi leur prévention est indispensable. Celle-ci consiste à changer régulièrement le malade de position, à pratiquer des massages locaux, à effectuer un séchage soigneux après la toilette, à utiliser un matelas spécialement adapté.

compréhension, la sensibilité et l'effort de communication de la part des proches. Les médecins, les infirmiers, les autres professionnels paramédicaux, la famille, les amis et les ministres du culte sont tous impliqués. L'entourage du mourant subit souvent un grand choc émotionnel à cette occasion. Il se sent parfois coupable de ne pouvoir faire plus. C'est pourquoi les soins palliatifs concernent non seulement le malade, mais aussi les membres de sa famille et ses amis, qui peuvent avoir besoin de consulter un médecin qui les conseille sur leur façon d'agir et leur apporte un appui psychologique. Ce soutien pourra se poursuivre après le décès du patient, pour aider les proches dans leur travail de deuil, tant sur le plan moral que sur le plan physique.

QUE DIRE À UN MOURANT ?

Depuis quelques années, les médecins disent plus facilement à leurs patients la vérité sur leur maladie. Mais certaines personnes refusent de connaître l'évolution de leur mal. Le souhait du patient doit être respecté autant que possible, ce qui suppose une immense compréhension de la part du médecin et de l'entourage, ainsi que beaucoup d'intuition pour éviter de dramatiques erreurs de jugement.

Parfois, le mourant exprime clairement son désir d'évoquer sa mort prochaine, mais ce sont ses proches qui s'en sentent incapables. Il lui est quelquefois plus facile de parler de sa mort à quelqu'un qui n'est pas un proche – d'où le rôle primordial des bénévoles d'associations spécialisées. Dans tous les cas, la communication entre le malade et sa famille doit être favorisée, pour le bien-être de chacun.

MOURIR CHEZ SOI OU À L'HÔPITAL ?

Le traitement d'un certain nombre de maladies nécessite des séjours hospitaliers à un moment ou à un autre. Cependant, quand la fin est prévisible, de nombreux patients préfèrent mourir chez eux. L'accompagnement se fait alors en hospitalisation à domicile. Plusieurs intervenants sont présents : médecins, kinésithérapeutes, auxiliaires de vie, bénévoles et, bien sûr, entourage du malade. Chaque cas est particulier. Mais il faut savoir que, si les preuves d'amour, de compréhension et les soins affectifs semblent meilleurs à domicile, l'hôpital, en revanche, est mieux équipé pour s'occuper des malades atteints d'une maladie nécessitant l'emploi de techniques lourdes ou une surveillance constante.

LA CACHEXIE

La cachexie est un état d'affaiblissement profond de l'organisme lié à une dénutrition très importante, qui touche la plupart des malades en fin de vie. Elle n'est pas en elle-même une affection, mais un symptôme dont les causes sont diverses. Elle peut être la conséquence d'une diminution ou d'une perte totale de l'appétit (anorexie). Chez les malades atteints d'un cancer, cette anorexie est due à une altération du goût ou à une aversion acquise pour certains aliments, notamment la viande. Ces phénomènes seraient provoqués par des substances sécrétées par la tumeur elle-même. La cachexie peut également accompagner une insuffisance cardiaque chronique et grave. La cachexie des maladies chroniques infectieuses (sida, tuberculose) ou inflammatoires est encore mal expliquée.

LES SOINS EN FIN DE VIE

LES DIFFÉRENTS TYPES DE SOINS

L'objectif des soins palliatifs est de soulager les souffrances physiques et psychologiques du malade en fin de vie.

La lutte contre la douleur est primordiale, mais elle ne peut être efficace qu'au sein d'une relation d'écoute entre le malade et le personnel soignant, qui prend également en compte le confort psychologique du malade.

LA LUTTE CONTRE LA DOULEUR

Pour la plupart des mourants, la douleur est le problème le plus important. À l'heure actuelle, la médecine dispose de médicaments très puissants contre celle-ci.

Le traitement de la douleur est différent pour chaque patient ; il dépend de sa maladie, de l'évolution de celle-ci, de la manière dont la douleur est ressentie. Il se fait en plusieurs étapes selon les causes et l'intensité de cette dernière. Les douleurs les plus intenses sont traitées avec de la morphine ou d'autres opiacés. La morphine est facile à administrer, non toxique et peut être arrêtée à la demande. Contrairement aux idées reçues, la conscience et la personnalité ne sont pas modifiées.

Dans les douleurs rebelles, les opiacés peuvent être administrés directement dans la colonne vertébrale, au niveau de

Infirmière en train de préparer une injection de morphine.
La morphine est capable de soulager les douleurs les plus intenses, fréquentes chez les malades en fin de vie.

F. Durand – Sipa

la moelle épinière, par implantation d'une pompe à morphine. Le patient a alors la possibilité d'adapter la dose de morphine délivrée à l'intensité de sa douleur.

Lorsque les médicaments contre la douleur ne sont pas adaptés ou sont inefficaces, d'autres méthodes peuvent être employées. Il peut s'agir d'un blocage nerveux (par une injection anes-

thésiante ou la chirurgie), d'une section de certaines fibres nerveuses au niveau de la moelle épinière (cordotomie) ou d'une stimulation électrique de certaines fibres nerveuses avec un courant de faible intensité. Il semble que ces méthodes agissent moins bien dès lors que des médicaments à base de morphine ont déjà été utilisés.

LE SOUTIEN PSYCHOLOGIQUE

Réduire les soins palliatifs au seul contrôle de la douleur serait trahir le sens profond de ces soins. Derrière la douleur se cache souvent une souffrance humaine complexe, à la fois psychique, sociale, spirituelle. Les soins affectifs sont donc tout aussi importants que le soulagement de la douleur. L'idée de mourir peut provoquer de la colère ou une profonde angoisse. Un sentiment de culpabilité ou de regret en ce qui concerne le passé apparaît parfois. Se sentir aimé, accompagné, peut permettre d'affronter la fin plus facilement. Une relation compréhensive et chaleureuse peut aider à briser l'isolement du patient, qui doit être considéré comme une personne ayant le droit de faire respecter ses choix. La peur d'une mort douloureuse est encore une grande cause d'anxiété. Les patients doivent être rassurés car ils n'ont aucune crainte à avoir en ce qui concerne la douleur. Du reste,

153

beaucoup de malades sombrent dans l'inconscience juste avant la fin et meurent « dans leur sommeil ». La crainte d'une trop grande dépendance et d'une perte de dignité est également une cause d'inquiétude chez les mourants. Il est indispensable que ces patients puissent participer autant que possible aux conversations familiales et aux discussions mettant en jeu l'avenir. Se préparer à la mort peut entraîner le désir d'écrire ses dernières volontés, de remercier ses proches, de s'excuser. Certains mourants désirent se confesser et être assistés par un ministre du culte. Dans tous les cas, il semble bien que le besoin le plus pressant soit la communication. Les amis, la famille et les responsables des soins doivent être prêts à répondre à ces demandes du mourant.

LES SOINS PHYSIQUES

Les soins physiques font partie intégrante des soins palliatifs. Ils consistent à lutter contre les

LE DEUIL

Le décès d'un proche est souvent une épreuve très difficile à affronter. L'état de choc émotionnel provoqué par la perte d'un être cher est une réaction considérée comme normale. L'expression du chagrin est particulière à chaque individu et à chaque culture, mais il existe des étapes bien définies du deuil, chacune se caractérisant par une attitude déterminée. La première étape est l'incapacité à admettre la mort. La personne en deuil est comme engourdie. Ensuite, elle est envahie par des sentiments d'anxiété, de colère et de désespoir. Enfin, avec le temps, la personne arrive normalement à surmonter sa détresse, en procédant à un travail psychique qui consiste à se détacher affectivement de l'être perdu tout en préservant son souvenir. La famille et les amis peuvent aider la personne en deuil, mais, quelquefois, des secours extérieurs sont nécessaires pour veiller à ce que le décès du proche n'entraîne pas une maladie ou un état dépressif. Dans le cadre des soins palliatifs, un soutien psychologique de la famille et des proches est quelquefois indispensable.

symptômes autres que la douleur et susceptibles d'apparaître chez un malade en fin de vie : déshydratation, sécheresse de la bouche, escarres, troubles du transit intestinal, problèmes urinaires, troubles respiratoires, démangeaisons, sueurs nocturnes, troubles du sommeil. Ils doivent également prendre en compte l'alimentation du patient. En effet, la maladie entraîne souvent un changement du goût. Il faut par conséquent adapter le régime alimentaire aux goûts du patient : plus ou moins sucré ou salé, plus ou moins chaud ou froid, afin qu'il puisse se nourrir, dans la mesure du possible, jusqu'à la fin. Les soins physiques consistent donc à donner des soins d'hygiène, à changer le malade de position, à lui administrer des médicaments et, éventuellement, à pratiquer des gestes chirurgicaux (sur les escarres, par exemple) en vue d'apporter au mourant le plus de confort possible.

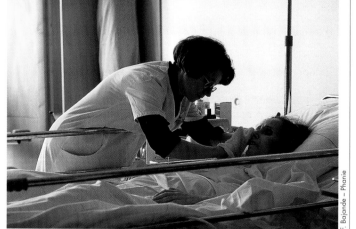

F. Bajande – Phanie

Infirmière en train de laver un malade en fin de vie.
Les soins physiques permettent d'éviter les désagréments liés à l'immobilisation et améliorent le confort des malades.

LA DOULEUR

DÉFINITION ET MÉCANISMES

La douleur assure une fonction de signal d'alarme en informant l'organisme de la présence d'un désordre susceptible de lui nuire. Intense ou persistante, elle peut être agressive pour l'individu.

Tout le monde a déjà fait l'expérience de la douleur, mais chacun la ressent à sa manière et l'exprime de façon différente. La douleur n'est pas uniquement une réaction simple déclenchée par une lésion physique, c'est un phénomène complexe, dépendant de nombreux facteurs.

LA DÉFINITION DE LA DOULEUR

La douleur correspond à une sensation pénible qui se manifeste sous différentes formes (brûlure, piqûre, crampe, pesanteur, étirement, etc.) et dont l'intensité et l'extension varient.

LA DOULEUR IRRADIÉE

Une douleur ressentie à un endroit du corps différent de la région lésée ou traumatisée est une douleur irradiée. Elle est due au fait que, avant de pénétrer dans le cerveau, les nerfs sensitifs se rejoignent, d'où la possibilité d'une confusion quant au lieu d'origine des influx douloureux. Ainsi, une douleur d'origine dentaire peut être ressentie au niveau de l'oreille, ces régions étant innervées par le même nerf sensitif.

■ LOCALISATION DES DOULEURS

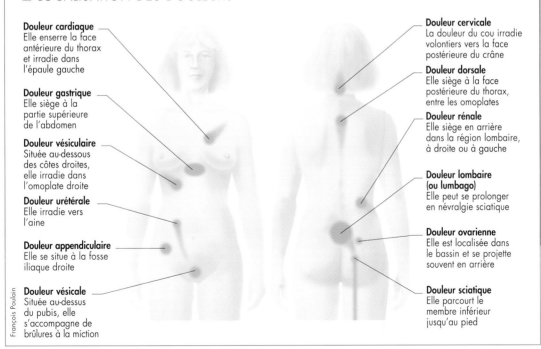

Douleur cardiaque
Elle enserre la face antérieure du thorax et irradie dans l'épaule gauche

Douleur gastrique
Elle siège à la partie supérieure de l'abdomen

Douleur vésiculaire
Située au-dessous des côtes droites, elle irradie dans l'omoplate droite

Douleur urétérale
Elle irradie vers l'aine

Douleur appendiculaire
Elle se situe à la fosse iliaque droite

Douleur vésicale
Située au-dessus du pubis, elle s'accompagne de brûlures à la miction

Douleur cervicale
La douleur du cou irradie volontiers vers la face postérieure du crâne

Douleur dorsale
Elle siège à la face postérieure du thorax, entre les omoplates

Douleur rénale
Elle siège en arrière dans la région lombaire, à droite ou à gauche

Douleur lombaire (ou lumbago)
Elle peut se prolonger en névralgie sciatique

Douleur ovarienne
Elle est localisée dans le bassin et se projette souvent en arrière

Douleur sciatique
Elle parcourt le membre inférieur jusqu'au pied

François Poulain

DOULEUR AIGUË ET DOULEUR CHRONIQUE

Une douleur aiguë se manifeste à l'occasion d'une lésion tissulaire et a pour rôle essentiel de prévenir l'individu d'un dysfonctionnement de son organisme. Elle est associée à des palpitations, à une augmentation de la pression artérielle, du taux de certaines hormones (cortisol, catécholamines) et de la fréquence du mouvement de l'air dans les poumons (ventilation). Une douleur chronique est une douleur persistant des semaines, des mois, voire des années. Ce sont les séquelles d'une lésion nerveuse, de problèmes de dos, les maux de tête rebelles, les rhumatismes articulaires ou encore les douleurs cancéreuses.

Elle est associée à des lésions au niveau des tissus ou décrite comme si ces lésions existaient. La diversité de la douleur et le fait qu'elle soit toujours subjective expliquent qu'il soit difficile d'en proposer une définition totalement satisfaisante. La notion de douleur recouvre en effet une multitude d'expériences distinctes, qui varient selon divers critères sensoriels et affectifs. Certaines personnes décrivent une douleur en l'absence de toute cause physique probable ; cependant, il est impossible de distinguer leur expérience de celle qui est causée par une lésion réelle. La compréhension des mécanismes de la douleur et leur classification sont encore aujourd'hui approximatives.

L'appréciation de l'intensité d'une douleur est extrêmement variable ; elle dépend de la structure émotionnelle de la personne qui souffre, ce qui rend illusoire toute tentative de mettre en relation l'intensité du stimulus douloureux et la souffrance.

LE RÔLE DE LA DOULEUR

Une sensation douloureuse a pour premier objectif de protéger l'organisme, en annonçant la survenue d'un traumatisme ou d'une lésion. Cette fonction d'alerte contre une agression extérieure ou intérieure peut, dans un second temps, si elle n'est pas soulagée, se retourner contre l'organisme lui-même, l'affaiblissant au lieu de le servir. Une douleur intense peut envahir le système nerveux, rendant la personne incapable d'accomplir une autre activité.

LES MÉCANISMES DE LA DOULEUR

La sensation de douleur provient de l'excitation de récepteurs spécifiques, appelés nocicepteurs, au niveau des terminaisons nerveuses sensibles aux stimulations douloureuses. Ces récepteurs sont essentiellement localisés dans la peau et, dans une moindre mesure, dans les vaisseaux, les muqueuses, les os et les tendons. Lorsqu'un récepteur de la douleur est stimulé, les influx nerveux véhiculant le message cheminent dans les nerfs sensitifs vers la moelle épinière. Pendant ce temps, l'information douloureuse est soumise à un certain nombre de contrôles, puis elle est transmise

vers une structure particulière du cerveau, le thalamus, où la sensation de douleur est perçue. Les nocicepteurs transmettent 2 types d'information, responsables de 2 types de douleur : le premier type de douleur, bien localisé et immédiat, dû à une fracture par exemple, est véhiculé par une des grosses fibres sensitives ; le second type, une brûlure par exemple, plus diffus et plus tardif, est véhiculé par des fibres différentes des premières.

Dès que le cerveau a reçu le message de douleur, il envoie – lorsque cela est possible – une réponse à un nerf moteur, qui commande la contraction d'un muscle permettant de s'éloigner de la source douloureuse (on retire sa main d'une source chaude, par exemple).

LES DIFFÉRENTES FORMES DE DOULEUR

Une douleur se définit selon son site, son type, diffus ou localisé, son intensité, sa périodicité et son caractère : elle peut se manifester sous forme de pulsations, être battante, lancinante (les élancements sont caractéristiques d'une inflammation) ou en éclair (atteinte nerveuse), avoir une nature de crampe (atteinte musculaire) ou de colique (atteinte viscérale), etc.

Dans certains cas, la douleur est ressentie dans un endroit du corps différent de la zone lésée ou traumatisée ; on parle alors de douleur irradiée. Un autre type de douleur est rapporté à un membre fantôme ; il est ressenti par environ 65 % des amputés.

LA DOULEUR

LE TRAITEMENT

Le traitement de la douleur repose à la fois sur la recherche de sa cause et sur l'utilisation de médicaments qui soulagent la douleur elle-même.

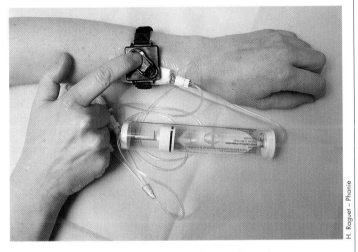

Boîtier permettant l'autoadministration de morphine. *Grâce à ce système de pompe, le patient peut contrôler la quantité de médicament délivrée, pour l'ajuster au mieux à l'intensité de sa douleur.*

H. Raguet – Phanie

L'utilisation des différents traitements dont on dispose pour soulager la douleur dépend de sa gravité, de sa durée, de sa localisation et de sa cause.

EXPLIQUER SA DOULEUR AU MÉDECIN

La description minutieuse d'une douleur à votre médecin lui apporte des renseignements irremplaçables pour le diagnostic. Il est utile de décrire les différentes caractéristiques de la douleur : la localisation (en montrant du doigt le trajet de la douleur), le type (sensation de pression, de brûlure, de décharges électriques…), l'évolution (depuis quand a commencé la douleur, le début était-il brutal ou progressif ?), les circonstances déclenchantes initiales (effort, traumatisme, accident de travail…), etc.

Il faut répondre le plus précisément possible aux questions de son médecin. S'agit-il d'une douleur permanente ou inter-

PRISE EN CHARGE DE LA DOULEUR

La douleur peut être soulagée ou, du moins, atténuée dans la plupart des cas. Il ne faut pas hésiter à demander à son médecin des traitements efficaces ni à s'adresser, si nécessaire, aux centres antidouleur qui se sont créés, ces dernières années, dans bon nombre d'hôpitaux. Aujourd'hui, souffrir ne doit plus être une fatalité.

mittente ? Quelle est la durée des accès, des périodes de rémission ? La douleur est-elle ressentie le jour, la nuit ? Quels sont les facteurs influençant la douleur, les facteurs de soulagement et d'aggravation (position, mouvement, horaire, vie émotionnelle, etc.) ?

LES ANALGÉSIQUES

Les médicaments contre la douleur, dits analgésiques (ou antalgiques), peuvent être classés en 3 catégories selon leur niveau d'efficacité. Les analgésiques légers sont généralement utiles dans le traitement des douleurs banales telles que les maux de tête ou de dents. Les médicaments les plus utilisés sont le paracétamol et l'aspirine. Les anti-inflammatoires non stéroïdiens servent à traiter les douleurs légères et modérées comme celles provoquées par

157

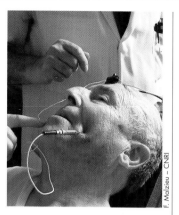

Traitement de la névralgie faciale par stimulation électrique. *Certaines fibres nerveuses sont stimulées par un faible courant électrique, qui permet d'atténuer la douleur.*

l'arthrose ou les traumatismes sportifs. Lorsque la douleur n'est pas soulagée par ce type de médicaments, on passe à un nouveau stade qui consiste à associer des analgésiques légers à des médicaments proches de la morphine (codéine, par exemple). Pour soulager les douleurs intenses et rebelles, on utilise la morphine, un médicament extrait de l'opium. La morphine agit au niveau du cerveau et de la moelle épinière en bloquant la transmission du message douloureux. C'est un analgésique puissant, indispensable pour traiter un certain nombre de douleurs. Pour les douleurs aiguës, comme les douleurs postopératoires, la morphine est de plus en plus utilisée sous forme d'injections contrôlées par le patient (par l'intermédiaire d'une petite pompe). Pour les douleurs chroniques, telles celles liées au cancer, on dispose actuellement de nombreuses possibilités d'administration. La voie orale, sous forme de comprimés, de gélules, de solutions buvables, est en général préférée aux formes injectables, sauf lorsque le patient a du mal à avaler. La morphine est un médicament extrêmement sûr, qui n'entraîne pas de toxicomanie. Les malades sont la plupart du temps soulagés et les effets indésirables, rares, sont en général bien maîtrisés par les médecins et les soignants. Il n'y a donc aucune raison de limiter son utilisation dès lors que les autres médicaments analgésiques n'ont pas réussi à soulager la douleur en cause.

LES TRAITEMENTS COMPLÉMENTAIRES

La kinésithérapie est essentielle dans le traitement de nombreuses douleurs chroniques touchant l'appareil locomoteur (lombalgies, par exemple). Elle apporte une aide utile dans le cas de douleurs liées à de mauvaises positions et attitudes, à des contractures musculaires ou à des limitations de la mobilité articulaire. Elle peut être associée à des techniques de relaxation qui aident le patient à mieux contrôler sa douleur et à mieux réagir face aux situations stressantes susceptibles de l'augmenter. L'objectif de la relaxation est d'aider la personne à accroître sa tolérance à la douleur (à réduire la peur de la douleur), à mieux l'accepter et à mener des activités aussi normales que possible.

LES AUTRES MÉDICAMENTS DE LA DOULEUR

Les antidépresseurs sont utilisés pour leur action propre contre la douleur dans certaines maladies (diabète, zona) et pour traiter les symptômes psychiques associés à la douleur chronique (dépression, anxiété, insomnie). Les médicaments contre l'anxiété (anxiolytiques et sédatifs), contrairement à une idée répandue, n'ont pas de réels effets sur la douleur. Ils sont souvent prescrits pour un trouble du sommeil ou comme relaxants musculaires.

ASPECTS PSYCHOLOGIQUES DE LA DOULEUR

La douleur s'accompagne généralement d'angoisse, d'anxiété et, parfois, de peur. La cause et les circonstances de sa survenue peuvent aussi influencer la façon dont elle est perçue par le patient. La douleur liée à un cancer, en raison de la peur occasionnée par cette maladie, peut apparaître comme beaucoup plus intense et causer plus de souffrance qu'une douleur similaire résultant d'une maladie bénigne. La sensation douloureuse peut être réduite dans les situations d'excitation (par exemple, lors d'une compétition sportive) ou d'émotion intense. Certains pensent qu'une préparation mentale à la douleur (par exemple, en vue de l'accouchement) réduit considérablement la sensation et la réaction qu'elle déclenche.

DU STRESS AU SUICIDE

DU STRESS À L'ÉPUISEMENT

Le stress représente une réaction normale de l'organisme, qui survient en réponse à une situation d'agression, réclamant un effort d'adaptation inaccoutumé et rapide.

Le stress est un état de mise en alerte, de mobilisation des forces du corps et de l'esprit, en présence d'un événement qui, pour être maîtrisé, nécessite une brusque demande d'énergie. D'innombrables situations sont susceptibles de déclencher un tel état d'alarme. Cela va des contrariétés de la vie quotidienne (conflits professionnels, sociaux, familiaux, maladies, difficultés financières, épreuves scolaires, deuil, naissance d'un bébé, divorce, etc.) au danger vital, qui, heureusement, ne survient que rarement (accident, catastrophe, attentat, guerre).

LES MANIFESTATIONS DU STRESS

Cet état d'alerte, de préparation à l'action, se traduit par des manifestations physiques et psychologiques. La personne en état de stress devient pâle, elle se met à trembler, son cœur s'accélère, ses muscles se tendent, sa respiration devient plus rapide. Elle a

Jeune femme ayant l'air épuisée et déprimée.
L'épuisement psychique est souvent la conséquence d'un stress prolongé, source d'une grande anxiété.

QUI EST VULNÉRABLE AU STRESS ?

La tolérance au stress diminue avec tout ce qui affaiblit l'organisme : les maladies physiques et psychiques, la fatigue, l'amaigrissement, l'insomnie, l'alcoolisme, etc. On peut aussi être plus sensible au stress « de naissance » : on est en effet plus ou moins anxieux dès le début de la vie. La situation dans laquelle on se trouve intervient également beaucoup dans la survenue du stress : la pauvreté, l'isolement social, le chômage, la solitude, etc., l'aggravent considérablement.

F. Durand – Sipa

LES EFFETS PHYSIQUES DU STRESS

Confronté à une situation stressante, l'organisme répond en accroissant la production de certaines hormones, comme le cortisol et l'adrénaline, sécrétées par la glande surrénale.

Ces hormones entraînent des modifications du rythme cardiaque, de la pression sanguine, du métabolisme et de l'activité physique, dont le but est d'améliorer les performances physiques générales.

Lorsque le stress n'est pas trop important, il joue donc un rôle positif en améliorant les capacités d'adaptation à l'agression. Il n'en va pas de même quand il est trop intense ou qu'il se prolonge. En effet, parvenues à un certain niveau, les réactions physiques de l'organisme face au stress anéantissent la capacité à réagir positivement. Ainsi, moins de 20 % des individus sont efficaces en cas d'incendie ou d'inondation, par exemple.

la gorge nouée et tous ses sens se révèlent hypersensibles aux moindres variations de l'environnement. Les réflexes sont alors plus vifs, la pensée n'est plus précise et la tension émotionnelle se renforce. Habituellement, cette mobilisation générale de l'organisme permet de faire face à la situation.

Une fois l'événement surmonté, la menace écartée ou le conflit résolu, survient une détente, généralement agréable, surtout lorsque l'issue s'avère favorable, suivie d'une phase de relâchement de l'effort et de récupération.

DU STRESS À L'ANXIÉTÉ

Dans certains cas, l'état de stress peut se prolonger. Par exemple, lorsque aucune solution immédiate ne parvient à désamorcer le facteur du stress, lorsque celui-ci nécessite un effort durable ou répété, ou lorsque ses conséquences sont susceptibles d'être graves. Alors, l'organisme ne parvient pas à trouver en lui,

ou autour de lui, les ressources nécessaires pour surmonter le facteur perturbant. Il ne peut, par conséquent, relâcher son effort. Le stress se complique d'un état d'agitation excessive, qui correspond à l'anxiété.

DE L'ANXIÉTÉ À L'ÉPUISEMENT PSYCHIQUE

L'anxiété constitue un véritable signal psychologique. Elle se déclenche lorsqu'une situation semble, à tort ou à raison, difficile à maîtriser ou que son issue paraît incertaine. Une telle situation remet en cause l'équilibre de la personne et exige de son organisme un effort de mobilisation supplémentaire.

La personne lutte contre l'événement « stressant », se débat intérieurement et redouble ses efforts – qu'elle parvient à soutenir parfois très longtemps. Mais il arrive qu'elle ne puisse trouver aucune issue favorable. Cela dépend de sa propre résistance et de la nature de l'obstacle à surmonter, de la

difficulté de ce dernier, de son enjeu (vital ou simplement moral). Dans ce cas survient, tôt ou tard, un certain degré d'épuisement, dont l'une des conséquences est un surcroît d'anxiété, amorçant une spirale vicieuse. L'organisme se débat, entrevoit que la situation lui échappe, intensifie alors sa compensation, faisant appel à plus de forces encore, pour tenir malgré tout et tenter de l'emporter.

Si cette mobilisation intense de forces physiques et morales ne permet pas de dépasser ce moment difficile, l'organisme, qui lutte toujours davantage pour rassembler une énergie qu'il dépense à mesure, s'enfonce plus ou moins rapidement dans un état d'épuisement avancé, tant sur le plan physique que sur le plan psychique.

LA DÉSADAPTATION

La désadaptation est la disparition de la faculté de répondre efficacement à une situation nouvelle ou à un conflit. L'individu désadapté est incapable de faire face aux contraintes de la vie en société et à ses propres exigences psychiques et physiques. De même que l'adaptation est un des critères de la normalité, la désadaptation est un signe de trouble psychique.

Dans la vie collective et sociale, la désadaptation est favorisée par le stress, par l'exclusion (habitat défavorisé, chômage, immigration, etc.), et risque de conduire à la marginalité (délinquance, toxicomanie, régression psychique).

DU STRESS AU SUICIDE

DE L'ÉPUISEMENT AU SUICIDE

L'épuisement psychique est toujours à prendre en considération car, dans certains cas graves, la personne n'arrive plus à faire face aux difficultés de la vie et peut se suicider.

Au départ, un stress important ou répété entraîne simplement une grande fatigue. Puis, petit à petit, lorsque celle-ci s'accumule et que les réserves d'énergie psychique viennent à manquer, l'organisme bascule dans un état d'épuisement profond, qui correspond à un état dépressif.

L'ÉPUISEMENT PSYCHIQUE

L'épuisement psychique est un état d'affaiblissement profond de la capacité à agir, à réagir et à s'adapter. La personne épuisée psychiquement, dépressive, n'arrive plus à éprouver du désir ni à s'intéresser à ce qui normalement compte pour elle. Elle a du mal à se concentrer et à prendre des décisions ; son sommeil est troublé. Elle a l'impression de ne plus savoir faire face à la vie. Cet état d'épuisement est généralement vécu comme une sorte de déchéance morale, difficilement supportable. Peu à peu, la

Foule dans le métro. Le fait d'être soumis à un stress répété peut provoquer un épuisement qu'il ne faut pas négliger.

TRAITER LES ÉTATS DE STRESS

Pour ne pas être stressé, diverses mesures d'hygiène de vie sont recommandées : supprimer les facteurs de stress, privilégier la détente, le repos, la récupération, le report temporaire des obligations, mais aussi le divertissement de l'esprit, la pratique du sport, les vacances, le cinéma, etc. Lorsque l'on est soumis au stress, on peut trouver un soutien dans l'entourage (la famille, les amis, les collègues). Dans certains cas, le recours très ponctuel à des médicaments contre l'anxiété peut être nécessaire, pour passer une phase difficile. Lorsque l'épuisement s'est installé, qu'il atteint le niveau d'une dépression, la prescription d'un antidépresseur est souvent extrêmement bénéfique.

Boucharlat – BSIP

capacité de vivre, de trouver un intérêt à la vie, d'imaginer un avenir favorable ou simplement de croire en sa possibilité, est anéantie. Vient alors à l'esprit l'idée d'une solution qui réglerait tout : se supprimer.

LE SUICIDE

Le suicide paraît résoudre tout à la fois : le besoin d'aspirer à un répit, d'être libéré du fardeau exténuant de la lutte (comment continuer à vivre en étant à bout ?). Il est aussi perçu comme une possibilité de soulager sa

FORMES CONTEMPORAINES DE STRESS

Le stress n'est apparemment pas l'apanage de la vie moderne. En effet, le confort, l'abondance, la technique, les progrès de la médecine, de la protection sociale et de la science, ainsi que les institutions démocratiques concourent à nous épargner bien des grands fléaux qui accablaient régulièrement nos ancêtres. Vivre au Moyen Âge ne devait pas être de tout repos. Cependant, l'accélération relative des rythmes de vie engendrée par la modernité accentue sans doute l'impression de vivre en état de stress : tout va vite et les décisions doivent s'enchaîner, sans hésitation. Ces petits stress du quotidien ne sont toutefois pas graves, bien que leur accumulation abaisse peu à peu la tolérance au stress, car « le stress entraîne le stress » !

conscience, en se punissant sans appel pour son incapacité à surmonter l'épreuve, pour sa faiblesse insupportable, qui ne sont que la manifestation d'un épuisement.

Quand l'idée d'une solution aussi radicale survient dans un esprit en pleine santé, elle est rapidement écartée. En revanche, sur un organisme épuisé par le stress, qui ne dispose plus de toutes ses facultés d'analyse de la situation et se contrôle de moins en moins bien, elle représente une aspiration redoutable, qui peut être mise à exécution de manière très impulsive.

LES TROUBLES LIÉS AU STRESS

Le stress entraîne des troubles dont la localisation varie selon les individus. Le plus connu d'entre eux est l'ulcère de l'estomac, qui correspond à une atteinte de la muqueuse gastrique. Parmi les autres maladies liées au stress figurent les affections cardiovasculaires (angor, infarctus du myocarde, hypertension artérielle), digestives (troubles du transit, colites), dermatologiques (eczéma, chute de cheveux), gynécologiques (troubles de l'ovulation et/ou des règles) ou des glandes surrénales.

Le stress peut également être la source de douleurs et de malaises (palpitations, malaises sans perte de connaissance, syncopes), d'états de fatigue rebelle, de dépression, d'insomnie, d'anorexie, voire de confusion mentale.

LA VARIABILITÉ DES RÉACTIONS AU STRESS

Bien entendu, la vulnérabilité au stress varie beaucoup d'une personne à l'autre. Certains semblent dotés d'une résistance exceptionnelle, donnant même parfois l'impression de se nourrir du stress et de l'adversité, d'y puiser des trésors d'énergie. D'autres sont moins solides : leur endurance au stress est restreinte. Les origines de cette plus grande vulnérabilité sont multiples. Elles peuvent être d'ordre génétique, les uns étant naturellement plus anxieux que les autres, ou être liées à des événements particuliers (enfance difficile, répétition ou accumula-

tion de facteurs de stress, etc.). Bien souvent, cette fragilité au stress résulte d'une conjugaison de ces différents facteurs.

De même, l'aptitude à développer des idées de suicide est inégalement répartie : certains individus, tels les grands sportifs, peuvent atteindre des degrés d'épuisement considérables sans que leur esprit, même dans les moments de grand découragement, soit effleuré par l'idée du suicide. D'autres, pour des raisons dépendant à la fois de leur histoire personnelle et de leur tempérament, peuvent sombrer très rapidement, parfois à l'occasion d'un découragement passager.

Dans de nombreux cas, la plus grande sensibilité aux effets épuisants du stress et les tendances suicidaires sont liées à des maladies psychiatriques, comme la dépression.

PRÉVENIR LE SUICIDE

Contrairement à une idée répandue, la personne qui parle de se suicider doit être prise très au sérieux par son entourage. En effet, de nombreuses personnes qui menacent leurs proches de se supprimer passent à l'acte un jour ou l'autre. Devant une menace de suicide, famille et entourage doivent mettre hors de portée tout instrument dangereux et tenter au mieux de briser l'isolement dans lequel se trouve le suicidaire. Ils peuvent lui conseiller de consulter un médecin ou d'appeler un centre de prévention du suicide, qui propose une écoute téléphonique 24 heures sur 24.

LES HANDICAPS

CAUSES ET DÉFINITION

Un handicap est lié à une déficience qui peut être mentale, physique ou sensorielle. Cette déficience entraîne des limitations fonctionnelles et/ou des difficultés sociales.

G. Ventre – Sipa

Jeune handicapé mental artiste peintre, lors d'une exposition de peinture sur une péniche. L'entourage joue un rôle très important dans la prise en charge des handicapés mentaux.

Les handicaps ont en commun certaines caractéristiques, dont la permanence ou la durabilité : on est le plus souvent handicapé à vie, même s'il existe des handicaps qui s'installent progressivement ou évoluent de façon discontinue.

Les traitements médicaux ou chirurgicaux possibles ont bien souvent pour seule action de limiter le handicap ou d'éviter son aggravation. Toutefois, dans un avenir proche, on pourra envisager une guérison de certains handicaps d'origine génétique en faisant appel à la thérapie génique.

LES TYPES DE HANDICAPS

On distingue plusieurs types de handicaps :
– les handicaps mentaux et psychoaffectifs : ils se caractérisent par des difficultés mentales ou psychiques à affronter les situations de la vie courante ;
– les handicaps moteurs : ils se définissent par un dysfonctionnement ou par une réduction de l'activité physique d'un individu et touchent les membres, le tronc ou la tête ;
– les handicaps sensoriels : ils affectent la vue et l'audition.

LES CAUSES

Les handicaps peuvent apparaître à n'importe quel moment de l'existence, avant ou après la naissance, de façon brutale ou progressive. Les facteurs responsables sont multiples.

Avant la naissance. Environ 60 % des malformations présentes dès la naissance (congénitales) n'ont pas d'origine identifiée. Les causes connues peuvent être :
– génétiques : le handicap peut être dû à la présence dans les cellules d'un nombre anormal de chromosomes en plus ou en moins (la trisomie 21 est ainsi due à la présence d'un chromosome 21 supplémentaire), ou bien d'un chromosome ou d'un gène anormal (myopathie, albinisme) ;
– infectieuses : le handicap de l'enfant est lié à la présence d'une maladie infectieuse chez la mère, susceptible de contaminer l'embryon ou le fœtus et d'entraîner des malformations (rubéole congénitale, toxoplasmose…) ;
– toxiques : beaucoup de médicaments sont déconseillés pendant la grossesse, notamment durant les 3 premiers mois, car ils sont responsables de malfor-

mations. Certaines substances telles que l'alcool et le tabac ont fait la preuve de leur toxicité. Des études sont en cours pour identifier les risques de malformation congénitale liés à l'exposition à des produits en milieu professionnel (solvants organiques, gaz anesthésiants, pesticides, plomb, etc.). D'autres facteurs peuvent être en cause, comme l'exposition aux radiations ionisantes.

Pendant l'accouchement. Une naissance prématurée, un accouchement difficile peuvent être responsables d'un handicap chez l'enfant, mais il est souvent difficile de faire la part de ce qui relève des conditions de l'accouchement et de ce qui relève d'anomalies du développement fœtal pendant la grossesse.

Après la naissance. Le handicap qui survient après la naissance est le plus souvent traumatique, consécutif à un accident domestique (à la maison, pendant les loisirs), à un accident de la route ou du travail. Mais son origine peut aussi être génétique. En effet, certaines maladies génétiques se révèlent après la naissance, parfois tardivement (la chorée de Huntington apparaît vers cinquante ans). L'origine des handicaps peut également être infectieuse (poliomyélite).

Enfin, certains handicaps sont liés au vieillissement naturel des individus (baisse ou perte de la vue ou de l'ouïe, handicap moteur ou mental) et rendent la vie quotidienne des personnes âgées de plus en plus difficile.

LA PRÉVENTION

Les mesures de prévention des handicaps interviennent à différents niveaux, en fonction de la nature des risques. Ainsi, certaines mesures sont prises avant la conception, d'autres, pendant la grossesse, et les dernières, à partir de la naissance.

Avant la conception, la vaccination contre la rubéole des fillettes ou des jeunes femmes non immunisées permet d'éviter la rubéole congénitale. Par ailleurs, le conseil génétique permet d'évaluer le risque de survenue d'un handicap chez un individu, lorsque les parents ont connaissance de handicaps dans la famille proche ou qu'ils ont déjà eu un enfant handicapé.

Pendant la grossesse, grâce à une surveillance régulière, il est possible de repérer un retard de croissance intra-utérin, des signes de souffrance fœtale ou une malformation congénitale, et de décider si nécessaire d'un accouchement précoce ou

Handicapé moteur travaillant dans une entreprise. *Grâce à l'insertion, des personnes handicapées peuvent mener des activités professionnelles normales.*

d'une intervention chirurgicale dès la naissance.

Après la naissance, la vaccination contre la poliomyélite, la rougeole ou les oreillons permet d'éviter des séquelles parfois redoutables.

Il existe d'autres formes de prévention des handicaps, telle la prévention des accidents domestiques. Chez l'adulte, les accidents survenant au travail, sur la route ou lors des loisirs sont responsables chaque année de traumatismes importants. Des mesures sont prises pour réduire le plus possible ces risques : port obligatoire de la ceinture de sécurité en voiture, du casque en moto, limitation de vitesse, prise d'alcool limitée, médicaments déconseillés lors de la conduite, mesures de sécurité adaptées à chaque branche professionnelle, etc.

LA FRÉQUENCE DES HANDICAPS

Le nombre de personnes handicapées varie selon les enquêtes, en fonction de la définition du handicap retenue et du seuil pris en compte (quand considère-t-on qu'une personne est handicapée ?). Selon une enquête réalisée en 1981 par l'Organisation mondiale de la santé dans différents pays, 10 % de la population, tous niveaux de handicap et tous âges confondus, souffre de difficultés fonctionnelles plus ou moins importantes.

Les Handicaps

VIE QUOTIDIENNE

Diverses mesures peuvent être prises pour aider les personnes handicapées dans leur vie quotidienne et favoriser leur insertion sociale.

Course d'athlétisme de handicapés moteurs à Göteborg, en Suède.
De tels exploits sportifs symbolisent la victoire sur le handicap physique ; ils représentent une source d'espoir pour les handicapés.

Gromik – Sipa

DES DIFFICULTÉS DIFFÉRENTES

Selon la nature de son infirmité, la personne handicapée aura besoin d'une aide spécifique.
– Les handicapés mentaux ont dès leur plus jeune âge besoin du soutien d'une équipe médicale pluridisciplinaire pour stimuler leurs capacités d'apprentissage.
– Les handicapés moteurs bénéficieront notamment d'une rééducation motrice, de soins orthopédiques et, lorsque cela est possible, d'interventions chirurgicales.
– Un appareillage adapté, une éducation spécifique et parfois des traitements permettent aux personnes souffrant de déficiences de la vision ou de l'audition de mener une vie sociale et professionnelle satisfaisante.

Lorsqu'une personne est handicapée, elle doit pouvoir bénéficier d'une prise en charge spécifique lui permettant d'être le plus autonome possible et de s'intégrer au mieux dans la société.

Cette prise en charge englobe non seulement les différents appareils pouvant aider les personnes handicapées à améliorer leur autonomie physique, mais aussi des mesures de rééducation et d'insertion scolaire, professionnelle et sociale. Tous ces moyens peuvent être déterminants pour rendre un individu capable de faire face à la vie quotidienne et de tirer le meilleur parti de ses possibilités. La personne handicapée doit y avoir recours le plus tôt possible, dès qu'un diagnostic précis a pu être établi.

L'étude attentive des capacités de l'enfant ou de l'adulte est en effet une étape préliminaire pour mettre en place une aide spécifique compensant les difficultés et développant toutes les potentialités des handicapés.

LES AIDES

Elles sont techniques, humaines, sociales et environnementales.
Il existe de nombreux appareils pour aider les personnes handicapées dans leur vie quotidienne, parmi lesquels des prothèses, des supports, des pièces mobiles permettant d'assurer des fonctions rendant certains gestes plus faciles. Certains objets ou équipements sont extrêmement simples ; d'autres, très sophistiqués, font appel à l'informatique ou à la domotique.

On distingue :
– les aides pour se déplacer : déambulateur, membres artificiels, fauteuil roulant, cannes... ;
– les aides pour se laver : élévateur de bain, siège de douche, tourne-robinet (pour aider à saisir et à tourner les robinets), presse-tube dentifrice (appareil fixé au mur qui permet de libérer le dentifrice)... ;
– les aides pour manger : verre à bec verseur, couverts à manche plus maniable... ;
– les aides pour communiquer (téléphone à amplificateur, synthèse de parole, prothèse auditive, vidéoportiers installés au bas des immeubles...).
Dans certains cas, un réaménagement de l'espace est nécessaire : élargissement des portes, espace plus important dans les toilettes, mise à niveau des meubles de cuisine...
L'aide technique ne doit pas concerner uniquement le logement de la personne handicapée. Des mesures sont prises dans les espaces et bâtiments publics pour faciliter, voire permettre, les déplacements des personnes quel que soit le type de déficience dont elles souffrent (motrice, sensorielle, mentale). Des outils, tels que les micro-ordinateurs capables de transposer les documents en braille ou en synthèse vocale, et des services, tels que le sous-titrage des émissions télévisées ou l'impression de journaux en braille ou en grands caractères, offrent aux non-voyants ou aux mal-entendants une ouverture sur le monde des «non-handicapés» et, par là même, une chance de s'insérer plus facilement. Enfin, en renforçant l'autono-

Voisin – Phanie

Handicapé se servant d'une pince pour ramasser son étui à lunettes. *Ce type d'objet est très utile pour faciliter les gestes de la vie quotidienne.*

mie des personnes handicapées, ces aides matérielles et ces aménagements apportent un immense soulagement à l'entourage de l'enfant et de l'adulte infirmes.

L'INSERTION SOCIALE ET PROFESSIONNELLE

Chez les enfants, l'entrée à l'école – quand les possibilités d'apprentissage et d'adaptation à la vie en collectivité le permettent –, de même que l'accès aux lieux de loisirs fréquentés par les autres enfants sont le plus souvent souhaitables. Certains enfants seront orientés vers des structures médico-éducatives en externat ou, dans certains cas, en internat. De nombreuses associations et institutions aident les parents d'enfants handicapés et mettent

à leur disposition des équipes spécialisées qui peuvent aussi intervenir à domicile ou dans les divers lieux que peut fréquenter l'enfant. Il est important que les parents se libèrent du regard des autres, n'hésitent pas à sortir au jardin public, à aller faire leurs courses ou à partir en voyage avec leur enfant, qui doit être mis en contact avec des enfants de son âge. Si la prise en charge au cours de l'enfance peut être considérée comme assez satisfaisante, l'insertion sociale et professionnelle des adultes handicapés en est encore à ses débuts : leur intégration et leur épanouissement passent à la fois par une adaptation des postes de travail et par une vie sociale (culturelle, sportive ou simplement amicale) riche.

LA VIE QUOTIDIENNE AVEC UN ENFANT HANDICAPÉ

La vie au jour le jour avec un enfant handicapé, qui a parfois des problèmes de sommeil, des troubles alimentaires, un comportement particulier ou une santé fragile, n'est pas simple. Les étapes vers l'autonomie (marche, propreté, etc.) sont lentes. La famille doit éviter de s'isoler, et chercher à obtenir les conseils des spécialistes et les aides financières légales. Frères et sœurs, qui peuvent craindre de devenir eux-mêmes handicapés ou être jaloux de l'attention portée à l'enfant handicapé, auront aussi besoin de votre temps ; il ne faut pas trop les responsabiliser à l'égard de l'enfant handicapé.

L'ALCOOLISME

CAUSES ET DÉFINITION

L'alcoolisme sévit partout dans le monde. Il est la troisième cause de mortalité dans les pays industrialisés. À l'origine de ce problème, on trouve des facteurs socioculturels et individuels.

POUR Y VOIR PLUS CLAIR

QUELQUES MOTS À CONNAÎTRE

Alcoolisation : imprégnation de l'organisme par l'alcool, quelle que soit la quantité ingérée.

Alcoolodépendance : état de dépendance à l'alcool, dont la personne est incapable de s'abstenir, psychologiquement et physiologiquement.

Alcoolopathie : toute maladie aiguë ou chronique découlant de l'intoxication alcoolique.

F. Durand – Sipa

Groupe de jeunes dans un bar. La consommation de boissons alcoolisées symbolise souvent, pour les jeunes, un passage à la vie adulte.

Depuis l'Antiquité, l'alcool accompagne les rites, les cérémonies et les croyances traditionnels et, aujourd'hui encore, il conditionne les mentalités. Dans le monde moderne, la publicité encourage parfois indirectement sa consommation par les images qu'elle y associe. Les facteurs socioculturels ont donc une place prépondérante dans la consommation d'alcool.

Mais une personne qui boit de l'alcool ne devient pas pour autant alcoolique. Tout dépend de sa personnalité. Si elle est fragile, elle aura plus de risques de sombrer dans l'alcoolisme.

LES FACTEURS SOCIOCULTURELS

Les facteurs socioculturels jouent un rôle important dans le problème de l'alcoolisme parce qu'ils induisent un entraînement collectif à boire, qui est accepté de tous, reconnu, voire favorisé. Dans de nombreux pays, la consommation d'alcool

est cautionnée par la société elle-même, ce qui en fait, en quelque sorte, une drogue licite. La plupart du temps, les boissons alcoolisées sont synonymes de convivialité et de plaisir ; chez les plus jeunes, elles représentent souvent un symbole d'initiation à l'état d'adulte. L'environnement amical, familial ou professionnel peut inciter à la consommation d'alcool, qui marque alors le partage de moments agréables et se rattache à toute une symbolique de force et de virilité.

Le modèle familial des comportements vis-à-vis de l'alcool est également fondamental. Un enfant qui voit ses parents abuser de boissons alcoolisées, notamment face aux difficultés de la vie, sera plus porté à reproduire les mêmes comportements à l'âge adulte. Par ailleurs, la facilité avec laquelle on peut se procurer de l'alcool favorise sa

Berretty – Rapho

Personne alcoolique buvant un alcool fort et fumant.
Le tabagisme est très souvent lié à l'alcoolisme, ce qui multiplie les risques de maladies cardiovasculaires ou pulmonaires.

consommation. Mais les facteurs socioculturels ne suffisent pas à entraîner l'alcoolisme.

LA PERSONNALITÉ DE L'INDIVIDU

Face à la tentation de l'alcool dans un environnement qui autorise sa consommation, la personnalité de l'individu est déterminante dans le passage à l'alcoolisme. Les personnes fragiles, incapables de dominer leur émotivité, peu sûres d'elles-même, notamment les jeunes adolescents en quête d'identité, sont plus exposées à la prise répétée de boissons alcoolisées que des personnes équilibrées, car l'alcool leur donne l'impression de maîtriser leur angoisse et leur inhibition. On parle alors

d'alcoolisme « de compensation ». Les réactions psychologiques face aux difficultés de la vie jouent également un rôle important dans l'installation de l'alcoolisme. De nombreux buveurs modérés et occasionnels commencent à s'adonner à la boisson de façon irraisonnée au moment d'un deuil ou lorsque les enfants viennent à quitter le foyer familial.

ALCOOLISME ET HÉRÉDITÉ

Une prédisposition génétique semble intervenir dans la tendance à l'alcoolisme, comme l'ont montré des recherches sur des jumeaux vrais ou des enfants adoptés. Ce qui ne signifie en aucun cas qu'un enfant dont les parents sont alcooliques deviendra inéluctablement alcoolique ; mais, s'il se trouve confronté à la tentation, il lui sera plus difficile qu'à un autre d'y résister.
À l'inverse, certaines personnes supporteraient naturellement très mal l'alcool, ce qui expliquerait leur plus faible

L'IVRESSE

L'ivresse est l'effet rapide que peut provoquer la consommation de boissons alcoolisées. Elle dépend de la concentration d'alcool dans le sang (alcoolémie). Elle se déroule généralement en 3 phases :
– une phase d'excitation, qui se traduit surtout par une désinhibition ;
– une phase d'incoordination et d'instabilité (le buveur somnole, est atteint de confusion mentale et de troubles de l'équilibre) ;
– une phase de coma (la personne est ivre morte).
Dans certains cas, ces signes s'associent à une agressivité dangereuse, à des hallucinations, à des délires ou encore à une dépression.

propension à devenir alcooliques. En effet, elles présentent un déficit en ALDH (acétaldéhyde déshydrogénase), une substance normalement chargée d'éliminer un produit de dégradation toxique de l'alcool (acétaldéhyde).

L'ALCOOLÉMIE

L'alcoolémie indique la teneur du sang en alcool éthylique. Elle permet d'apprécier avec précision la quantité d'alcool ingérée par un individu. Le résultat de l'analyse sanguine est exprimé en grammes par litre. On considère, sans tenir compte des spécificités individuelles, qu'au-delà de 0,50 g/l peuvent apparaître des anomalies du comportement. L'ivresse correspond à des valeurs de 1 à 2 g/l. L'alcoolémie croît jusqu'à 2 heures après l'absorption d'alcool. Elle augmente plus et plus vite chez la femme que chez l'homme, chez le jeune que chez l'adulte, chez l'individu petit et maigre que chez l'individu grand et gros, et, surtout, chez la personne à jeun que chez celle qui a bu au cours d'un repas.

L'ALCOOLISME

SYMPTÔMES ET TROUBLES

L'alcool agit insidieusement. Il commence par provoquer des sensations agréables, mais, très vite, apparaissent des troubles qui, à la longue, peuvent entraîner des maladies graves.

Après avoir été absorbé par le tube digestif, l'alcool, diffusé dans tout l'organisme par le sang, atteint différents organes, dont il modifie le fonctionnement.

LES EFFETS IMMÉDIATS

L'alcool, consommé en petites quantités, procure au buveur une sensation agréable de détente et de relaxation. La personne se sent plus ouverte, plus confiante et, quelquefois, plus audacieuse. Elle a plus de facilité à communiquer avec les autres. Ce sont d'ailleurs ces modifications de l'humeur et du comportement qu'elle recherche. Mais cette amélioration des performances est illusoire. En effet, l'alcool dans le sang entraîne un ralentissement des réflexes. Plus on consomme d'alcool, plus les capacités de concentration et de jugement diminuent, tandis que le sentiment de confiance en soi s'accroît.

Par ailleurs, sur un plan purement physique, l'alcool agit en augmentant les sécrétions gastriques qui favorisent la digestion. Il provoque une déshydratation et une sécheresse de la langue.

L'ACCOUTUMANCE ET LA DÉPENDANCE

On parle d'accoutumance lorsque la consommation d'alcool est régulière et que les mêmes doses induisent des effets moindres. Rapidement, pour obtenir les mêmes sensations, le buveur est amené à augmenter progressivement sa consommation. Il peut aussi choisir des boissons plus fortement alcoolisées sans augmenter la quantité absorbée. Ce besoin accru d'alcool est lié à l'accoutumance du foie – qui, avec le temps, apprend à éliminer l'alcool de plus en plus rapidement – et à celle des cellules nerveuses – qui, à doses égales, réagissent de moins en moins au stimulus alcoolique.

La dépendance physique est également caractéristique de l'alcoolisme. En effet, un consommateur d'alcool devient alcoolique lorsqu'il ne peut plus s'arrêter librement de boire et que le fait de ne plus boire provoque chez lui des symptômes typiques (malaise généralisé avec tremblements et sueurs), appelés syndrome de sevrage. Ce syndrome disparaît dès que le sujet reboit de l'alcool ; sinon, il s'aggrave et s'accompagne d'hallucinations pouvant aller jusqu'au délire aigu, associé à une déshydratation : c'est la crise de delirium tremens.

LES TROUBLES DE L'ALCOOLISME

L'alcoolisme entraîne des troubles caractéristiques : tremblements, douleurs abdominales,

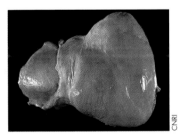 

À gauche : foie normal (après autopsie). Sa surface est régulière et lisse, de couleur rosée.
À droite : foie atteint d'une cirrhose (après autopsie ou ablation pour greffe). L'organe est déformé, sa surface est plus ou moins bosselée et verdâtre.

ANDREE MORRISON
65-C Queen St.
Sturgeon Falls,
Ontario P0H 2G0

crampes, engourdissements, fourmillements. Le pouls est irrégulier, le visage, rouge, et la démarche, instable. Les propos du buveur sont souvent confus, sa capacité à réfléchir est ralentie et il a des trous de mémoire. L'alcool, qui est toxique et irritant, peut provoquer des lésions au niveau des différents organes. Il peut entraîner une baisse du taux de sucre dans le sang (hypoglycémie) ou une augmentation du taux sanguin de graisses (hypertriglycéridémie), qui contribuent au mauvais fonctionnement du cœur, du foie et des vaisseaux sanguins.

L'alcoolisme est souvent responsable de carences nutritionnelles. En effet, le buveur mange peu, d'autant plus que l'apport calorique de l'alcool suffit le plus souvent à ses besoins énergétiques. Mais ces apports ne comportent ni protéines, ni vitamines, ni sels minéraux.

LES 4 PHASES DE LA DÉPENDANCE

On considère que la dépendance s'installe une fois que le buveur a traversé 4 phases. Dans la première phase, sa tolérance à l'alcool (capacité à boire sans ressentir d'effet nocif) augmente. Dans la deuxième phase, il commence à avoir des trous de mémoire. La troisième phase est caractérisée par la perte de contrôle face à l'alcool : le buveur ne peut plus s'arrêter de boire, même s'il le souhaite. Durant la dernière phase s'installent un certain nombre de désordres psychiques et physiques caractéristiques.

LES MALADIES LIÉES À L'ALCOOLISME

À long terme, la consommation régulière d'alcool provoque différentes maladies, regroupées sous le terme d'alcoolopathies.

Les maladies du foie et des organes digestifs. L'alcool provoque dans le foie une accumulation de corps gras, puis une inflammation et, enfin, des lésions irréversibles des cellules hépatiques. Les maladies du foie se développent successivement au cours des années et sont de plus en plus graves : dégénérescence graisseuse du foie, hépatite alcoolique, cirrhose et cancer. Le risque de destruction du foie est proportionnel à la quantité et à la durée de la prise d'alcool.

La consommation excessive d'alcool peut également entraîner une inflammation du pancréas (pancréatite), responsable de douleurs abdominales survenant par crises, d'une inflammation de l'œsophage ou de la muqueuse de l'estomac.

Les cancers. Les cancers se localisent principalement au niveau de la bouche, de la langue, de la gorge et de l'œsophage, sans doute en raison de l'action irritante de l'alcool. Le risque de cancer du foie est aussi plus élevé chez les alcooliques. L'association alcool-tabac multiplie ces risques.

Les affections du cœur et du système vasculaire. Une très forte consommation d'alcool accroît le risque d'insuffisance cardiaque, de maladie coronarienne (des artères du cœur), d'hypertension artérielle (HTA) et d'accident vasculaire cérébral.

LES SIGNES DE LA DÉPENDANCE

Les signes de la dépendance sont variés et peuvent se combiner différemment selon les individus :
– modifications de la personnalité (jalousie, irritabilité, colères subites, comportement agressif) ;
– désintérêt pour la nourriture ;
– négligence physique ;
– dissimulation des bouteilles ;
– modifications dans la façon de boire (commencer à boire plus tôt le matin ou passer de la bière aux alcools forts) ;
– promesses répétées de cesser de boire ;
– instabilité professionnelle : fréquents changements d'emploi.

Les maladies du système nerveux. Une déficience importante en vitamine B1 peut causer une encéphalopathie alcoolique (encéphalopathie de Gayet-Wernicke), qui se manifeste par une confusion mentale (le malade croit, à tort, reconnaître des personnes en réalité inconnues), par des troubles de la parole et de la marche et, dans les cas les plus graves, par un coma.

Les affections psychiatriques. Les alcooliques souffrent souvent d'angoisse et de dépression, sans que l'on puisse dire exactement ce qui relève de la cause et de la conséquence.

Ils sont plus souvent que d'autres atteints de détérioration mentale irréversible (démence), et le nombre de suicides est plus élevé chez les alcooliques que chez les non-buveurs.

L'ALCOOLISME

TRAITEMENT ET PRÉVENTION

Le traitement de l'alcoolisme consiste en une cure de désintoxication, qui comprend une phase de sevrage et une phase de psychothérapie.

Ce n'est qu'après avoir pris conscience de son état et décidé de se libérer de sa dépendance que l'alcoolique peut entreprendre une cure de désintoxication. Celle-ci s'effectue en deux temps. Elle commence par

***Anciens alcooliques en cure de désintoxication.** Les réunions, au cours desquelles chacun exprime ce qu'il ressent, améliorent souvent l'efficacité de ces cures.*

un sevrage, rendu plus supportable grâce à l'administration de tranquillisants, puis elle se poursuit par une psychothérapie, destinée à instaurer une abstinence durable.

LE SEVRAGE

Le sevrage, d'une durée de 2 ou 3 semaines, peut se dérouler, selon les désirs et l'état de santé du malade, à son domicile ou à l'hôpital. L'hospitalisation est recommandée aux alcooliques qui n'ont pas réussi un sevrage à domicile ou qui ont des complications médicales et des problèmes familiaux importants. Le sevrage impose un suivi médical, car l'arrêt brusque d'alcool entraîne toute une série de troubles graves, regroupée sous le nom de delirium tremens : tremblements généralisés, accélération du rythme cardiaque, sueurs, confusion mentale, hallucinations et déshydratation importante ; des convulsions peuvent également survenir.

Le traitement des symptômes liés au sevrage repose sur la réhydratation intensive du patient, associée à de la vitamine B, et sur l'administration

M. Goldwater – Network – Rapho

QUELQUES IDÉES REÇUES

L'alcool est source de chaleur. En effet, l'alcool produit de la chaleur, mais il entraîne également une dilatation des vaisseaux superficiels, qui favorise aussitôt la perte de cette chaleur.

L'alcool donne des forces. C'est faux, car la production accrue d'acide lactique liée à la dégradation de l'alcool limite les possibilités de travail musculaire.

L'alccol favorise la sexualité. Non. Tout au plus entraîne-t-il une certaine désinhibition ; mais, à partir d'une dose d'ailleurs assez peu élevée, la « satisfaction » féminine et les « performances » masculines sont diminuées.

ALCOOL ET GROSSESSE

L'alcool est contre-indiqué pendant la grossesse, car il est dangereux pour le fœtus.

Lorsqu'une femme enceinte boit plus de deux verres par jour (deux verres de vin, deux petits verres d'alcool fort ou deux demis de bière), elle fait courir à son enfant un risque irrémédiable. L'alcoolisme fœtal se traduit par des malformations, un développement anormal des membres et une intelligence inférieure à la moyenne. Le risque d'avortement est également augmenté.

Des excès occasionnels peuvent provoquer le même résultat.

de tranquillisants (anxiolytiques). Passé le cap du sevrage, l'organisme peut supporter l'abstinence, mais, une fois désintoxiquée, la personne ne doit plus jamais boire, sous peine de resombrer dans l'alcoolisme. Le soutien psychologique est alors primordial pour éviter les récidives.

LA PSYCHOTHÉRAPIE

L'ancien alcoolique, parfois rejeté par son entourage, a souvent une mauvaise image de lui-même. Il a besoin de se déculpabiliser et de reprendre confiance en lui. C'est à ce niveau qu'intervient la psychothérapie, dont l'objectif est de lui réapprendre à vivre sans l'alcool, en le responsabilisant et en lui offrant de nouveaux repères.

Il existe, au sein des consultations d'alcoologie, des groupes de parole qui permettent au malade de mieux comprendre ce qui l'a conduit à l'alcoolisme.

Les anciens alcooliques peuvent également suivre des séances de relaxation destinées à revaloriser l'image de leur corps.

Il leur est vivement conseillé, après la désintoxication, de rejoindre une des nombreuses associations d'anciens malades afin de rencontrer des personnes ayant traversé les mêmes difficultés. L'ancien buveur reste en effet toujours confronté à la tentation de « replonger », et sa guérison n'est jamais acquise. Celle-ci nécessite une certaine force de caractère, force qu'il peut puiser auprès de personnes qui ont connu les mêmes problèmes et qui peuvent lui apporter le soutien dont il a besoin.

LES ALCOOLIQUES ANONYMES

Créée en 1935 à New York par un médecin et un agent de change, tous deux anciens alcooliques, l'association des Alcooliques anonymes est présente dans près de 140 pays.

Sa vocation est d'aider les alcooliques à se désintoxiquer de manière durable. La seule condition exigée pour y adhérer est le désir de ne plus boire. Des séances de thérapie de groupe sont organisées une fois par semaine, au cours desquelles chacun raconte son expérience, ce qui l'a poussé à devenir alcoolique, ce qui l'a incité à arrêter, les difficultés qu'il a rencontrées, etc.

Tout nouveau patient choisit un parrain qui va l'encourager à franchir le cap du sevrage. Il dispose également du soutien constant des autres membres de l'association, qu'il peut joindre par téléphone en cas de crise.

RÔLE DE L'ENTOURAGE ET DE LA SOCIÉTÉ

Sans nécessairement lui faire la morale, informer un buveur des dangers de l'alcool peut le conduire à consulter un médecin et à diminuer sa consommation, alors que, une fois la dépendance installée, le seul remède sera l'abstinence définitive.

Le rôle de l'État, tant d'un point de vue législatif (réglementation de la consommation d'alcool sur les lieux de travail, de la publicité, protection des mineurs) que d'un point de vue informatif, est primordial.

L'ALCOOL

L'alcool, que les chimistes appellent alcool éthylique, ou éthanol, est un liquide incolore, volatil, à la saveur brûlante, obtenu par fermentation de fruits ou de grains (vin, cidre, bière), ou par distillation (alcools dits forts, liqueurs, eaux-de-vie, whisky, etc.). Absorbé par le tube digestif sans subir de modification, l'alcool passe dans le sang, d'où il diffuse à tout l'organisme. Divers mécanismes (enzymes, radicaux libres) le dégradent alors en d'autres substances (acétaldéhyde, puis acétate). Outre ses effets sur les différents organes, l'alcool interagit avec de nombreux médicaments : il peut diminuer leur action, l'augmenter ou même la modifier complètement.

La Toxicomanie

CAUSES ET DÉFINITION

La toxicomanie est due à l'usage de drogues, c'est-à-dire de substances toxiques qui modifient le fonctionnement du cerveau, entraînant une dépendance physique et psychologique.

A. Karskens – Hollandse Hoogte – Vu

Toxicomane en train de s'injecter de l'héroïne dans une veine.
La prise de drogues dures comme l'héroïne entraîne une déchéance à la fois physique et morale.

La consommation de drogue débute généralement à l'adolescence. La prise occasionnelle de drogue est souvent liée à la recherche de sensations nouvelles ou au désir d'imiter les autres. Elle peut aussi répondre à une recherche d'excitation créatrice ou représenter la transgression d'un interdit.

DE L'EXPÉRIENCE À LA DÉPENDANCE

Après ces premières expériences, certains adolescents deviennent des consommateurs réguliers de drogue, dont ils peuvent vite être dépendants. Plusieurs facteurs peuvent contribuer à cette modification du comportement :

la fréquentation d'autres jeunes qui se droguent déjà ; un dialogue insuffisant avec les membres de la famille, notamment avec les parents ; des problèmes psychologiques personnels tels que l'anxiété, la timidité, un mal-être général ; une structure psychique poussant aux abus ; enfin, la possibilité de se procurer facilement de la drogue dans les lieux fréquentés par les jeunes et, de fait, investis par les dealers.

La grande majorité des personnes qui, à l'âge adulte, continuent à consommer de la drogue se marginalisent socialement. Pour se procurer l'ar-

DÉFINITION DE LA TOXICOMANIE

La toxicomanie (ou pharmacodépendance) se définit comme l'habitude de consommer, de façon régulière et importante, des médicaments ou des substances toxiques, susceptibles d'entraîner un état de dépendance.

Elle se manifeste par un besoin irrésistible de prendre certaines drogues pour leurs effets euphorisants, enivrants, excitants ou hallucinogènes.

La plupart de ces drogues permettent au toxicomane de s'évader momentanément d'une réalité qui lui est insupportable. À chaque nouvelle prise de drogue, celui-ci cherche à retrouver cet état plus satisfaisant que l'état normal.

LA DÉPENDANCE ET LE MANQUE

La dépendance est la conséquence d'une consommation régulière et excessive de drogues. La dépendance psychique se traduit par le besoin impérieux de consommer des drogues modifiant l'activité mentale. Privé de drogues, le toxicomane ressent une détresse émotionnelle intense. La dépendance physique se traduit par des troubles organiques (état de manque) dès que la drogue cesse d'être consommée : profonde angoisse, sueurs, nausées, vomissements, accélération du rythme cardiaque, confusion mentale ou encore hallucinations.

gent nécessaire à l'achat de sa drogue, le toxicomane évolue alors dans des milieux où violence, prostitution et trafic sont de règle.

Enfin, certains adultes prennent occasionnellement de la drogue, notamment de la cocaïne, comme psychostimulant.

LES EFFETS DES DROGUES

La consommation répétée de drogue entraîne une accoutumance physique de l'organisme. En effet, les drogues interfèrent avec des mécanismes neurologiques et biologiques, en particulier avec les substances chimiques qui transmettent les messages dans les cellules du système nerveux (neurotransmetteurs) et se fixent sur des récepteurs spécifiques du cer-

veau. Ces récepteurs accueillent, à l'état normal, des substances sécrétées par l'organisme, les endorphines, qui ont des propriétés calmantes et qui induisent une sensation de plaisir. Lorsque l'organisme reçoit régulièrement des substances morphiniques d'origine extérieure (comme c'est le cas chez les héroïnomanes), la production interne d'endorphines diminue. Les sensations de plaisir ne peuvent alors plus provenir, à un certain stade d'intoxication, que d'un apport extérieur. Les effets des drogues sur le cerveau se traduisent par une confusion mentale, un délire, des hallucinations et un comportement souvent agressif.

Les drogues peuvent également provoquer des troubles digestifs et cardiaques, entraîner des risques d'obstruction brutale d'un vaisseau sanguin (embolie) et, lors des injections intraveineuses, favoriser l'apparition d'infections diverses. À très fortes doses, elles peuvent être responsables d'une intoxication aiguë, conduisant parfois à la mort par surdosage (overdose). Les toxicomanes qui utilisent des seringues usagées risquent, en outre, de contracter de graves maladies virales (hépatites B ou C, sida), transmissibles par voie sanguine.

LES DIFFÉRENTES DROGUES

Les drogues sont classées, en fonction de l'effet qu'elles provoquent, en 4 groupes. Au sein de ces groupes, on distingue les drogues « dures » et les drogues « douces », selon le degré de dépendance qu'elles entraînent.

Le premier groupe comprend les substances dites « psychodépressives », qui exercent une action calmante, parfois soporifique, et combattent l'anxiété. L'alcool, les opiacés (héroïne), les barbituriques, les tranquillisants (sédatifs et hypnotiques), mais aussi les solvants tels que l'éther et la térébenthine, font partie de ce groupe.

Le deuxième groupe est formé des substances dites « psychostimulantes » : la cocaïne et son dérivé, le crack, les amphétamines ainsi que l'ecstasy et, dans une moindre mesure, la nicotine, la caféine, le khat.

La troisième famille est celle des substances dites « psychodysleptiques », aux effets hallucinogènes. Elle comprend le LSD et la psilocybine (extraite d'un champignon mexicain), ainsi que le haschisch.

Enfin, la quatrième famille de drogues est composée de certains médicaments (atropine, antihistaminiques) qui peuvent exercer des effets particuliers sur le psychisme (calmants ou, au contraire, stimulants) et entraîner une dépendance.

Comprimé d'ecstasy. Pour attirer les jeunes, les fabricants d'ecstasy dessinent des petits logos ludiques sur les comprimés.

Voisin – Phanie

LA TOXICOMANIE

TRAITEMENT ET PRÉVENTION

Le traitement de la toxicomanie repose sur un sevrage physique et psychologique, réalisé dans des centres spécialisés.

Groupe de toxicomanes discutant avec une animatrice. Le soutien psychologique est primordial dans la cure de désintoxication ; il permet de prévenir les risques de rechute.

Lorsque la consommation de drogue est occasionnelle, elle peut être arrêtée par une discussion avec les proches, susceptible de faire comprendre à la personne concernée le risque d'accoutumance et d'escalade. Celui qui prend régulièrement de la drogue sans être dépendant peut être aidé par un soutien psychologique, qui lui permettra de comprendre quelles difficultés il essaie de compenser et par quels comportements il peut remplacer la drogue. Lorsque la dépendance physi-

que est installée, une cure de désintoxication s'impose. Cette cure comprend un sevrage, accompagné d'une prise en charge psychologique.

LE SEVRAGE

Le sevrage ne peut être décidé qu'en accord avec le toxicomane. Il ne peut être réalisé qu'à l'hôpital, car l'arrêt de la consommation de drogue est toujours très éprouvant sur le plan physique et psychologique : douleurs viscérales, malaises, contractures

LES INÉGALITÉS DE LA DÉPENDANCE

Selon le produit consommé, la dépendance physique s'installe plus ou moins vite : elle est beaucoup plus rapide avec l'héroïne qu'avec le haschisch. La dépendance augmente aussi plus rapidement si l'on prend des doses élevées, quelle que soit la drogue consommée. Un consommateur de tranquillisants peut devenir dépendant de ses médicaments au même titre qu'un consommateur d'héroïne. Des prédispositions génétiques semblent également être responsables d'une apparition plus rapide de cette dépendance physique chez certains toxicomanes.

musculaires involontaires, tremblements, nausées, accélération du rythme cardiaque, diarrhée et angoisse intense.
La méthode de sevrage diffère peu d'une drogue à l'autre. La plus utilisée est un sevrage brutal, accompagné d'un traitement médicamenteux (anxiolytiques, analgésiques ou antidépresseurs). Une réduction des doses sur 2 ou 3 jours est également possible. Dans ce cas, des antalgiques et des somnifères peuvent être prescrits. Enfin, le sevrage peut être progressif. Cette méthode est réservée aux héroïnomanes. Elle nécessite un produit de substitution : la méthadone, qui est un analgésique de synthèse,

G. Mendel – Network – Rapho

175

voisin de la morphine, mais aux effets moins toxiques.

Au terme de 1 à 3 semaines, le sevrage physique est effectué, mais une postcure dans des établissements adaptés est nécessaire pour éviter au malade de rechuter en se retrouvant dans son environnement habituel.

LA PSYCHOTHÉRAPIE

Le soutien psychologique joue un rôle fondamental dans la cure de désintoxication. En effet, une fois sevré, le malade éprouve un sentiment de vulnérabilité. Un état dépressif peut alors s'installer, avec des risques importants de rechute dès la première angoisse ou frustration. La psychothérapie commence le plus sou-

---

LES DROGUES DE SUBSTITUTION

Chez un grand nombre de toxicomanes, le sevrage représente une difficulté insurmontable. Certains traitements comprennent donc la distribution contrôlée de produits dits de substitution : méthadone, buprenorphine ou encore d'autres produits à base de morphine. Ces substances permettent d'éviter les symptômes liés au sevrage et d'assurer de meilleures possibilités de réinsertion grâce au soutien psychologique qui l'accompagne. Les principes et les résultats de ce mode de sevrage sont très controversés. En effet, les effets secondaires du sevrage à la méthadone pourraient être plus graves que ceux de l'héroïne. En revanche, ce type de traitement peut contribuer à la prévention du sida chez les toxicomanes, qui ne sont plus amenés à échanger des seringues potentiellement infectées par le VIH.

TOXICOMANIE ET GROSSESSE

La consommation de drogue pendant la grossesse est extrêmement dangereuse pour la mère comme pour l'enfant.

Dans 80 % des cas, l'enfant qui naît d'une mère héroïnomane connaît un syndrome de sevrage néonatal dû à l'arrêt de l'apport d'opiacés par le cordon ombilical. La cocaïne augmente les risques de fausse couche, d'accouchement prématuré, de retard de croissance et d'hématome rétroplacentaire, qui, en décollant le placenta de la paroi utérine, prive le fœtus d'éléments nutritifs et met sa vie en danger.

La consommation de substances hallucinogènes augmente elle aussi les risques de fausse couche et de malformations congénitales.

---

vent au cours de l'hospitalisation et se poursuit dans un établissement de postcure. Elle associe des séances de thérapie de groupe et des entretiens individuels, au cours desquels on aide le malade à reprendre confiance en lui pour pouvoir affronter une vie normale.

Ce traitement peut durer de plusieurs mois à plusieurs années. Les rechutes sont nombreuses, car subsiste toujours chez l'ancien toxicomane la nostalgie des effets euphorisants de la drogue. Ce n'est souvent qu'après plusieurs rechutes que le toxicomane se stabilise, lorsqu'il se découvre une passion qui « l'accroche » plus que la drogue. La recherche de cet intérêt de substitution représente un des principaux objectifs des programmes de réadaptation.

LA PRÉVENTION DE LA TOXICOMANIE

Limiter l'accès aux drogues par des règles de contrôle du trafic et de répression de la distribution et de la consommation consti-

tue une mesure efficace pour prévenir la toxicomanie. Mais l'attrait financier, pour les vendeurs de drogues, et celui de la transgression, pour les consommateurs, sont tels que la disparition de la toxicomanie est illusoire. Aussi doit-on souligner l'importance de l'éducation dans cette prévention. Elle doit préparer à une vie où la drogue n'a pas sa place parce que l'on a pu développer une personnalité qui trouve en elle-même suffisamment de ressources.

J.-M. Delage – Sipa

Distribution de méthadone dans une clinique. *Les drogues de substitution, dont la distribution est contrôlée, permettent dans certains cas de faciliter la désintoxication.*

LES ASSOCIATIONS

FRANCE

URGENCES

15 – Aide médicale urgente
17 – Police secours
18 – Pompiers

Centres antipoison

Numéros d'appel en France métropolitaine

Angers	02 41 48 21 21
Bordeaux	05 56 96 40 80
Grenoble	04 76 42 42 42
Lille	03 20 44 44 44
Lyon	04 78 54 14 14
Marseille	04 91 75 25 25
Nancy	03 83 32 36 36
Nantes	02 41 48 21 21
Nice	04 91 75 25 25
Paris	01 40 37 04 04
Reims	03 26 86 26 86
Rennes	02 99 59 22 22
Rouen	02 35 88 44 00
Strasbourg	03 88 37 37 37
Toulouse	05 61 49 33 33
Tours	02 47 64 64 64

AIDES EN FIN DE VIE

Association pour le développement des soins palliatifs (ASP)
44, rue Blanche
75009 Paris
Tél. : 01 45 26 58 58
Assure une prise en charge globale du malade. Permet ainsi de surmonter, dans des conditions plus supportables, la douleur et l'angoisse au seuil de la mort. Participe à la création d'unités de soins palliatifs au sein d'hôpitaux ou de cliniques.

Fédération nationale JALMALV
(Jusqu'à la mort accompagner la vie)
4 *bis*, rue Hector-Berlioz
38000 Grenoble
Tél. : 04 76 51 08 51
Encourage la recherche sur les besoins des malades en fin de vie.

Leur apporte un soutien ainsi qu'à leur famille et au personnel soignant en participant à la création de lieux d'accueil, où la souffrance physique, morale, sociale et spirituelle des patients est prise en compte.

ALCOOLISME

Alcooliques anonymes (AA)
21, rue Trousseau
75011 Paris
Tél. : 01 48 06 43 68

Permanence :
3, rue Frédéric-Sauton
75005 Paris
Tél. : 01 43 25 75 00
Mouvement d'anciens malades venu des États-Unis. Organise des réunions d'entraide pour aider les personnes alcooliques à ne plus boire.

Association nationale de prévention de l'alcoolisme (ANPA)
20, rue Saint-Fiacre
75002 Paris
Tél. : 01 42 33 51 04
Informe le public des risques de l'alcool. Apporte des renseignements sur les traitements, les cures de désintoxication, etc., et organise des actions médico-sociales (écoute, suivi et réinsertion).

Fédération interprofessionnelle pour le traitement et la prévention de l'alcoolisation au travail (FITPAT)
BP 203
Usine Renault de Flins
78410 Aubergenville
Tél. : 01 30 95 23 75
Regroupement d'associations professionnelles exerçant son activité au sein des entreprises. Sa mission : dépistage, soins, prise en charge et soutien du malade.

Fédération nationale joie et santé
8, bd de l'Hôpital
75005 Paris
Tél. : 01 43 36 83 99
Aide les malades à lutter contre l'alcoolisme par des visites à domicile ou dans les hôpitaux. Aide la famille et les proches à se comporter avec un malade alcoolique.

CANCER

Association pour la recherche sur le cancer (ARC)
16, avenue Paul-Vaillant-Couturier
BP 3 - 94801 Villejuif Cedex
Tél. : 01 45 59 59 59
Cette association, reconnue d'utilité publique, a pour mission d'aider la recherche sur le cancer et de favoriser la prévention et l'information.

Choisir l'espoir (Association d'aide aux enfants atteints de cancer et à leur famille)
73, rue Gaston-Baratte
59650 Villeneuve-d'Ascq
Tél. : 03 20 64 04 99
Renseigne les parents d'enfants atteints d'un cancer sur les divers services et aides. Propose un accompagnement à domicile. Fournit une documentation aux jeunes malades sur leurs traitements. Sert de relais avec les autres associations de ce type en France.

Ligue nationale française contre le cancer
1, avenue Stephen-Pichon
75013 Paris
Tél. : 01 44 06 80 80
Participe à la recherche, à la prévention et au dépistage par l'information et l'aide aux malades. Les financements nécessaires sont entièrement assurés par les fonds recueillis grâce à la générosité du public.

Vivre comme avant
8, rue Taine
75012 Paris
Tél. : 01 43 43 87 39
Créée par des femmes opérées d'un cancer du sein. L'association aide les personnes qui, en plein cœur de la maladie, ont besoin d'une écoute.

DONS D'ORGANES

Fédération française des donneurs de sang bénévoles (FFDSB)
28, rue Saint-Lazare
75009 Paris
Tél. : 01 48 78 93 51
Suscite le don volontaire et bénévole de sang dans toute la population.

France ADOT
BP 35
75462 Paris Cedex 10
Tél. : 01 34 12 76 61
Informe le public sur le don d'organes en cas de décès et sur celui de la moelle osseuse provenant de donneur vivant.

France greffe de moelle osseuse
Hôpital Saint-Louis – Pavillon Lailler
1, avenue Claude-Vellefaux
75475 Paris Cedex 10
Tél. : 01 42 49 40 70
Recherche et établit un fichier de donneurs bénévoles de moelle osseuse pour des malades en attente d'une greffe.

Association France transplant
Hôpital Tarnier
89, rue d'Assas
75006 Paris
Tél. : 01 42 34 15 91
Réseau national. Coordonne les échanges d'organes : gestion d'un fichier de malades en attente de greffes (rein, foie, cœur), acheminement des organes et information du public.

DOULEUR

Association pour le traitement de la douleur de l'enfant
Hôpital d'enfants Armand-Trousseau

26, avenue Docteur-Arnold-Netter
75012 Paris
Tél. : 01 43 45 60 64
Mise à disposition d'une base de données (3617 PEDIADOL) comportant des références bibliographiques sur la douleur de l'enfant. Tous les ans, organisation d'un congrès sur la douleur de l'enfant à l'Unesco.

HANDICAPS

Comité national français de liaison pour la réadaptation des handicapés (CNRH)
236 bis, rue de Tolbiac
75013 Paris
Tél. : 01 53 80 66 66
Association reconnue d'utilité publique. Sa mission : aider le handicap au quotidien. Son équipe de professionnels informe et conseille les personnes âgées ou handicapées sur les équipements adaptés, les aides à la vie quotidienne, les aménagements des logements et l'adaptation des postes de travail.

Union nationale associative des parents et amis de personnes handicapées mentales (UNAPEI)
15, rue Coysevox
75018 Paris
Tél. : 01 44 85 50 50
Soutien des personnes handicapées et de leur famille, conseil juridique et administratif (écoles, foyers, vacances).

Association d'entraide des polios et handicapés (ADEP)
194, rue d'Alésia
75014 Paris
Tél. : 01 45 45 40 30
Spécialisée dans le handicap physique et l'insuffisance respiratoire, cette association informe les familles, gère les établissements d'accueil et assure un soutien juridique.

Association des paralysés de France (APF)
17, boulevard Auguste-Blanqui
75013 Paris
Tél. : 01 40 78 69 00
Mouvement national présent dans tous les départements. Sa mission :

apporter un soutien et une aide aux personnes handicapées motrices et à leur famille afin de les doter de la plus grande autonomie possible dans un lieu de vie choisi librement.

Poliomyélite
Union nationale des polios de France (UNPF)
36, avenue Duquesne
75007 Paris
Tél. : 01 47 34 35 26
Aide des poliomyélitiques et des handicapés moteurs. Gère également des ateliers protégés.

Fédération des associations gestionnaires et des établissements de réadaptation pour handicapés (FAGERH)
14, rue de la Tombe-Issoire
75014 Paris
Tél. : 01 45 89 14 07
Fédération regroupant les centres de formation pour adultes handicapés.

Fédération nationale des accidentés du travail et des handicapés (FNATH)
20, rue Tarentaize
42029 Saint-Étienne Cedex 1
Tél. : 04 77 49 42 42
Défend les victimes du travail et les handicapés. Organise la prévention des accidents du travail.

Fédération des malades et handicapés (FMH)
1, rue d'Angleterre
44000 Nantes
Tél. : 02 40 47 71 46
Mouvement à caractère syndical, animé par des handicapés. S'efforce de résoudre les problèmes sociaux et juridiques posés par les maladies ou les handicaps.

Groupement pour l'insertion des personnes handicapées physiques (GIHP)
10, rue Georges-de-Porto-Riche
75014 Paris
Tél. : 01 43 95 66 36
Pionnier en matière de transports adaptés. Favorise l'intégration des handicapés (moteurs ou sensoriels) afin qu'ils puissent vivre pleinement leur autonomie.

Ligue pour l'adaptation du diminué physique au travail (LADAPT)
102, rue des Poissonniers
75018 Paris Cedex
Tél. : 01 53 41 80 00
Soutient les initiatives qui favorisent l'adaptation de la personne diminuée physique au travail : formation professionnelle, rééducation fonctionnelle.

Association nationale de défense des malades, invalides et handicapés (AMI)
BP 6029
2, rue des Bienvenus
69604 Villeurbanne
Tél. : 04 78 85 74 26
S'efforce de défendre toute personne confrontée à un problème social, professionnel ou juridique posé par la maladie ou un handicap.

Comité national de coordination de l'action en faveur des personnes handicapées (CCAH)
36, rue de Prony
75017 Paris
Tél. : 01 42 27 78 51
Assure le placement des personnes handicapées dans des centres spécialisés.

Union nationale des amis et familles de malades mentaux et leurs associations (UNAFAM)
12, villa Compoint
75017 Paris
Tél. : 01 42 63 03 03
Lutte contre l'isolement des malades mentaux et de leur famille. Gère des permanences d'accueil et d'information. Assure des consultations juridiques, sociales et médicales.

MALADIES CARDIOVASCULAIRES

Fédération française de cardiologie (FFC)
50, rue du Rocher
75008 Paris
Tél. : 01 44 90 83 83
Informe le grand public sur les maladies cardiovasculaires.

Association des greffés du cœur et du poumon
36, rue Petit
75019 Paris
Tél. : 01 42 38 63 71
Soutient moralement les transplantés cardiaques et leur famille ; encourage les malades qui vont subir une greffe.

Société d'études et de soins pour les enfants atteints de rhumatismes articulaires aigus et de cardiopathies (SESERAC)
8, rue Bellini
75016 Paris
Tél. : 01 47 04 20 37
Organise des séjours de vacances pour enfants cardiaques et soutient la recherche sur les cardiopathies.

Association des porteurs de valves artificielles cardiaques (APVAC)
46, rue de Ménilmontant
75020 Paris
Tél. : 01 46 36 41 89
Organise des réunions permettant aux porteurs de valves de se rencontrer. Encourage les malades sur le point de subir une intervention.

MALADIES LIÉES AU VIEILLISSEMENT

Association France-Alzheimer et troubles apparentés
21, boulevard Montmartre
75002 Paris
Tél. : 01 42 97 52 41
Aide par tous les moyens les familles des personnes souffrant de la maladie d'Alzheimer. Agit auprès des pouvoirs publics. Soutient la recherche et sensibilise l'opinion publique.

Association France-Parkinson
37 *bis*, rue La Fontaine
75016 Paris
Tél. : 01 45 20 22 20
Informe sur la maladie de Parkinson, les progrès thérapeutiques et la recherche. Apporte aide et soutien aux malades. Soutient la recherche par l'attribution de bourses, de subventions.

MALADIES RESPIRATOIRES

Comité national contre les maladies respiratoires et la tuberculose (CNMRT)
66, boulevard Saint-Michel
75006 Paris
Tél. : 01 46 34 58 80
Informe et éduque le public sur les risques des maladies respiratoires. Prévient le tabagisme chez les jeunes, notamment dans les établissements scolaires.

Fédération française des associations et amicales d'insuffisants respiratoires (FFAAIR)
2, Longvert
23290 Saint-Étienne-de-Fursac
Tél. : 05 55 63 63 01
Défense de l'ensemble des intérêts des malades respiratoires. Promotion d'une politique sociale active destinée à l'amélioration des conditions de vie des patients.

Association Asthme
10, rue du Commandant-Schlœsing
75116 Paris
Tél. : 01 47 55 03 56
Informe les personnes concernées par la maladie. Aide à la création d'associations locorégionales et à la mise en place d'écoles de l'asthme dans toute la France.

MALADIES TROPICALES

Institut Pasteur
25, rue du Docteur-Roux
75015 Paris
Tél. : 01 45 68 80 00
Service vaccination :
Tél. : 01 45 68 81 98

SIDA ET AUTRES MALADIES SEXUELLEMENT TRANSMISSIBLES

Aides aux malades, à la recherche, information du public sur le sida (AIDES)
247, rue de Belleville
75019 Paris
Tél. : 01 52 26 26 26
Apporte une aide aux malades, organise des actions de prévention et d'information : brochures, permanences téléphoniques, etc.

Association de recherche,
de communication et d'action
pour le traitement du sida
(ARCAT-SIDA)
94-102, rue de Buzenval
75020 Paris
Tél. : 01 44 93 29 29
Mène des recherches dans le domaine de la santé publique. Fournit
informations et documents. Éla-
bore un programme « coordination
et action de prévention contre le
sida » (CAPS). Action sociale vis-à-
vis de personnes séropositives.
Édite le *Journal du SIDA*.

Association de défense
des transfusés (ADT)
66, rue Saintonge
75003 Paris
Tél. : 01 48 87 73 72
Aide les malades à établir un dossier
afin d'obtenir une indemnisation
pour les victimes du sida contaminées à la suite d'une transfusion.

Sol en Si
125, rue d'Avron
75960 Paris Cedex 20
Tél. : 01 43 79 60 90
Répond aux besoins des enfants et
des parents touchés par le sida.
Développe et anime un large
réseau de solidarité pour maintenir
le plus longtemps possible l'unité
familiale.

Act Up
45, rue Sedaine
75011 Paris
Tél. : 01 49 29 44 75
Association agissant auprès des
pouvoirs publics en vue de l'obten-
tion des nouveaux traitements
pour les personnes touchées par le
virus du sida.

Centre régional d'information et
de prévention du sida (CRIPS)
192, rue Lecourbe
75015 Paris
Tél. : 01 53 68 88 88
Gère un centre de documentation,
une médiathèque informatisée. Fournit des informations sur la maladie.
Met à la disposition du public et des
professionnels des listes d'associations et des brochures d'information.

SOINS À DOMICILE

Union nationale des associations
d'aide à domicile en milieu rural
(UNADMR)
184, rue du Faubourg-Saint-Denis
75010 Paris
Tél. : 01 44 65 55 55
Développe une aide à domicile en
milieu rural pour les familles, les
retraités, les personnes handicapées
et les malades.

Union nationale des associations
de soins et services à domicile
(UNASSAD)
108-110, rue Saint-Maur
75011 Paris
Tél. : 01 49 23 82 52
Gère des services d'aide ménagère,
de soins à domicile, d'auxiliaires de
vie, de gardes, etc., dans toute la
France.

Fédération nationale des aides à
domicile en activités regroupées
(FNADAR)
103, bd Magenta
75010 Paris
Tél. : 01 42 85 27 14
Gère des services d'aide à domicile
dans toute la France.

Association de soins et services
à domicile
365, rue de Vaugirard
75015 Paris
Tél. : 01 44 19 61 61
Propose des interventions à domicile de gardes-malades, d'aides
ménagères et d'aides-soignantes
ainsi que d'infirmières pour des
soins nursing et infirmiers.

SUICIDE

Suicide Écoute
16, rue du Chemin-Vert
75014 Paris
Tél. : 01 45 39 93 74
Prévention du suicide sous toutes
ses formes, notamment par l'écoute et le soutien des personnes
désespérées et de leurs proches.

SOS Dépression
17, avenue de Clichy
75017 Paris

Tél. : 01 45 22 44 44
Répond 24 h/24 aux appels à l'aide.

Urgence Psychiatrie
Tél. : 01 43 87 79 79
7 j/7 – 24 h/24
Information, orientation, conseil,
soutien, écoute en matière de psychologie. Intervention à domicile
d'un psychiatre si nécessaire.

TOXICOMANIE

Centre DIDRO
(drogue et jeunesse)
9, rue Pauly
75014 Paris
Tél. : 01 45 42 75 00
Gère un centre d'accueil, d'accompagnement thérapeutique et d'orientation pour toxicomanes.

Drogue Info Service
Numéro vert national (gratuit) :
0 800 23 1313
Information, orientation, conseil,
soutien, écoute en matière de toxicomanie.

SOS Drogue International
Centre confluences
126, rue de l'Ouest
75014 Paris
Tél. : 01 43 95 08 08
Apporte une aide psychologique et
juridique aux toxicomanes et dispose d'un service d'appartements
thérapeutiques.

Union nationale et familiale
de lutte contre les
toxicomanies
42, avenue Jean-Moulin
75014 Paris
Tél. : 01 45 42 43 74
Association de professionnels (psy-
chologues, psychiatres, etc.) accueil-
lant et soutenant les toxicomanes
et leurs familles.

SOS Drogue International
Centre parenthèse
126, rue de l'Ouest
75014 Paris
Tél. : 01 43 95 08 08
Apporte une aide psychologique à
la famille et à l'entourage des toxicomanes.

LES ASSOCIATIONS

BELGIQUE

URGENCES

112 – Urgences européennes

Service médical d'urgence
et pompiers
Tél. : 100

Gendarmerie nationale et police
bruxelloise
Tél. : 101
En dehors de l'agglomération
bruxelloise, consultez l'annuaire
téléphonique pour connaître le
numéro d'appel de la police
communale.

SOS Médecins
Boulevard de l'Abattoir, 26
1000 Bruxelles
Tél. : 02/513 02 02
Intervention d'un généraliste de
garde.

AIDES EN FIN DE VIE

Association pour le droit de
mourir dans la dignité
Rue du Président, 55
1050 Bruxelles
Tél. : 02/502 04 85
Par la rédaction d'un testament biologique, association luttant contre
l'acharnement thérapeutique en
vue d'offrir aux malades une fin de
vie conforme à leur désir.

Centre d'aide aux mourants
Boulevard de Waterloo, 106
1000 Bruxelles
Tél. : 02/538 03 27
Assure une prise en charge psychologique des malades à pronostic
grave et de leur entourage, et un accompagnement des familles au
moment du deuil. Assure également la formation du personnel
soignant et des bénévoles.

ALCOOLISME

Alcooliques anonymes (AA)
Rue du Boulet, 13
1000 Bruxelles
Tél. : 02/513 23 36 et 02/511 40 30
(permanence téléphonique)

CANCER

Association contre le cancer
Chaussée de Louvain, 479
1030 Bruxelles
Tél. : 02/736 99 99
Ligne Info Cancer : 0800/15 800
Information, soutien psychologique,
aide sociale.

Cancer et psychologie
Avenue de Tervuren, 215
Bte 14
1150 Bruxelles
Tél. : 02/735 16 97
Écoute téléphonique, accompagnement psychologique complémentaire au traitement médical,
groupes de rencontre, entretiens
individuels, formation de soignants
et de bénévoles.

Continuing Care
Rue Royale, 217
1210 Bruxelles
Tél. : 02/225 82 20
Soins palliatifs à domicile des ma-
lades en phase terminale du cancer.

Vivre comme avant
Avenue Louise, 223
Bte 29
1050 Bruxelles
Tél. : 02/649 41 68
Liège : tél. : 04/226 38 48
Groupes de rencontre, aide psy-
chologique pour les femmes qui
ont subi l'ablation d'un sein.

Œuvre belge du cancer
Tél. : 0800 11 888
Écoute cancer.

DOULEUR

Soins palliatifs et continus
Clinique Europe Saint-Michel
Square Marie-Louise, 59
1000 Bruxelles
Tél. : 02/737 83 53
Écoute, accompagnement psychologique et religieux des malades
par un personnel soignant et des
bénévoles.

Soins palliatifs Tournay
Boulevard Lalaing, 31
7500 Tournai
Tél. : 06/984 34 09

HANDICAPS

Association belge des
paralysés
Rue des Champs-Élysées, 61-63
1050 Bruxelles
Tél. : 02/648 64 33
Ateliers protégés, réinsertion sociale des handicapés moteurs.

Association chrétienne des
invalides et des handicapés
Rue de la Loi, 121
1040 Bruxelles
Tél. : 02/237 42 26
Éducation permanente des handicapés adultes, physiques et mentaux.

Association nationale d'aide
aux handicapés mentaux
(ANHAM)
Rue de la Limite, 66
1210 Bruxelles
Tél. : 02/219 88 00
Organisation de rencontres, de
séminaires, publication d'un bulletin, service d'aide aux parents de
bébés handicapés mentaux, service
social et juridique, placement dans
des institutions, suivi des adultes
handicapés mentaux.

Association nationale du logement aux handicapés
Cité de l'Amitié
Rue Fleur d'oranger, 1
Bte 213
1150 Bruxelles
Tél. : 02/772 18 95
Propose des logements sociaux avec une aide à la vie quotidienne 24 h/24, travaille en collaboration avec les communes et les régions pour l'accessibilité des lieux publics et des transports en commun.

Ligue d'aide aux infirmes moteurs cérébraux
Rue Stanley, 69-71
1180 Bruxelles
Tél. : 02/343 91 05
Aide aux familles, accompagnement des infirmes moteurs cérébraux adultes, relais avec les institutions, éducation permanente, bibliothèque, revue trimestrielle.

Ligue nationale libérale des handicapés
Rue de Livourne, 25
1050 Bruxelles
Tél. : 02/538 41 54
Service de prêt de matériel pour les handicapés physiques.

Info Santé mentale
Fondation Julie-Renson
Rue de Lombardie, 35
1060 Bruxelles
Tél. : 02/538 94 76
Information sur les hôpitaux et internats pour adultes et enfants, organisation de journées de rencontre, édition de livres.

JEUNES

SOS Jeunes
Rue Mercelis, 27
1050 Bruxelles
Tél. : 02/512 90 20
Service d'aide et d'accueil pour les jeunes en difficulté, accompagnement 24 h/24.

Écoute Jeunes
Tél. : 078/15 44 22

Infor Jeunes
Tél. : 070/23 34 44

MALADIES CARDIOVASCULAIRES

Ligue cardiologique belge
Rue des Champs-Élysées, 43
1050 Bruxelles
Tél. : 02/649 85 37
Prévention des maladies cardiovasculaires par la diffusion de brochures concernant les différents facteurs de risque, édition d'un bulletin *Notre cœur, nos artères* ; organisation de la « Semaine du cœur ».

MALADIES LIÉES AU VIEILLISSEMENT

Ligue Alzheimer
Rue Montagne-Saint-Walburge, 4 *bis*
4000 Liège
Tél. : 04/225 87 11
Association de familles de malades atteints par la maladie d'Alzheimer et autres formes de démence. Entraide, information, écoute, promotion de la recherche.

MALADIES RESPIRATOIRES

Association nationale belge contre la tuberculose
Avenue Alfred Solvay, 5
1170 Bruxelles
Tél. : 02/672 76 76
Services de consultation, d'hospitalisation et de prévention dans le cadre de la promotion, de la conservation et de la récupération de la santé physique et psychique.

Fondation contre les infections respiratoires et pour l'éducation à la santé (FARES)
Rue de la Concorde, 56
1050 Bruxelles
Tél. : 02/512 29 36
Tél. : 02/512 20 83
Information et dépistage de la tuberculose, information sur le tabagisme et les maladies respiratoires chroniques auprès du grand public et des équipes paramédicales.

Tabac Stop
Tél. : 0 800 122 21

MALADIES TROPICALES

Société belge de médecine tropicale
Institut de médecine tropicale
Rue Nationale, 155
2000 Anvers
Tél. : 03/247 66 66

SIDA ET AUTRES MALADIES SEXUELLEMENT TRANSMISSIBLES

Agence de prévention du sida
Rue de Haerne, 42
1040 Bruxelles
Tél. : 02/627 75 11

SOINS À DOMICILE

AREMIS
Service d'hospitalisation à domicile
Chaussée de Boondael, 390
1050 Bruxelles
Tél. : 02/649 41 28
Propose un service d'hospitalisation et de soins à domicile aux malades, leur permettant ainsi de rentrer chez eux rapidement.

SUICIDE

Centre de prévention du suicide
Place du Châtelain, 46
1050 Bruxelles
Tél. : 02/640 51 56 (secrétariat)
Tél. : 02/640 65 65 (permanence téléphonique 24 h/24)

TOXICOMANIE

Infor Drogue
Chaussée de Waterloo, 302
1060 Bruxelles
Tél. : 02/537 52 52 (permanence téléphonique 24 h/24)
Aide aux adolescents et aux parents sur les plans social, juridique, psychologique et médical.

VACCINATION

Institut provincial Ernest-Malvoz
Vaccination et santé en voyage
Quai du Barbou, 4
4020 Liège
Tél. : 04/344 79 54

LES ASSOCIATIONS

SUISSE

INSTITUTIONS CENTRALES

Association suisse des organisations d'aide familiale (ASOAF)
Zähringerstrasse 15
3012 Berne
Tél. : 031/302 35 24

Croix-Rouge suisse
Rainmattstrasse 10
3001 Berne
Tél. : 031/387 71 11

Fondation suisse Pro Juventute
Seehofstrasse 15
8022 Zurich
Tél. : 01/251 72 44

AIDES EN FIN DE VIE

Exit – ADMD Suisse romande
Association pour le droit de mourir dans la dignité
CP 100
1222 Vésenaz
Tél. : 022/735 77 60
Association permettant aux malades de faire valoir leur droit à mourir dignement : rédaction d'un testament biologique précisant les dernières volontés du malade, écoute et soutien psychologique.

ALCOOLISME

Alcooliques anonymes (AA)
Avenue de Morges 29
1004 Lausanne
Tél. : 021/626 26 36
Institution d'hommes et de femmes qui se réunissent dans le même but : résoudre leur problème d'alcoolisme.

CANCER

Ligue suisse contre le cancer
CP 2284
Effingorstrasse 40
3001 Berne
Tél. : 031/389 91 00

Association nationale avec sections régionales, qui a pour but de prévenir, de promouvoir la recherche et d'aider les personnes atteintes de cancer.

DOULEUR

Société suisse de médecine et de soins palliatifs
Chemin de la Montagne, 102
1224 Chêne-Bougeries
Tél. : 022/348 85 87
Société qui regroupe des associations de professionnels et de bénévoles pratiquant les soins palliatifs. Apporte soutien, réconfort et soins aux personnes qui ont un pronostic grave.

HANDICAPS

Association suisse d'aide aux personnes avec un handicap mental
Secrétariat Suisse romande
Rue des Remparts 13
1950 Sion
Tél. : 027/322 67 55
Cette association a pour but d'agir dans l'intérêt des personnes handicapées et de tout mettre en œuvre pour les aider.

Fédération suisse pour l'intégration des handicapés (FSIH)
Bürglistrasse 11
8002 Zurich
Tél. : 01/201 58 26
Cette fédération a pour but d'intégrer socialement et professionnellement les personnes handicapées.

Association suisse des invalides (ASI)
Froburgstrasse 4
4600 Olten
Tél. : 062/212 12 62
Cette association offre beaucoup de prestations aux invalides, telles

que : protection juridique, conseils en construction adaptée, recherche d'appartements pour les personnes handicapées. Elle organise également des vacances et des cours destinés à améliorer leur autonomie et leur qualité de vie.

Centre suisse de réadaptation pour handicapés
Rue du Midi 55
2504 Bienne
Tél. : 032/344 25 22
Centre qui s'occupe d'intégrer professionnellement les handicapés mentaux.

Association suisse Pro Infirmis
CP 1332
Feldeggstrasse 71
8032 Zurich
Tél. : 01/388 26 90
Cette association a pour but de conseiller les personnes handicapées sur leur situation et notamment de leur indiquer les aides financières et matérielles dont elles peuvent bénéficier.

Association suisse des paralysés (ASPr)
Secrétariat central
Rue de Locarno 3
CP 740
1701 Fribourg
Tél. : 026/322 94 33
Association de paralysés organisant des loisirs et des cours. Elle défend également les intérêts des paralysés et tout ce qui les concerne.

Association suisse des paraplégiques
Kantonsstrasse 40
6207 Nottwil
Tél. : 041/939 54 00
Association d'entraide pour les para- et tétraplégiques grâce à ses quatre départements : département de sport, département social et

juridique, département social et loisirs et département « construire sans obstacles ».

MALADIES CARDIOVASCULAIRES

Fondation suisse de cardiologie
Case postale 176
3000 Berne 15
Tél. : 031/351 15 22
Soutient financièrement la recherche, informe le public sur les différents facteurs de risque et les maladies cardiovasculaires et organise tous les deux ans une action publique sur un thème lié aux maladies cardiovasculaires. Groupes de maintenance proposant des rencontres entre malades ainsi que des activités.

MALADIES LIÉES AU VIEILLISSEMENT

Association Alzheimer suisse
Rue Pestalozzi 16
1400 Yverdon-les-Bains
Tél. : 024/426 20 00
Association qui soutient les patients ainsi que leurs familles et qui donne au public toutes informations concernant la maladie d'Alzheimer.

Association suisse de la maladie de Parkinson
Forchstrasse 182
CP 182
8132 Hinteregg
Tél. : 01/984 01 69
Association qui soutient les personnes souffrant de la maladie de Parkinson ainsi que leurs familles et qui donne au public toutes informations concernant cette maladie.

MALADIES RESPIRATOIRES

Association pour la prévention du tabagisme (AT)
Effingerstrasse, 40
CP 5255
3001 Berne
Tél. : 031/389 92 46
Cette association fait de la prévention contre le tabagisme. Elle lance également des campagnes et informe le public sur tout ce qui est lié au tabagisme.

Association suisse contre la tuberculose et les maladies pulmonaires
Sécrétariat général
Falkenplatz 9
CP 8266
3001 Berne
Tél. : 031/302 08 22
Cette association collabore avec l'Office fédéral de la santé afin d'aider les personnes souffrant de maladies respiratoires. Elle fait également de la prévention et informe le public sur tout ce qui est lié à la tuberculose et aux maladies pulmonaires. Cette association est subdivisée en ligues cantonales.

MALADIES TROPICALES

Institut tropical suisse
Socinstrasse 57
4002 Bâle
Tél. : 061/284 81 11
Institut traitant, dans sa polyclinique, les maladies tropicales. Actif également dans l'enseignement et la recherche.

SIDA ET AUTRES MALADIES SEXUELLEMENT TRANSMISSIBLES

Aide suisse contre le sida (ASS)
Konradstrasse 20
CP 1118
8031 Zurich
Tél. : 01/273 42 42
Association de solidarité qui soutient et informe les personnes atteintes du sida ainsi que leurs proches. Soutient également toutes les antennes cantonales.

Sida Info Doc suisse
Schauplatzgasse 26
CP 5064
3001 Berne
Tél. : 031/312 12 66
C'est un centre de documentation et d'information constante concernant le sida. Ce centre a également pour but de soutenir psychologiquement les malades et d'aider les personnes touchées à accepter la maladie.

Sida Genève
Rue Pierre-Fatio 17
1204 Genève
Tél. : 022/700 15 00
Association à but non lucratif qui a comme objectif principal la lutte contre le sida dans ses aspects socio-communautaires. Elle a également des objectifs spécifiques : éviter de nouvelles contaminations ou infections par le VIH ; diffuser une information ample et objective concernant le virus et la maladie ; promouvoir et développer la solidarité et le soutien aux personnes concernées et lutter contre les mesures de discrimination et attitudes d'exclusion.

SOINS À DOMICILE

Association suisse des services d'aide et de soins à domicile
Belpstrasse 24
CP 329
3000 Berne 14
Tél. : 031/381 22 81
Représente 26 associations cantonales qui aident, soignent, accompagnent et conseillent des personnes de tout âge à leur domicile.

SUICIDE

La Main tendue
Brückfeldstrasse 18
3012 Berne
Tél. : 031/301 91 91
Écoute téléphonique 24h /24
Apporte un soutien moral et psychologique à toute personne désespérée et organise des campagnes de prévention du suicide.

TOXICOMANIE

Institut suisse de prévention de l'alcoolisme et d'autres toxicomanies (ISPA)
Avenue Ruchonnet 14
Adresse postale : CP 870
1001 Lausanne
Tél. : 021/321 29 11
Organisation privée d'utilité publique qui a pour but de prévenir les problèmes liés à l'alcool et aux autres toxicomanies et de lutter contre eux quand ils existent.

LES ASSOCIATIONS

CANADA/QUÉBEC

ALCOOLISME

Les enfants adultes d'alcooliques
Tél. : 514 369 2001
Le but de cette association est d'apporter un soutien moral aux enfants qui ont grandi dans un milieu alcoolique et qui ont maintenant atteint l'âge adulte.

Les groupes « Al-Anon » et « Alateen »
À Québec : tél. : 418 522 0473
À Drummondville : tél. : 819 479 3545
Pour information générale :
BP 114, station C, Montréal – H2L 4J7
Tél. : 514 729 3034
BP 661, Pointe-Claire, H9R 4S8
Tél. : 514 729 3034
Soutiennent et conseillent les conjointes et les enfants adolescents d'alcooliques.

Les centres alternatifs de réhabilitation
3440, chemin de la Côte-des-Neiges
Montréal, H3H 1T8
Tél. : 514 931 253
Groupe de centres de réinsertion proposant des méthodes alternatives aux méthodes traditionnelles de traitement des alcooliques.

CANCER

Ligne Info Cancer
Tél. : 1 800 663 4242
Sur le plan national, centre pancanadien d'information sans frais.

Société canadienne du cancer Division du Québec
5151, boulevard de l'Assomption
Montréal – H1T 4A9
Tél. : 514 255 5151
Société qui parraine des recherches sur le cancer, récolte des fonds et donne des informations sur le cancer.

Cancer Aid Group
3506, rue Université, ch. 227
Montréal – H3A 2A9
Tél. : 514 684 2890
Organisation pour les patients atteints de cancer, encourageant la prise en charge du cancéreux par lui-même.

Fondation québécoise du cancer
2075, rue De Champlain
Montréal – H2L 2T1
Tél. : 514 527 2194
Ligne Info Cancer : 514 527 2194
Hôtellerie de Montréal :
514 527 2194
Fournit des services d'hébergement pour une somme minime aux patients demeurant à l'extérieur de Montréal et qui viennent suivre des traitements de chimiothérapie ou de radiothérapie à Montréal.

Organisation Leucan
3175, chemin Sainte-Catherine
Montréal – H3T 1C5
Tél. : 514 733 8465
Soutient les enfants et les adultes atteints de leucémie.

Organisation montréalaise des personnes atteintes de cancer
6653, rue Saint-Denis
Montréal – H2S 2S1
Tél. : 514 273 3676
Support et entraide des personnes atteintes de cancer.

DONS D'ORGANES

Québec Transplant
4200, boulevard Saint-Laurent
Montréal H2W 2R2
Tél. : 514 286 1414
Informe le public sur le don d'organes en cas de décès et coordonne les échanges d'organes.

HANDICAPS

Amicale des handicapés physiques de l'Outaouais
150, chemin Freeman
Hull – J8Z 2B4
Tél. : 819 771 2244
Organise des activités sociales pour les personnes présentant un handicap physique.

Association de paralysie cérébrale du Québec
4810, rue de Rouan
Montréal – H1V 3T4
Tél. : 514 257 4341
Récolte des fonds, fait de la recherche et fournit de l'argent aux associations locales.

Association canadienne des paraplégiques
1415 Est, rue Jarry, bureau 100
Montréal – H2E 1A7
Tél. : 514 593 1888
Association disposant d'antennes régionales et qui soutient les personnes atteintes de paraplégie.

Institut de réadaptation de Montréal
6300, avenue Darlington
Montréal – H3S 2J4
Tél. : 514 340 2085
Organisation qui fait de la recherche et aide à la réadaptation de patients multihandicapés.

Office des personnes handicapées du Québec
309, rue Brock
Drummondville – J2B 1C5
Tél. : 819 477 7100
Organisation paragouvernementale chargée de représenter l'opinion des personnes handicapées du Québec et de conseiller le gouvernement sur les diverses mesures à prendre pour favoriser l'intégration des personnes handicapées.

MALADIES CARDIOVASCULAIRES

Fondation des maladies du cœur du Québec
465 Ouest, boulevard René-Lévesque
Montréal – H2Z 1A8
Tél. : 514 871 1551
Fondation qui récolte des fonds pour les programmes de recherche et de réadaptation des personnes souffrant de maladies cardiaques. Elle réalise des campagnes d'information, publie des livres de recettes pour les personnes qui ont des problèmes liés au cholestérol, etc.

MALADIES LIÉES AU VIEILLISSEMENT

Fédération des associations de l'âge d'or du Québec
4545, avenue Pierre-de-Coubertin
CP 1000, succursale M
Montréal – H1V 3R2
Tél. : 514 252 3017
Groupe de défense des droits des personnes âgées et qui s'occupe de regrouper les différentes associations du même type, concernant les loisirs et les besoins spécifiques du 3ᵉ âge.

Fédération québécoise des sociétés Alzheimer
1474 Est, rue Fleury
Montréal – H2C 1S1
Tél. : 514 388 3148
S'occupe de récolter des fonds et subventionne la recherche et des services de prise en charge pour les patients atteints par la maladie d'Alzheimer.

Fondation canadienne de Parkinson, section Québec
315-225, rue de la Présentation
Dorval – H9S 3L7
Tél. : 514 31 5600

MALADIES RESPIRATOIRES

Association québécoise de lutte contre l'asthme
Succursale Jacques-Cartier
Sherbrooke – J1J 3Y4
Ces deux associations s'occupent de récolter des fonds, soutiennent la recherche et informent les patients qui souffrent de maladies respiratoires. Elles réalisent également ment des campagnes d'information sur ces maladies et luttent contre le tabagisme.

Conseil québécois sur le tabac et la santé
440 Ouest, boulevard René-Lévesque
Montréal – H2Z 1B7
Tél. : 514 871 1551
Regroupement d'organismes qui luttent contre le tabagisme dans les lieux publics et qui informent le public sur les dangers du tabac.

MALADIES TROPICALES

Il n'existe pas à proprement parler d'associations spécialisées dans les maladies tropicales. En revanche, certains centres hospitaliers universitaires des universités de Montréal et de Québec disposent d'unités de clinique santé-voyage.

Centre hospitalier de l'université de Montréal
Pavillon Saint-Luc
1058, rue Saint-Denis
Montréal – H2X 3JK
Tél. : 514 281 2121

Cité de la santé de Laval
1755, boulevard René-Laennec
Laval – H7M 3L9
Tél. : 514 668 1010
Ces cliniques donnent des renseignements sur les mesures préventives à prendre avant un voyage à l'étranger : vaccinations, carnets de vaccinations internationaux, etc.

SIDA ET AUTRES MALADIES SEXUELLEMENT TRANSMISSIBLES

Organisation Info MST
525 Est, boulevard Hamel
Québec – G1M 2S8
Tél. : 800 463 5656
Organisation disposant d'unités de santé publique régionales, qui informe sur les maladies sexuellement transmissibles.

Aids Community Care of Montreal
Tél. : 514 287 3551
Propose aide, accompagnement et soutien aux personnes atteintes par le virus du sida.

Centre d'action sida Montréal pour les femmes
Tél. : 514 989 7997
Information, documentation et service d'écoute.

SOINS EN FIN DE VIE

Mourir avec dignité
600 Est, avenue Eglinton
Toronto, Ontario – M4B 1P3
Tél. : 416 486 3998
Conception et distribution de testaments biologiques et de cartes de directives préalables pour le portemonnaie. Cette association s'adresse aux patients et au public en général, aux familles, aux professionnels de la santé et aux avocats.

SUICIDE

Suicide Action Montréal
4651, rue Saint-Denis
Montréal – H2J 2L5
Tél. : 514 842 9287/514 723 4000
Service d'écoute active pour les personnes désespérées. Donne aussi des conseils en matière de prévention du suicide et soutient les proches des personnes suicidées.

TOXICOMANIE

Centre d'aide aux familles d'alcooliques et de toxicomanes (CAFAT)
Tél. : 514 669 9669
Service de groupes d'entraide et d'écoute fournissant information et documentation, mais exerçant aussi des activités de financement.

Narcotiques anonymes
Tél. : 514 525 0333
Ligne d'écoute et de conseil pour des personnes confrontées à des problèmes d'abus de substances toxiques.

LA BIBLIOTHÈQUE MÉDICALE DE LA FAMILLE

Pour en savoir plus sur certains sujets traités dans ce volume, vous pouvez aussi consulter d'autres volumes de *la Bibliothèque médicale de la famille* :

- **Chirurgie,**
▷ Vol. 5, Savoir se soigner

- **Examens de santé,**
▷ Vol. 5, Savoir se soigner

- **Maladies cardiovasculaires,**
▷ Vol. 6, Les maladies du cœur, du sang et des poumons

- **Maladies infectieuses de l'enfant,**
▷ Vol. 1, Attendre et élever son enfant

- **Maladies parasitaires de l'appareil digestif,**
▷ Vol. 7, Les maladies des appareils digestif et urinaire

- **Maladies psychiatriques,**
▷ Vol. 3, Les maladies du cerveau et des organes des sens

- **Maladies sexuellement transmissibles,**
▷ Vol. 8, La vie sexuelle

- **Spécialités médicales et paramédicales,**
▷ Vol. 5, Savoir se soigner

Pour en savoir plus sur le corps humain et sur tout ce qui touche à la santé, vous avez à votre disposition l'ensemble de *la Bibliothèque médicale de la famille* :

Volume 1.
- **Attendre et élever son enfant.**
Attendre un enfant
  Grossesse
  Accouchement
  Informations pratiques
Élever son enfant
  Développement
  Maladies de A à Z

Volume 2.
- **Les grandes maladies : comment lutter ?**
Maladies infectieuses
  Généralités
  Maladies de A à Z
  Sida
Problèmes d'aujourd'hui
  Cancers
  Problèmes de santé
Associations d'aide aux malades

Volume 3.
- **Les maladies du cerveau et des organes des sens.**
Cerveau
  Cerveau et nerfs
  Maladies de A à Z
Organes des sens
  Yeux, vision
  Audition, goût et odorat
  Maladies de A à Z
Psychiatrie
  Généralités

Maladies de A à Z
Associations d'aide aux malades

Volume 4.
- **Les maladies des os, des muscles et de la peau.**
Os, articulations et muscles
  Généralités
  Maladies de A à Z
Peau
  Généralités
  Maladies de A à Z
Associations d'aide aux malades

Volume 5.
- **Savoir se soigner.**
Savoir se soigner
  Spécialités médicales et paramédicales
  Chirurgie
  Examens
Les médecines alternatives
  Homéopathie
  Acupuncture, phytothérapie et mésothérapie
Premiers secours
Médicaments

Volume 6.
- **Les maladies du cœur, du sang et des poumons.**
Cœur et sang
  Sang et immunité

Cœur et circulation
Maladies de A à Z
Poumons et ORL
  Poumons et respiration
  ORL (bouche, nez, gorge et oreilles)
  Maladies de A à Z
Associations d'aide aux malades

Volume 7.
- **Les maladies des appareils digestif et urinaire.**
Appareils digestif, urinaire et hormonal
  Appareil digestif
  Appareil urinaire
  Glandes endocriniennes et hormones
  Maladies de A à Z
Bien se nourrir
Associations d'aide aux malades

Volume 8.
- **La vie sexuelle.**
Appareil génital
  Généralités
  Maladies de A à Z
La vie sexuelle
  Sexualité
  Contraception
  Stérilité
Associations d'aide aux malades

INDEX

Les numéros de page indiqués en italique renvoient aux illustrations. Les intitulés sans pagination sont traités dans les articles indiqués à la suite.